PROFÉTICOS PARA TODOS

PROFÉTICOS PARA TODOS

DANIEL E OS DOZE PROFETAS

JOHN GOLDINGAY

THOMAS NELSON
BRASIL®

Copyright © 2016, por John Goldingay. Edição original por Westminster John Knox Press, Louisville, Kentuck. Todos os direitos reservados.
Copyright da tradução © 2024 por Vida Melhor Editora LTDA. Todos os direitos reservados.

Título original: *Daniel and the twelve prophets for everyone*

Todos os direitos desta publicação são reservados à Vida Melhor Editora Ltda. Nenhuma parte desta obra pode ser apropriada e estocada em sistema de banco de dados ou processo similar, em qualquer forma ou meio, seja eletrônico, de fotocópia, gravação etc., sem a permissão dos detentores do copyright.

As citações bíblicas são traduções da versão do próprio autor, a menos que seja especificada outra versão da Bíblia Sagrada.

Produção editorial	Juan Carlos Martinez
Tradução	José Fernando Cristófalo
Copidesque	Raquel Fleischner
Diagramação	Sonia Peticov
Capa	Rafael Brum

DADOS INTERNACIONAIS DE CATALOGAÇÃO NA PUBLICAÇÃO (CIP)
(BENITEZ Catalogação Ass. Editorial, MS, Brasil)

G571p Goldingay, John
1.ed.   Proféticos para todos: Daniel e os doze profetas / John Goldingay; tradução José Fernando Cristófalo. – 1.ed. – Rio de Janeiro: Thomas Nelson Brasil, 2024. (Coleção Antigo Testamento para todos)
            320 p.; 12 x 18 cm.

Título original: *Daniel and the twelve prophets for everyone*.
ISBN 978-65-5689-899-5 (capa dura)

1. Bíblia. A.T. Daniel – Comentários 2. Bíblia. A.T. Daniel – Crítica e exegese. 3. Bíblia. A.T. Daniel – Crítica e interpretação. 4. Daniel, Profeta I. Cristófalo, José Fernando. II. Título. III. Série.

03-2024/53   CDD: 224.506

Índice para catálogo sistemático:
1. Daniel : Livros proféticos: Antigo testamento: Cristianismo   224.506

Aline Graziele Benitez — Bibliotecária — CRB-1/3129

Os pontos de vista desta obra são de responsabilidade de seus autores e colaboradores diretos, não refletindo necessariamente a posição da Thomas Nelson Brasil, da HarperCollins Christian Publishing ou de suas equipes editoriais.

Thomas Nelson Brasil é uma marca licenciada à Vida Melhor Editora LTDA. Todos os direitos reservados à Vida Melhor Editora LTDA.

Rua da Quitanda, 86, sala 601A - Centro,
Rio de Janeiro/RJ - CEP 20091-005
Tel.: (21) 3175-1030
www.thomasnelson.com.br

SUMÁRIO

Agradecimentos — 9
Introdução — 11

Daniel 1:1-21 • Sobre traçar uma linha — 17
Daniel 2:1-24 • Exceto os deuses, cujo lar não está com a humanidade — 21
Daniel 2:25-49 • Após Nabucodonosor, o quê? — 25
Daniel 3:1-30 • Mas, se o nosso Deus não nos resgatar — 30
Daniel 4:1-18 • Assim o digam — 35
Daniel 4:19-37 • Juízo e mudança — 38
Daniel 5:1-31 • Foste pesado e achado em falta — 42
Daniel 6:1-28 • Sobre permanecer firme na fé — 47
Daniel 7:1-28 • Aquele que fala grandes coisas é silenciado — 53
Daniel 8:1-27 • A supervisão de Deus e o homem que foi longe demais — 58
Daniel 9:1-27 • Setenta semanas — 63
Daniel 10:1—11:14 • Assim na terra como nos céus — 68
Daniel 11:5-35 • Confuso? Sim, você deveria estar. Esse é o ponto — 73
Daniel 11:36—12:13 • As pessoas que ajudarem outras a serem fiéis brilharão como estrelas — 79
Oseias 1:1—2:1 • Um casamento condenado — 83
Oseias 2:2-13 • Tal mãe, tais filhos e filhas — 86
Oseias 2:14—3:5 • O vale da tribulação pode se tornar a porta da esperança — 90
Oseias 4:1-19 • Conhecendo e reconhecendo — 93
Oseias 5:1—6:3 • Quando a traça e a podridão corrompem e os ladrões invadem e roubam — 97

Oseias 6:4—7:16 • Melancolia de junho ... 101
Oseias 8:1-14 • Líderes como fardos ... 105
Oseias 9:1-17 • A armadilha suave ... 109
Oseias 10:1-15 • O que semear, colherá ... 113
Oseias 11:1-11 • A natureza infalível do amor de uma mãe ... 117
Oseias 11:12—13:11 • Boas-vindas e confronto ... 119
Oseias 13:12—14:9 • Nascimento e morte ... 124
Joel 1:1-20 • Tudo o que você pode fazer é orar ... 128
Joel 2:1-27 • Os anos nos quais o gafanhoto comeu ... 131
Joel 2:28—3:21 • Não se pode controlar quem recebe o Espírito de Deus ... 137
Amós 1:1—2:5 • As nações são responsáveis ... 142
Amós 2:6—3:15 • Vocês também ... 147
Amós 4:1-13 • Quando a adoração é ofensiva ... 152
Amós 5:1-27 • Quando o exercício de autoridade se torna venenoso ... 156
Amós 6:1-14 • Advertência aos preguiçosos ... 160
Amós 7:1-17 • Sobre comparecer diante do tribunal celestial ... 164
Amós 8:1-14 • Quantas vezes pode-se comparecer diante do tribunal celestial? ... 167
Amós 9:1-15 • Não é possível escapar de Deus ... 171
Obadias • "Quem poderia me levar para a terra?" ... 175
Jonas 1:1—2:10 • Como orar no interior de um peixe ... 180
Jonas 3:1—4:11 • Então, o que você acha? ... 184
Miqueias 1:1—2:5 • O desastre alcança os próprios portões ... 188
Miqueias 2:6—3:12 • Papai, não faça um sermão ... 193
Miqueias 4:1—5:9 • A nova Jerusalém ... 198
Miqueias 5:10—6:16 • Fidelidade e singeleza ... 203
Miqueias 7:1-20 • Lamento, oração, expectativa e adoração pela cidade ... 208
Naum 1:1—2:9 • O império escreve de volta ... 213

Naum 2:10—3:19 • A queda da cidade sangrenta 218
Habacuque 1:1—2:1 • Você não pode fazer isso! 223
Habacuque 2:2-20 • Sobre violência na terra 227
Habacuque 3:1-19 • Uma visão que Deus tornará realidade 232
Sofonias 1:1-18 • Como mudar uma cultura? 235
Sofonias 2:1-15 • Onde olhar 240
Sofonias 3:1-20 • Deus no meio 244
Ageu 1:1-15a • Sobre remodelar as prioridades 248
Ageu 1:15b—2:23 • Um novo esplendor 251
Zacarias 1:1-21 • Um mundo muito pacífico 256
Zacarias 2:1—3:10 • Muitos culpados ao redor 260
Zacarias 4:1—5:11 • Um candelabro, um pergaminho voador e uma vasilha no céu 264
Zacarias 6:1—7:14 • Para quem vocês estão jejuando? 268
Zacarias 8:1-23 • Faça de mim uma bênção 273
Zacarias 9:1-17 • O rei montado em um jumento 277
Zacarias 10:1—11:17 • Pastores mentirosos, negligentes, 281
Zacarias 12:1—13:6 • Sobre o esfaqueamento de profetas, verdadeiros e falsos 287
Zacarias 13:7—14:21 • O que vai, volta (para sempre?) 291
Malaquias 1:1-14 • Pastores descuidados 296
Malaquias 2:1-16 • Duas alianças negligenciadas 299
Malaquias 2:17—4:6 • Uma mudança de perspectivas plena e franca 303

Glossário 309

AGRADECIMENTOS

A tradução no início de cada capítulo (e em outras citações bíblicas) é de minha autoria. Estabeleci como alvo me manter o mais próximo do texto hebraico original do que, em geral, as traduções modernas, destinadas à leitura na igreja, para que você possa ver, com mais precisão, o que o texto diz. Da mesma forma, embora prefira utilizar a linguagem inclusiva de gênero, deixei a tradução com o uso universal do gênero masculino caso esse uso inclusivo implicasse dúvidas quanto ao texto estar no singular ou no plural — em outras palavras, a tradução, com frequência, usa "ele" onde em meu próprio texto eu diria "eles" ou "ele ou ela". Às vezes, acresci palavras para tornar o significado mais claro, colocando-as entre colchetes. Quando o texto usa o nome de Deus, *Yahweh*, eu o mantive em vez de substituí-lo por "o Senhor", como as traduções, normalmente, o fazem. Ainda, transliterei alguns outros nomes de modo distinto das traduções tradicionais, em parte para facilitar a pronúncia (p. ex., Jeoaquim, não Jeoiaquim). Ao término do livro, incluí um glossário contendo alguns termos recorrentes no texto, como expressões geográficas, históricas e teológicas. Em cada capítulo (exceto na introdução ou nas seleções da Escritura), a ocorrência inicial desses termos é destacada em **negrito**.

As histórias presentes na tradução, em geral, envolvem meus amigos, assim como minha família. Todas elas ocorreram, de fato, mas foram fortemente dissimuladas para preservar as pessoas envolvidas. Em algumas, o disfarce utilizado foi tão eficiente que, ao relê-las, levo um tempo para identificar as pessoas descritas. Nas histórias, Ann, minha primeira esposa, aparece com frequência. Alguns meses após eu começar a escrever *O Antigo Testamento para todos*, ela faleceu, após negociar com a esclerose múltipla durante 43 anos. Compartilhar os cuidados, o desenvolvimento de sua enfermidade e a crescente limitação, ao longo desses anos, influencia tudo o que escrevo, de maneiras facilmente perceptíveis ao leitor, mas também de formas menos óbvias.

Então, um ano ou pouco mais, antes de começar a escrever este volume, apaixonei-me e casei-me com Kathleen Scott e sou muito grato por minha nova vida ao lado dela e por seus lúcidos comentários sobre o manuscrito, tão criteriosos e elucidativos que, na realidade, ela deve ser creditada como coautora.

Minha gratidão, igualmente, a Matt Sousa por ter lido o manuscrito e me indicado o que precisava ser corrigido ou esclarecido no texto, e a Tom Bennett por ter conferido a prova de impressão.

INTRODUÇÃO

No tocante a Jesus e aos autores do Novo Testamento, as Escrituras hebraicas, que os cristãos denominam de Antigo Testamento, *eram* as Escrituras. Ao incluir essa observação, lanço mão de alguns atalhos, já que o Novo Testamento jamais apresenta uma lista dessas Escrituras, mas o conjunto de textos aceito pelo povo judeu é o mais próximo que podemos avançar na identificação da coletânea de livros que Jesus e os escritores neotestamentários tiveram à disposição. A igreja também veio a aceitar alguns livros adicionais, como Macabeus e Eclesiástico, tradicionalmente denominados "apócrifos", os livros que estavam "ocultos" — o que veio a implicar "espúrios". Agora, com frequência, são conhecidos como "livros deuterocanônicos", um termo mais complexo, porém menos pejorativo; isso simplesmente indica que esses livros detêm menos autoridade que a Torá, os profetas e os Escritos. A lista exata deles varia entre as diferentes igrejas. Para os propósitos desta série que busca expor o "Antigo Testamento para todos", consideramos como "Escrituras" os livros aceitos pela comunidade judaica, embora na Bíblia judaica eles sejam apresentados em uma ordem distinta, classificados como a Torá, os Profetas e os Escritos.

Elas não são "antigas" no sentido de antiquadas ou ultrapassadas; às vezes, gosto de me referir a elas como o "Primeiro Testamento" em vez de "Antigo Testamento", para não deixar dúvidas. Quanto a Jesus e aos autores do Novo Testamento, as antigas Escrituras foram um recurso vívido na compreensão de Deus e dos caminhos divinos no mundo e conosco. Elas foram úteis "para o ensino, para a repreensão, para a correção e para a instrução na justiça, para que o homem de Deus seja apto e plenamente preparado para toda boa obra" (2Timóteo 3:16-17). De fato, foram para todos, de modo que é estranho que os cristãos pouco se dediquem à sua leitura. Assim, o objetivo, com esses volumes, é auxiliar você a fazer isso.

Meu receio é que você leia a minha obra, não as Escrituras. Não faça isso. Aprecio o fato de esta série incluir grande parte do texto bíblico, mas não ignore a leitura da Palavra de Deus. No fim, essa é a parte que realmente importa.

UM ESBOÇO DO ANTIGO TESTAMENTO

Embora o Antigo Testamento cristão contenha os mesmos livros da Bíblia judaica, eles são apresentados em uma ordem diferente:

- Gênesis a Reis: Uma história que abrange desde a criação do mundo até o exílio dos judaítas na Babilônia.
- Crônicas a Ester: Uma segunda versão dessa história, prosseguindo até os anos posteriores ao exílio.
- Jó, Salmos, Provérbios, Eclesiastes, Cântico dos Cânticos: Alguns livros poéticos.
- Isaías a Malaquias: O ensino de alguns profetas.

A seguir, há um esboço da história subjacente a esses livros (não forneço datas para os eventos em Gênesis, o que envolve muito esforço de adivinhação).

1200 a.C.   Moisés, o êxodo, Josué
1100 a.C.   Os "juízes"
1000 a.C.   Saul, Davi

900 a.C. Salomão; a divisão da nação em dois reinos: Efraim e Judá
800 a.C. Elias, Eliseu
700 a.C. Amós, Oseias, Isaías, Miqueias; Assíria, a superpotência; a queda de Efraim
600 a.C. Jeremias, rei Josias; Babilônia, a superpotência
500 a.C. Ezequiel; a queda de Judá; Pérsia, a superpotência; judaítas livres para retornar para casa
400 a.C. Esdras, Neemias
300 a.C. Grécia, a superpotência
200 a.C. Síria e Egito, os poderes regionais puxando Judá de uma forma ou de outra
100 a.C. Judá rebela-se contra o poder da Síria e obtém a independência
0 a.C. Roma, a superpotência

DANIEL

O livro de Daniel aborda as questões e pressões envolvendo os judaítas em duas situações. As questões e pressões são similares, mas as situações são distintas. Em 587 a.C., os babilônios destruíram Jerusalém e transportaram as pessoas importantes da cidade para a Babilônia. A primeira metade do livro relata uma série de histórias acerca dos judaítas no exílio, onde eles enfrentaram as tentações e os desafios da vida nessa terra estrangeira, como imigrantes aos quais a superpotência olhava de cima para baixo. A questão é: são eles capazes de permanecerem fiéis à sua fé vivendo nesse contexto? As histórias relatam a pressão que sofrem debaixo daquela cultura estranha, o seu aprendizado, as suas expectativas e a ação divina que os capacita a guardarem a fé. Na verdade, isso demonstrou que o Deus deles poderia habilitá-los a superar o conhecimento que emanava do ensino da Babilônia.

Um dos atos divinos é conceder a Daniel a revelação sobre o desenrolar dos eventos políticos futuros envolvendo quatro regimes de poder.

Em 539 a.C., os babilônios foram derrotados por Ciro, rei medo-persa, e, em 333 a.C., os persas foram derrotados por Alexandre, o Grande. No século II a.C., Jerusalém estava sob o controle de um dos seus impérios secundários, governado pelos selêucidas e cujo centro de poder ficava na Síria. Em 167 a.C., o seu rei, Antíoco IV (Antíoco Epifânio), baniu a prática da fé judaica no templo e introduziu, ali, a sua própria religião. Assim, os judeus enfrentaram questões e pressões similares às vividas pelas pessoas do povo israelita, como Daniel, na Babilônia. A segunda metade do livro retoma aquela visão anterior, dada a Daniel na Babilônia, e relata uma série de revelações explicando as suas implicações para as pessoas que viveriam durante a crise em Jerusalém, ao tempo de Antíoco IV. As revelações abrangem a história desde o período da supremacia babilônica até o tempo de Antíoco Epifânio, e prometem que Deus derrubaria o opressor. Deus assim agiu, o que é, provavelmente, o motivo de a comunidade incluir o livro de Daniel nas Escrituras, pois ele provou ser a mensagem de Deus.

OS DOZE PROFETAS

Os doze livros que vêm após Daniel formam uma coletânea com um tamanho comparável aos longos livros proféticos, como Isaías, Jeremias e Ezequiel. Pelo que sabemos, profetas como Amós e Sofonias comunicaram tantas profecias dadas por Deus quanto Isaías, Jeremias ou Ezequiel, mas a comunidade, aparentemente, tinha motivos para considerar um número muito menor dessas profecias como relevantes o suficiente para serem transmitidas às futuras gerações.

Os doze podem ser classificados em três grupos cronológicos. Os seis primeiros pertencem, principalmente, ao século VIII a.C., a época de Isaías. Oseias, Amós e Jonas eram profetas em Efraim, o reino do norte (embora o livro de Jonas conte uma história sobre a sua pregação em Nínive, na Assíria). Obadias aparece como um apêndice de Amós, por seu foco sobre Edom, no qual Amós termina. Miqueias era um profeta em Jerusalém (ao mesmo tempo que Isaías). Joel não dá nenhuma informação direta sobre a sua data e, assim, pode aparecer entre os seis primeiros, na convicção de pertencer, cronologicamente, a esse período, e/ou por sua ênfase no Dia do Senhor e pelo fato de o tema sobre a capacidade de *Yahweh* de abrandar o mal também estar em Amós e Jonas.

O período no qual a Assíria é a superpotência mundial também é o cenário para esses profetas do século VIII a.C.; os próximos três profetas, Naum, Habacuque e Sofonias, pertencem ao século VII a.C. Nessa época, Efraim deixou de existir. A Assíria está em declínio e a Babilônia está se tornando o grande poder da vez. Esses três profetas, portanto, são contemporâneos de Jeremias e, a exemplo dele, todos atuam em Jerusalém. Eles vivem e trabalham no século anterior àquele no qual o destino de Judá será o mesmo que atingiu Efraim.

Os três últimos livros, Ageu, Zacarias e Malaquias pertencem aos séculos VI e, talvez, século V a.C., ao período pós-exílico, em Jerusalém, quando enfrentam, ali, um conjunto distinto de questões. Ageu e Zacarias pregam no contexto da reconstrução do templo, em Jerusalém, entre 520 e 516 a.C., conclamando por esse projeto. Malaquias prega algumas décadas mais tarde, quando o templo já foi reconstruído e está em pleno funcionamento, mas, então, há outras questões a serem confrontadas.

DANIEL

DANIEL 1:1–21
SOBRE TRAÇAR UMA LINHA

¹No terceiro ano do reinado de Jeoaquim, rei de Judá, Nabucodonosor, rei da Babilônia, veio a Jerusalém e a bloqueou. ²O Senhor entregou em suas mãos Jeoaquim, rei de Judá, e alguns utensílios da casa de Deus, e ele os levou para a terra de Sinear, para a casa de seu deus. Ele levou os utensílios para a casa do tesouro de seu deus. ³O rei disse a Aspenaz, o chefe dos seus servidores, para trazer alguns dos israelitas, tanto da descendência real quanto das pessoas importantes ⁴(jovens nos quais não havia defeito, de boa aparência, hábeis em todas as competências, habilitados em conhecimento, perspicazes em entendimento e nos quais havia capacidade para atenderem no palácio do rei), e para lhes ensinar as letras e a língua dos caldeus. ⁵O rei designou-lhes uma quota diária dos suprimentos do rei e do vinho que ele tomava. [Aspenaz deveria] treiná-los por três anos, e alguns deles atenderiam diante do rei. ⁶Entre eles estavam alguns judaítas, Daniel, Hananias, Misael e Azarias, ⁷mas o chefe dos servidores lhes determinou nomes. Para Daniel, ele determinou "Beltessazar", para Hananias, "Sadraque", para Misael, "Mesaque", e para Azarias, "Abede-Nego".

⁸Daniel determinou em sua mente que não se contaminaria com os suprimentos do rei, e com o vinho que ele bebia, e perguntou ao chefe dos servidores se ele poderia não se contaminar. ⁹Deus concedeu a Daniel compromisso e compaixão diante do chefe dos servidores, ¹⁰mas o chefe dos servidores disse a Daniel: "Tenho medo do meu senhor, o rei, que designou sua comida e sua bebida. Se ele vir o seu rosto mais fino do que o dos [outros] jovens de sua geração, você arriscará a minha cabeça com o rei. ¹¹Daniel disse ao guarda a quem o chefe dos servidores havia designado sobre Daniel, Hananias, Misael e Azarias: ¹²"Você poderia testar os seus servos durante

dez dias. Poderiam nos dar alguns legumes para comer e água para beber, ¹³e a nossa aparência e a aparência dos jovens que comem dos suprimentos do rei serão visíveis diante de vocês. Aja com os seus servos de acordo com o que você vir." ¹⁴Ele os ouviu com respeito a essa matéria, e os testou durante dez dias. ¹⁵Ao fim de dez dias, a aparência deles parecia melhor e eles estavam mais fortes de corpo do que todos os jovens que estavam comendo dos suprimentos do rei. ¹⁶Assim, o guarda levou embora os seus suprimentos e o vinho que deviam beber, e lhes deu legumes.

¹⁷A esses quatro jovens, Deus deu conhecimento e habilidade em todo o aprendizado e competência, enquanto Daniel possuía discernimento sobre todas as visões e sonhos. ¹⁸Ao fim do período que o rei havia dito para os trazer, o chefe dos servidores os trouxe diante de Nabucodonosor. ¹⁹O rei falou com eles, e dentre todos eles não se achou ninguém como Daniel, Hananias, Misael e Azarias. Assim, eles ficaram atendendo diante do rei. ²⁰Em toda a matéria de conhecimento e de sabedoria sobre a qual o rei lhes perguntava, ele os descobriu dez vezes mais superiores a todos os adivinhos e encantadores que havia em todo o seu reino. ²¹Daniel permaneceu [ali] até o primeiro ano de Ciro, o persa.

Perto da minha casa, nos Estados Unidos, há uma loja de artigos britânicos que gosto de visitar de vez em quando. Nela, há corredores abarrotados de chás, de biscoitos (bolachas ou cookies), de guloseimas (doces ou balas) diversas, de geleias e compotas, de cereais e um refrigerador repleto de bacon, tortas e cremes, todos *made in England*. Costumo alegar que o fato de serem tão saborosos é o motivo de comprá-los com tanta frequência, mas, claro, o fato de me trazerem boas lembranças do meu lar natal exerce grande influência. Certa ocasião, comecei a conversar com outros clientes britânicos, na loja, e também com o proprietário, distrai-me e, na hora de pagar a conta, entrei em pânico, pois não tinha libras esterlinas em minha carteira. Por um instante, esqueci-me de que estava nos Estados Unidos; era como se tivesse entrado em um portal e saído no Reino Unido.

Estou na Califórnia por minha livre e voluntária decisão. Não estou no exílio, a exemplo de Daniel e seus três amigos. Amo estar aqui; este é o lugar no qual desejo morrer. Mas jamais serei capaz de me sentir um americano autêntico. Sempre terei consciência de que sou um residente estrangeiro por escolha (optei por não pedir a cidadania norte-americana). Talvez, em meu subconsciente, eu queira preservar a minha identidade britânica. Daniel e seus amigos desejavam preservar a identidade **judaíta** deles. Eles não eram proibidos de comer das iguarias da mesa do rei, pois aquele alimento não era, inerentemente, contaminante. O alimento, no entanto, tem ligações com a identidade. O mais estranho é terem aceitado a troca de seus nomes originais para nomes babilônicos, mesmo havendo conexões desses nomes com os deuses da **Babilônia**, da mesma maneira que os nomes hebraicos originais tinham ligações com o Deus de **Israel**. (Mas, de maneira significativa, quando os nomes são reportados, alguns deles apresentam certa ironia em relação aos deuses babilônicos. Por exemplo, Abede-Nebo significaria "servo de Nebo", mas Abede-Nego não tem nenhum significado.) Talvez, o mais importante é o fato de isso traçar uma linha, em algum ponto. É preciso evitar o efeito contaminante de uma cultura que cultua diferentes deuses. Os babilônios "determinaram" nomes para os jovens; mas Daniel manifestou a sua própria determinação em relação a isso.

Para que a determinação de Daniel funcionasse era necessário o apoio divino; e o jovem recebeu esse apoio de Deus.

No começo da história, Deus "dá" Jerusalém a Nabucodonosor, mas, menos estranhamente, mais tarde, no relato, Deus "dá" favor a Daniel e "dá" sabedoria a ele e aos seus três amigos. Eles não tentaram fugir da educação sobre a cultura e o conhecimento dos babilônios, a espécie de aprendizado ideal para cargos administrativos. Talvez, os jovens estivessem confiantes de que Deus lhes daria um discernimento superior àquele possuído pelos **caldeus**. Isso, decerto, causaria espanto, considerando a abrangência e a profundidade do conhecimento babilônico, no qual os adivinhos e exorcistas eram peritos. Os frutos da ação divina emergirão nos relatos dos próximos capítulos de Daniel. Essa narrativa inicial introduz as diversas questões que serão suscitadas pelas histórias que serão contadas.

A sua abertura e a sua conclusão formam uma estrutura cronológica em torno delas. No começo da vida de Daniel, Deus age de forma estranha ao entregar Jerusalém nas mãos do rei da Babilônia. Não há, aqui, nenhuma alusão aos motivos pelos quais Judá mereceu esse destino. Entre as suas horrorosas consequências não estavam apenas o exílio de alguns judaítas, mas a apropriação de alguns dos objetos usados na adoração do templo (elementos como bandejas e travessas, cálices e outros utensílios). Esses objetos, todos eles consagrados a *Yahweh*, são depositados no santuário de um deus babilônico. Esse fato daria a impressão de que o deus babilônico havia derrotado *Yahweh*, do mesmo modo que o rei da Babilônia derrotara o rei de Judá. O capítulo, no entanto, é encerrado com uma informação referente à Daniel em idade avançada — mais de sessenta anos depois. Nabucodonosor já não mais existia, assim como seus quatro sucessores e como o próprio Império Babilônico, que fora derrotado por Ciro, da Pérsia. Daniel ainda está lá, tendo sobrevivido ao império que o exilou. Quem poderia imaginar?

DANIEL 2:1-24
EXCETO OS DEUSES, CUJO LAR NÃO ESTÁ COM A HUMANIDADE

¹No segundo ano do reinado de Nabucodonosor, o rei teve sonhos. O seu espírito agitou-se, mas o sono veio novamente sobre ele. **²**O rei mandou convocar os adivinhos, os encantadores, os magos e os caldeus para explicarem os sonhos ao rei. Eles vieram e se colocaram diante do rei. **³**O rei lhes disse: "Eu tive um sonho e o meu espírito está agitado para conhecê-lo." **⁴**Os caldeus falaram ao rei (em aramaico): "Vida longa ao rei! Conte aos teus servos o sonho e nós explicaremos o seu significado." **⁵**O rei replicou aos caldeus: "Uma firme decisão foi tomada por mim: Se vocês não me fizerem saber o sonho e o seu significado, serão despedaçados membro a membro, e as suas casas transformadas em entulho. **⁶**Mas, se explicarem o sonho e o seu significado, vocês receberão de mim uma recompensa, um presente e uma grande honra. Portanto, expliquem-me o sonho e o seu significado." **⁷**Eles replicaram uma segunda vez: "Que a Vossa Majestade relate o sonho aos teus servos, e explicaremos o seu significado." **⁸**O rei replicou: "Sei, com certeza, que vocês estão tentando ganhar tempo, pois veem que uma firme decisão foi tomada por mim de que se vocês não me fizerem saber o sonho, há um decreto específico para vocês. Vocês combinaram um com o outro para me contar algo falso e básico, até que a situação mude. Portanto, contem-me o sonho e saberei que vocês podem explicar o seu significado." **¹⁰**Os caldeus replicaram ao rei: "Não há ninguém na terra que possa explicar a questão do rei. Assim, nenhum grande rei ou governante fez uma pergunta como essa a qualquer adivinho, encantador ou caldeu. **¹¹**A questão que o rei está propondo é tão assustadora que não existe ninguém que possa explicá-la ao rei, exceto os deuses, cujo lar não está com a humanidade."

¹²Então, o rei ficou furioso, muito irado e disse para matar todos os sábios da Babilônia.

¹³Assim, o decreto saiu e os sábios deviam ser mortos e procuraram Daniel e seus amigos para matá-los. ¹⁴Daniel respondeu com astúcia e ponderação a Arioque, o chefe da guarda do rei, que tinha saído para matar os sábios da Babilônia. ¹⁵Ele replicou a Arioque: "Marechal real, por que há o decreto severo do rei?". Arioque contou o caso a Daniel, ¹⁶e Daniel foi e perguntou ao rei se ele poderia lhe dar um tempo, e ele explicaria o significado ao rei. ¹⁷Então, Daniel foi para casa e fez o caso ser conhecido por seus companheiros, Hananias, Misael e Azarias, ¹⁸para eles pedirem ao Deus dos céus por compaixão acerca desse mistério, para que Daniel e seus amigos não fossem mortos, com o restante dos sábios da Babilônia.

¹⁹Então, o mistério foi revelado a Daniel em uma visão de noite. Assim, Daniel adorou o Deus dos céus. ²⁰Daniel declarou:

"O nome de Deus seja adorado de geração em geração,
    porque dele é a sabedoria e o poder!
²¹ Ele muda tempos e eras,
    remove e estabelece reis.
Ele dá sabedoria aos sábios,
    conhecimento às pessoas que sabem discernir.
²² Ele revela coisas que são profundas e ocultas;
    conhece o que está no escuro e a luz habita com ele.
²³ Deus dos meus ancestrais, eu te confesso e te louvo,
    porque tu me deste sabedoria e poder.
Fizeste, agora, conhecido a mim o que pedimos
    a ti; fizeste-nos conhecer a questão do rei."

²⁴Então, Daniel foi a Arioque, a quem o rei havia indicado para eliminar os sábios da Babilônia. Ele foi e lhe disse: "Não mate os sábios da Babilônia. Leve-me ao rei e eu explicarei o significado ao rei."

DANIEL 2:1-24 • EXCETO OS DEUSES, CUJO LAR NÃO ESTÁ COM A HUMANIDADE

Hoje, em nossas orações matinais, coincidiu de termos o cântico de louvor de Ana, em 1Samuel 2, quando Deus permitiu que ela tivesse um filho contra todas as previsões. O refrão na versão do Livro de Orações foi extraído do relato sobre Maria visitar Isabel, a sua prima (Lucas 1), quando as duas, então, estavam grávidas contra todas as probabilidades, e Isabel declara: "Feliz é aquela que creu que se cumprirá aquilo que o Senhor lhe disse!" (v.45). Então, pensei em um amigo que também era pároco em uma igreja próspera e pujante e que era bom em ter grandes ideias e implementá-las sem se preocupar muito com as implicações monetárias. Ele planejou uma missão, contratou um nome famoso para falar e reservou um local enorme. O comparecimento das pessoas foi muito aquém do esperado, o evento causou um grande prejuízo financeiro e ele viu-se obrigado a apresentar a sua renúncia.

Daniel tem uma grande ideia e não pensa muito acerca das consequências. Ele tinha um chefe completamente insano. Bem, talvez o seu chefe não fosse tão maluco assim. Afinal, como qualquer outro líder nacional, Nabucodonosor possuía à sua disposição muitos conselheiros sábios, citados, no texto, como adivinhos, encantadores, magos e **caldeus**. Não há necessidade de tentar distinguir esses termos com profundidade; a história os reúne para sugerir como eles eram impressionantes, porém, ao mesmo tempo, à luz dos acontecimentos seguintes, risíveis. Nabucodonosor não é capaz de, pessoalmente, verificar todos os dados subjacentes aos seus conselhos e, portanto, não consegue ter certeza de que não estão apenas inventando tudo. O que eles, de fato, sabem? Assim, ele lhes propõe um teste. Ele havia tido um sonho, mas voltara a dormir e o esqueceu, a exemplo do que, normalmente, acontece. É frustrante não ser capaz de recordar um sonho perturbador que pode ser importante.

Embora o pensamento ocidental presuma que os sonhos, simplesmente, revelam algo sobre o nosso subconsciente, as sociedades tradicionais reconhecem que, às vezes, eles contam algo sobre o mundo exterior — por exemplo, a respeito de um evento que ainda irá acontecer. Os **babilônios** mantinham registros de sonhos e de eventos que os seguiram, para que os conselheiros os usassem como recursos em seu trabalho. Mas suponha que seja apenas um truque para testar a confiabilidade? O teste possui potencial para expor se os sábios, realmente, possuem um conhecimento superior. Isso os leva a garantir que a única fonte que consultam é o seu livro de sonhos. Eles são sábios, com recursos técnicos, mas não são portadores de um discernimento tão sobrenatural quanto o do rei Nabucodonosor. São incapazes de acessar os deuses e, como melancolicamente reconhecem, nem os deuses têm acesso a eles. A cultura ocidental deposita uma fé comovente, mas triste e imprudente, na palavra dos assim denominados especialistas. Torna-se difícil reconhecer as limitações paralelas dos fundamentos sobre os quais tomamos grandes decisões nos âmbitos político, social e econômico — e bélico.

Daniel conhece um Deus que tem acesso a nós, aqui embaixo, e sabe como acessar Deus lá em cima, embora a maneira usada por ele seja arriscada. A sua atitude mais se assemelha à do meu amigo pároco do que a de Isabel (muito provavelmente, Daniel deve ter pensado que não tinha nada a perder, pois seu destino era enfrentar a execução ao lado dos sábios da Babilônia). Ele não tinha nenhuma promessa de Deus para reivindicar, a exemplo de Ana, Maria e Isabel, mas Daniel, simplesmente, diz ao rei que aceita o teste real proposto e, então, corre para sua casa e fala aos seus amigos que era melhor eles orarem. Será que os demais viraram os olhos em reprovação à maneira com que Daniel considerou a oração e o compromisso em ordem inversa? Será que Deus revirou os olhos? Não devemos presumir que Deus irá nos livrar da confusão quando assumimos compromissos antes e oramos depois, mas, para a nossa felicidade, Deus pode agir assim. Ele é, certamente, capaz disso, de ser "o Deus dos céus." Essa descrição não significa que ele está em local remoto, inacessível e à margem da situação, como os sábios imaginam. Deus também é "o Deus dos meus ancestrais", o Deus de Abraão, Isaque e Jacó, o Deus que tem se envolvido com **Israel** ao longo dos séculos. Ser o Deus dos céus significa ser capaz de revelar o que irá ocorrer, por ser aquele que está por trás de todos os acontecimentos — como declara a oração de gratidão de Daniel. Ser o Deus dos ancestrais significa estar disposto a revelar o acontecerá, no futuro, talvez, mesmo quando invocado por alguém como Daniel, que fala primeiro e pensa depois.

A referência ao idioma aramaico indica que, aqui, o autor deixa de usar o hebraico. O aramaico se tornou a língua internacional do Oriente Médio. A mudança assinala o fato de que os sábios não falavam o idioma hebraico, mas o texto permanece em aramaico até o capítulo 7.

DANIEL 2:25-49
APÓS NABUCODONOSOR, O QUÊ?

[25]Arioque, com pressa, levou Daniel diante do rei e lhe disse: "Encontrei um homem, dentre os exilados judaítas que pode tornar conhecido o significado ao rei." [16]O rei replicou a Daniel (cujo nome era Beltessazar): "Pode tornar conhecido a mim o sonho que eu vi, e o seu significado?" [27]Daniel replicou diante do rei: "O mistério sobre o qual o rei perguntou — os sábios, encantadores, adivinhos e exorcistas não podem explicá-lo ao rei. [28]Mas há um Deus nos céus revelando mistérios, e ele fez conhecido ao rei Nabucodonosor o que irá acontecer no fim

dos tempos. O teu sonho, as visões em tua cabeça, no leito, foram estas: ²⁹"Vossa majestade, vieram pensamentos, em teu leito, com respeito ao que acontecerá depois disso, e aquele que revela mistérios tornou conhecido a ti o que irá ocorrer. ³⁰Esse mistério me foi revelado não porque a sabedoria que há em mim seja superior à de qualquer ser humano, mas para que o significado fosse feito conhecido ao rei, e tu entendeste os pensamentos em tua mente.

³¹Vossa Majestade, tu estavas olhando e eis que ali estava uma grande estátua. Essa estátua era enorme e o seu brilho extraordinário, e estava diante de ti, uma visão imponente. ³²A estátua: a sua cabeça era de ouro fino, o seu peito e os braços, de prata, o seu estômago e as laterais, de bronze, ³³as suas pernas eram de ferro, os seus pés, em parte de ferro, em parte de cerâmica. ³⁴Tu observavas quando uma pedra se soltou, não por mãos, e atingiu a estátua em seus pés de ferro e de cerâmica, e os despedaçou. ³⁵De uma vez, o ferro, a cerâmica, o bronze, a prata e o ouro se despedaçaram. Tornaram-se como a palha de uma eira de verão. O vento os carregou. Nenhum lugar se achou para eles. Mas a pedra que atingiu a estátua se tornou um grande penhasco e encheu toda a terra.

³⁶Esse foi o sonho. Nós relataremos o seu significado diante do rei. ³⁷Tu, vossa Majestade, rei dos reis, a quem o Deus dos céus deu poder real, soberania, domínio e honra, ³⁸e entregou em tuas mãos, onde quer que vivam, seres humanos, animais da selva e aves dos céus, e tornaste a ti governante sobre todos eles — tu és a cabeça de ouro. ³⁹Em teu lugar emergirá outro regime, inferior a ti, e outro, um terceiro regime, de bronze, que governará sobre toda a terra. ⁴⁰O quarto regime será forte como o ferro, pois o ferro despedaça e esmaga qualquer coisa. Como o ferro que esmaga, ele despedaçará e esmagará todos estes. ⁴¹Quanto ao que viste, os pés e os dedos, em parte de barro de cerâmica e em parte de ferro, este será um regime dividido, mas parte da robustez do ferro estará nele. Como viste, o ferro estava misturado com barro de cerâmica, ⁴²e os dedos

dos pés eram em parte de ferro e em parte de barro, assim, em certa medida, o regime será forte, mas, em parte, será frágil. **⁴³**Como viste o ferro misturado com o barro de cerâmica, os seres humanos serão unidos, mas não se ligarão uns com os outros, do mesmo modo que o ferro não se liga com o barro. **⁴⁴**No tempo daqueles reis, o Deus dos céus estabelecerá um regime que não será destruído ao longo das eras; o regime não passará a outro povo. Ele despedaçará e exterminará todos esses regimes, e permanecerá pelas eras, **⁴⁵**assim como viste a pedra se soltar do penhasco, não por mãos, e despedaçar o ferro, o bronze, a cerâmica, a prata e o ouro."

"O grande Deus tornou conhecido ao rei o que irá acontecer depois disso. O sonho é verdadeiro. O seu significado é confiável."

⁴⁶O rei Nabucodonosor caiu, rosto em terra, e curvou-se, prostrado, diante de Daniel. Ele mandou presenteá-lo com uma oferta e oblações aromáticas. **⁴⁷**O rei replicou a Daniel: "De fato, o seu Deus é o Deus dos deuses, Senhor dos reis, e Revelador de mistérios, para que você pudesse revelar esse mistério." **⁴⁸**O rei elevou Daniel e lhe deu muitos presentes grandiosos. Ele o fez governante sobre toda a província da Babilônia e oficial chefe sobre todos os sábios na Babilônia, **⁴⁹**mas Daniel pediu ao rei para indicar Sadraque, Mesaque e Abede-Nego sobre a administração da província da Babilônia, com Daniel na corte do rei.

Pareceu-me estranho que a mídia estivesse discutindo o "legado" de Barack Obama, momentos antes de sua posse para o segundo mandato como presidente dos Estados Unidos, em 2013. Será que o seu legado iria encontrar uma saída para o dilema da imigração ilegal? E quanto à lei da saúde pública? Solucionaria a crise fiscal? E o controle de armas?

Será que iria retirar as tropas norte-americanas do Afeganistão e deixaria essa nação em estabilidade e ordem? Reduziria o abismo entre ricos e pobres? As questões eram apresentadas em relação ao futuro, mas, na realidade, eram pertinentes ao tempo presente, acerca de prioridades imediatas, motivo pelo qual não é estranho que tenham se tornado tópicos para discussões logo após a posse.

O presidente Obama lograria liderar o país de maneira a conduzir os eleitores a eleger outro democrata? Essa questão ecoa no sonho de Nabucodonosor. Aparentemente, ele, de fato, não se lembrava de seu sonho, mas, quando Daniel o revelou, o rei se lembrou. Trata-se, obviamente, de más notícias a respeito de seu legado. A expressão "no fim dos tempos" significa, mais literalmente, "no fim dos dias", o que, em nosso idioma, pode soar como o fim da história, mas não é um termo técnico para o "Fim." Nabucodonosor não está fazendo esse tipo de pergunta, mas a pergunta perturbadora em seu sonho era: "O que irá acontecer depois de mim?". Ele é o rei que governou sobre o Império da **Babilônia** por quarenta anos; metade de sua vida. Qual será o futuro desse império?

Considerando essa dica básica quanto ao significado do sonho, não é preciso ser muito inteligente para inferir o significado dos metais na estátua. Luís XV, da França, é creditado como o autor da sentença: "Après moi le déluge" — "Depois de mim, o dilúvio" (a Revolução Francesa ocorreu quinze anos após a sua morte). O monarca francês não se preocupava com isso? Nabucodonosor parece não pensar dessa forma. A revelação de que haverá um declínio gradual após o seu reinado, culminando com um colapso, é chocante e perturbadora. Mas, isso é o que ocorre aos impérios. Cedo ou tarde, torna-se evidente que os seus pés são de barro.

A visão não revela quem ou o que os diferentes metais representam. A segunda metade do livro fará menção aos

Impérios **Grego** e **Medo-Persa**, mas essa compreensão não precisa ser aplicada, no momento. Os metais podem representar os reis que sucederão a Nabucodonosor (nenhum deles será, nem de perto, tão importante) antes do império cair diante de Ciro. Mas, o ponto não reside, exatamente, em quem os metais representam, mas no inevitável declínio e colapso. Quando um império está em seu apogeu, é difícil acreditar que, algum dia, ele poderá ser derrotado. A visão declara que isso é possível e que irá acontecer. Não haverá legado para Nabucodonosor.

Agora, ele é rei pela vontade de Deus. A ascensão dos impérios não ocorre fora do controle do Deus de Israel. Ele é quem dá poder aos impérios e os usa para fazer o bem, ou, com mais frequência, para trazer aflição ao povo que seja merecedor — como o Antigo Testamento comenta em outras passagens sobre a Babilônia, o agente escolhido por *Yahweh* para trazer disciplina sobre **Judá**. Aqui, a declaração lembra o rei de que ele não deveria supor que está no poder por causa de suas próprias conquistas e também aos judaítas, as quais essas histórias são escritas, de que eles não deveriam pensar que o rei detém um poder que o torna independente de Deus. O Deus dos judaítas é que está no controle de Nabucodonosor e, portanto, no controle do destino deles. Uma das maneiras pelas quais as nações tentam se sobressair é se unindo umas às outras, mas essas uniões têm o péssimo costume de não durarem.

Se os metais na estátua representarem Nabucodonosor e os seus sucessores, pode-se inferir que a pedra que se desprende do penhasco pode ser Ciro, o instrumento de Deus para derrubar a Babilônia. O seu império, de fato, durará por muito mais tempo do que o Império Babilônico, mas, apesar disso, será apenas outro império humano. Portanto, a revelação de Daniel acerca de um regime que durará para sempre e jamais dará lugar a outro sugere que a visão tem em mente algo mais radical. O "tempo daqueles reis" irá abranger mais do que os monarcas da Babilônia; cobrirá reis persas, gregos e romanos, bem como líderes turcos, britânicos e norte-americanos. Deus afirmou o seu reino por meio de Ciro, o agente por meio do qual o templo, em Jerusalém, foi reconstruído e Judá obteve uma vida mais independente. Deus, mais tarde, estabeleceu o seu reinado em Jesus. Outros impérios se estabeleceram, mas todos eles possuíam pés de barro.

DANIEL 3:1-30
MAS, SE O NOSSO DEUS NÃO NOS RESGATAR

¹O rei Nabucodonosor fez uma estátua de ouro, de sessenta côvados de altura e seis côvados de largura. Ele a ergueu no vale de Dura, na província da Babilônia. ²O rei Nabucodonosor mandou reunir os sátrapas, governadores e comissários, conselheiros, tesoureiros, juízes, magistrados e todos os oficiais provinciais, para irem à dedicação da estátua que ele havia erguido. ³Eles se reuniram, os sátrapas, governadores e comissários, conselheiros, tesoureiros, juízes, magistrados e todos os oficiais provinciais, para a dedicação da estátua que Nabucodonosor havia erguido, e se colocaram diante da estátua.. ⁴O arauto proclamou com vigor: "A vocês isso está sendo declarado, povos, nações e línguas: 'Ao tempo em que ouvirem o som da trombeta, do pífaro, da cítara, da harpa, do saltério, do conjunto e de todos os tipos de música, vocês devem se prostrar, rosto em terra, e adorar diante da estátua de ouro que o rei Nabucodonosor ergueu. ⁶Qualquer um que não se prostrar, rosto em terra, naquele momento, será lançado dentro da fornalha de fogo ardente'." ⁷Assim, na hora em que todas as pessoas ouviram o som da trombeta, do pífaro, da cítara, da harpa, do saltério e de todos os tipos de música, todos os povos, nações e línguas se prostraram diante da estátua que o rei Nabucodonosor havia erguido.

DANIEL 3:1-30 • MAS, SE O NOSSO DEUS NÃO NOS RESGATAR

⁸Mas, naquela hora, vieram alguns caldeus e denunciaram os judaítas. ⁹Eles exclamaram ao rei Nabucodonosor: "Vida longa ao rei! ¹⁰Vossa Majestade decretou que qualquer um que ouvisse o som da trombeta, do pífaro, da cítara, da harpa, do saltério, do conjunto e de todos os tipos de música deveria se prostrar, rosto em terra, diante da imagem de ouro, ¹¹e que qualquer um que não se prostrar, rosto em terra, será lançado dentro da fornalha de fogo ardente. ¹²Há alguns judaítas, aos quais tu designaste sobre os negócios da província da Babilônia, Sadraque, Mesaque e Abede-Nego. Esses homens não deram atenção a ti, Vossa Majestade. Eles não reverenciaram os teus deuses ou se curvaram diante da imagem de ouro que ergueste."

¹³Nabucodonosor, em raiva e fúria, mandou trazer Sadraque, Mesaque e Abede-Nego, e esses homens foram levados à presença do rei. ¹⁴Nabucodonosor lhes perguntou: "Sadraque, Mesaque e Abede-Nego, vocês, realmente, não reverenciaram os meus deuses e não se curvaram diante da estátua de ouro que eu ergui?" ¹⁵Se, de fato, estiverem prontos, agora, quando ouvirem o som da trombeta, do pífaro, da cítara, da harpa, do saltério, do conjunto e de todos os tipos de música, prostrem-se e se curvem à estátua que eu fiz. Mas, se vocês não se curvarem, naquele mesmo instante serão lançados no interior da fornalha de fogo ardente. E quem é o deus que poderá resgatá-los das minhas mãos?" ¹⁶Sadraque Mesaque e Abede-Nego replicaram ao rei Nabucodonosor: "Não precisamos dar nenhuma resposta a isso. ¹⁷Se o nosso Deus, a quem reverenciamos, existir, ele é capaz de nos resgatar da fornalha de fogo ardente, e ele nos resgatará das tuas mãos. ¹⁸Mas, se ele não nos resgatar, saiba, Vossa Majestade, que não reverenciaremos os teus deuses ou nos curvaremos diante da estátua que tu levantaste."

¹⁹Nabucodonosor encheu-se de raiva, e a expressão em seu rosto mudou em relação a Sadraque, Mesaque e Abede-Nego. Ele exclamou para que o calor da fornalha fosse aumentado sete vezes mais do que de costume. ²⁰Disse aos homens mais fortes em seu exército que amarrassem Sadraque, Mesaque

e Abede-Nego e os jogassem na fornalha de fogo ardente. ²¹Aqueles homens foram amarrados em suas calças, camisas, toucas e outras vestes, e lançados na fornalha de fogo ardente. ²²Mas, por causa da estrita palavra do rei, quando a fornalha foi aquecida excessivamente, as chamas mataram os homens que levavam Sadraque, Mesaque e Abede-Nego.

²³Esses três homens, Sadraque, Mesaque e Abede-Nego caíram na fornalha de fogo ardente, amarrados. ²⁴O rei Nabucodonosor ficou assustado e se levantou depressa. Ele exclamou ao seus cortesãos: "Não eram três homens, amarrados, que lançamos no interior da fornalha?" Eles replicaram ao rei: "Certamente, Vossa Majestade." ²⁵Ele replicou: "Eis que vejo quatro homens, livres, andando dentro do fogo. Não há nenhum efeito sobre eles. A aparência do quarto é como a de um ser divino." ²⁶Nabucodonosor de aproximou da porta da fornalha de fogo ardente. Ele exclamou: "Sadraque, Mesaque e Abede-Nego, servos do Deus Altíssimo, saiam." Sadraque, Mesaque e Abede-Nego saíram do interior da fornalha. ²⁷Os sátrapas, governadores, comissários e os cortesãos do rei, se reuniram. Eles olharam para aqueles homens, sobre cujo corpo o fogo não havia tido poder, e sobre cuja cabeça os cabelos não estavam chamuscados. As suas roupas não foram afetadas. O cheiro do fogo não estava sobre eles. ²⁸Nabucodonosor exclamou: "O Deus de Sadraque, Mesaque e Abede-Nego seja louvado, que enviou o seu ajudante e resgatou os seus servos que confiaram nele. Eles desafiaram a palavra do rei e entregaram o seu corpo para não reverenciarem ou se curvarem a nenhum deus, exceto o Deus deles. ²⁹Um decreto é dado por mim para que nenhum povo, nação ou língua que diga algo contra o Deus de Sadraque, Mesaque e Abede-Nego seja despedaçado, membro por membro, e a sua casa seja transformada em um monte de entulho, porque não há outro deus que pode resgatar como este." ³⁰O rei promoveu Sadraque, Mesaque e Abede-Nego na província da Babilônia.

DANIEL 3:1-30 • MAS, SE O NOSSO DEUS NÃO NOS RESGATAR

Elie Wiesel escreveu uma peça abordando um massacre na Polônia, mas que, na verdade, baseava-se no que ele testemunhou, como um adolescente, em Auschwitz. Três rabinos põem Deus no banco dos réus por permitir o massacre de seu povo. No decorrer do julgamento, eles consideram Deus culpado. Então, após um longo silêncio, um deles olha para cima e percebe que estava escurecendo, avisando que era chegada a hora das orações noturnas. Assim, eles interrompem o julgamento para fazerem as suas orações. Não creio que eles estavam apenas se precavendo, caso estivessem errados a respeito de Deus. Wiesel chamou a sua peça de uma trágica farsa.

O tema e o humor sobrepõem-se ao dessa história bíblica. Não há menção a Daniel, talvez porque as histórias sejam de origens distintas, embora a narrativa anterior tenha sugerido uma explicação — Daniel trabalha no palácio, enquanto os outros três atuam na administração provincial. Trata-se de uma história acerca de uma experiência recorrente, séria e mortal do povo judeu vivendo em um contexto estrangeiro, onde as suas diferenças, com frequência, ofendiam as pessoas entre as quais eles viviam. A sua recusa em viver pelas convenções e expectativas de outros povos levantava questões sobre aquelas convenções e expectativas. Esse é um dos meios pelos quais o povo judeu tem cumprido a sua vocação de questionar o resto do mundo quanto às suas presunções sobre a religião e a própria vida.

O relato não esclarece qual era o ponto a respeito da estátua de Nabucodonosor, mas quer fosse uma imagem de um deus, quer fosse do próprio Nabucodonosor, os três homens sabiam que não deveriam se curvar diante dela; caso a reverenciassem, eles indicariam que os outros, assim denominados, deuses, ou o Estado estrangeiro, eram, de fato, importantes. O desdém compartilhado pelo relator da história é expresso pela maneira com que ela é contada. As repetidas listas de oficiais importantes e de instrumentos musicais são uma forma de ironizar e zombar da administração e daquela ocasião de pompa governamental. As dimensões da estátua são ridiculamente exageradas (um côvado mede meio metro). A ira do rei diante daqueles jovens que tanto o haviam impressionado, também o tornam objeto de riso, assim como o destino dos fortes seguranças. No fim do relato, o rei passa de uma estupidez a outra ao tornar o desdém a *Yahweh* uma ofensa capital. Quando é necessário descobrir uma forma de sobreviver em um contexto no qual você faz parte de uma minoria indesejada, será de grande utilidade aprender a rir.

Desse modo, a história apresenta tons divertidos, mas é mortalmente séria. A ideia de morrer por permanecer fiel à verdade sobre Deus e sobre o Estado não era apenas uma noção teórica para os judeus. A seriedade desse relato quase humorístico dá uma nova guinada com a declaração dos três jovens sobre Deus, comparável e contrastante com aquela dos três rabinos da peça. Quando os jovens dizem: "Se ele realmente existir", eles não expressam nenhuma dúvida quanto a isso, mas falam daquela maneira, pois esta é a questão entre eles e o rei. Eles próprios sabem que este Deus é capaz de resgatá-los da fornalha de fogo ardente (uma vez mais, evita-se que a história se torne muito solene pelo humor envolvido na repetição dessa expressão). De fato, os jovens estão convencidos de que Deus irá resgatá-los. Mas, o compromisso a esse Deus permanecerá inabalável, quer ele os resgate, quer não.

Será que a história realmente aconteceu? Não sei. Sou propenso a assumir que as farsas, provavelmente, sejam mais ficcionais do que factuais. A exemplo daqueles jovens, sei que Deus pode resgatar, miraculosamente, as pessoas das mãos de seus perseguidores. Deus possui muitos **ajudantes**, os quais pode enviar para libertar pessoas de diferentes fornalhas. Mas, também sei que Deus, normalmente, não age assim, e a história não faz nenhuma promessa de que ele fará o mesmo com pessoas em situações similares à daqueles jovens judaítas. Dessa forma, não faz muita diferença se a história é factual ou ficcional. Provavelmente, não ocorrerá o mesmo conosco. O relato funciona como um estímulo e um encorajamento para viver pelo princípio que os jovens enunciaram ao rei Nabucodonosor, ou o princípio personificado nos rabinos que concluíram pela culpa de Deus e, então, saíram para fazer as suas orações.

DANIEL 4:1-18
ASSIM O DIGAM

¹O rei Nabucodonosor a todos os povos, nações e línguas que vivem em toda a terra: "Que o seu **bem-estar** seja abundante! ²Pareceu-me bom relatar os sinais e maravilhas que o Deus Altíssimo tem feito a mim. ³Os seus sinais — quão grandiosos! As suas maravilhas — quão poderosas! O seu reinado é um reinado que dura para sempre, o seu governo continua de geração em geração!

⁴Eu, Nabucodonosor, estava prosperando em minha casa, florescendo em meu palácio. ⁵Tive um sonho que me perturbou, e imagens enquanto eu estava no leito; visões que vieram à minha cabeça e me alarmaram. ⁶Um aviso foi dado por mim para trazer todos os peritos da Babilônia para que me fizessem conhecer o significado do sonho. ⁷Os adivinhos, os encantadores, os caldeus e os exorcistas vieram e contei o sonho diante deles, mas eles não conseguiram fazer o seu significado conhecido a mim. ⁸Finalmente, veio diante de mim Daniel, cujo nome é Beltessazar, de acordo com o nome do meu Deus, e no qual está o espírito dos santos deuses. Contei o sonho diante dele: ⁹'Beltessazar, chefe dos adivinhos, sei que o espírito dos

santos deuses está em você e que nenhum mistério o vence. Conte-me as visões no sonho que eu tive, e o seu significado.

¹⁰As visões que vieram à minha cabeça: Eu olhei e eis que havia uma árvore no meio da terra. A sua altura era muito grande. ¹¹A árvore cresceu e se tornou poderosa. A sua altura alcançou os céus. Ela era visível até os confins de toda a terra. ¹²A sua folhagem era formosa, o seu fruto abundante, e havia comida para todos nela. Debaixo dela os animais selvagens se abrigavam. Em seus ramos, as aves dos céus habitavam. Dela, se alimentava toda a humanidade. ¹³Olhei nas visões que vieram à minha cabeça no leito, e eis que havia uma sentinela, um ser santo, descendo dos céus. ¹⁴Ele chamou com vigor: "Derrubem a árvore, cortem os seus ramos, arranquem a sua folhagem, espalhem o seu fruto. Os animais devem fugir de debaixo dela, as aves de seus galhos. ¹⁵Não obstante, deixem o seu toco enraizado na terra. Com um anel de ferro e de bronze, com a grama da selva, com o orvalho dos céus, ele deve ser regado, e com os animais, a sua porção estará nas plantas da terra. ¹⁶A sua mente será mudada daquela de um ser humano; a mente de um animal será dada a ele. Sete períodos devem passar sobre ele. ¹⁷A decisão é por decreto das sentinelas, o intento é pela palavra dos santos, com o objetivo de que os seres humanos possam reconhecer que o Altíssimo governa sobre o reinado humano. Ele pode dá-lo a quem desejar e estabelecer sobre ele a mais humilde das pessoas."

¹⁸Eu, Nabucodonosor, tive este sonho. Você, Beltessazar, conte-me o seu significado, uma vez que todos os peritos de meu reino não podem fazer o seu significado conhecido a mim. Mas, você pode, porque o espírito dos santos deuses está em você'."

Recentemente, recebi um *e-mail* de alguém que esteve em um acampamento quando éramos adolescentes; o seu pai era um dos líderes do evento. Nas reuniões noturnas, ele realizava os períodos denominados, "Assim o digam": essa expressão é extraída dos versículos iniciais do salmo 107: "Assim o digam os que o Senhor resgatou [...]." A ideia era de que os presentes testemunhassem as ocasiões nas quais Deus havia se envolvido em sua vida de maneira redentora. Era importante para os jovens (e também para os adultos) contar aos demais como Deus havia agido em sua vida, assim como é importante e necessário para os seus ouvintes.

Nabucodonosor está, aqui, num desses momentos. O capítulo assume a forma de seu testemunho (embora abandone essa forma em um parágrafo próximo ao fim). Quando se é adolescente, pode ser um pouco risível ter de seguir um roteiro de testemunho se este pressupõe que a pessoa deva falar sobre como Deus a livrou de uma vida de pecado, mas Nabucodonosor não teve essa dificuldade. Além disso, ele é um exemplo perfeito de como é, praticamente, impossível para alguém em uma posição de poder evitar a corrupção. Por causa de sua importância, a pessoa passa a se considerar muito importante. O rei da Babilônia, de fato, é importante; ele faz diferença, pois é a chave para a prosperidade e sobrevivência do império. O simbolismo da árvore, que representa o próprio Nabucodonosor, estabelece o ponto. À luz da importância do líder, qualquer nação espera que o seu povo respeite o monarca ou o presidente. É possível que não respeitemos a pessoa que está naquele cargo, mas somos requeridos a respeitar o cargo. Quando se é o titular do cargo, essa distinção torna-se menos visível, e Nabucodonosor a perde. Há um sentido no qual é apropriado sentir orgulho das realizações como rei ou presidente, mas há uma espécie correta de orgulho e outra errada. O rei perde essa distinção.

Nem sempre os líderes que passam a se considerar extremamente importantes ou que falham em sua fidelidade pagam o preço por isso, do mesmo modo que nem sempre as pessoas que pagam o preço por sua fidelidade a Deus são resgatadas do martírio, apesar de, às vezes, o resgate ocorrer. O sonho adverte o rei Nabucodonosor a respeito dessa possibilidade. A sentinela sobrenatural é outro dos **ajudantes** da administração de Deus, a exemplo daquele que surgiu no interior da fornalha. Embora ele diga que o julgamento sobre o rei seja definitivo e inevitável, a implicação de trazer à tona essa advertência é de que essa inevitabilidade pode ser revertida caso a pessoa se arrependa. A história de Jonas ilustra o ponto. Ele advertiu os habitantes de Nínive do juízo vindouro, mas não deu nenhuma dica de que havia uma saída. Jonas, contudo, sabia (e talvez o povo também), de que se eles se arrependessem, as sanções seriam canceladas. No presente relato, igualmente, parte do ponto sobre Deus enviar o sonho a Nabucodonosor é para fazê-lo mudar e a advertência no sonho não precise se tornar realidade.

Talvez você tenha pensado que não seria necessário ser um gênio ou um profeta para descobrir o significado do sonho, mas não surpreende que Nabucodonosor tenha tido dificuldades em enxergar as suas implicações. E talvez seja, igualmente, compreensível que os demais peritos não tenham apreciado a ideia de revelar o significado ao rei.

DANIEL 4:19-37
JUÍZO E MUDANÇA

19 Daniel, cujo nome era Beltessazar, ficou chocado por algum tempo. Seus pensamentos o alarmaram. O rei exclamou: "Beltessazar, o sonho e o seu significado não deveriam alarmar você." Daniel exclamou: "Meu senhor, o sonho deveria ser para o teu inimigo, o seu significado para o teu adversário. **20** A árvore que viste, que cresceu e se tornou poderosa, e cuja altura alcançou os céus e era visível até os confins de toda a terra, ²¹cuja folhagem era formosa, o seu fruto abundante, e nela havia comida para todos, debaixo dela os animais selvagens se abrigavam, em seus ramos as aves dos céus habitavam: ²²Tu, Vossa Majestade, és aquele que cresceu e se tornou poderoso. A tua estatura cresceu e alcançou os céus, o teu governo até os confins da terra. ²³Quanto à sentinela que Vossa Majestade viu, um santo, que descia dos céus e dizia: 'Derrubem a árvore, destruam-na, mas deixem o seu toco enraizado na terra; com um anel de ferro e de bronze, com a grama da selva, com o orvalho dos céus ele deve ser regado, e com os animais estará a sua porção, até sete períodos passarão sobre ele': ²⁴este é o significado, Vossa Majestade. Esta é a decisão do Altíssimo que virá sobre o meu senhor, o rei. ²⁵Eles o conduzirão para longe dos seres humanos, e a sua casa será com os animais da selva. Eles te alimentarão com plantas, como bois, e te regarão com orvalho dos céus. Sete períodos passarão sobre ti, até reconheceres que o Altíssimo governa sobre o reino humano. Ele pode dá-lo a quem desejar. ²⁶Mas, quanto ao que disseram sobre deixar o toco enraizado: o teu reinado se levantará para você quando reconheceres que os céus governam. ²⁷Mas, Vossa Majestade, que o meu conselho te seja agradável. Quebre as tuas ofensas pela fidelidade, a tua transgressão pela graça ao fraco, para o caso de haver uma extensão de tua prosperidade.'"

²⁸Tudo isso sucedeu ao rei Nabucodonosor. ²⁹Ao fim de doze meses, ele estava andando pelo palácio real, na Babilônia. ³⁰O rei exclamou: "Esta é a grande Babilônia, que eu mesmo construí, como uma casa real, por meu soberano poder e para a minha majestosa honra!" ³¹As palavras ainda estavam nos lábios do rei, e uma voz caiu dos céus: "A você eles estão dizendo, rei Nabucodonosor: 'O seu reinado passou de você. ³²Eles o levarão para longe dos seres humanos e a sua casa será com os animais selvagens. Eles o alimentarão com plantas, como bois. Sete períodos passarão sobre você, até que reconheça que o Altíssimo governa sobre o reino humano e

DANIEL 4:19-37 • JUÍZO E MUDANÇA

pode dá-lo a quem desejar.'" ³³Naquele momento, as palavras se cumpriram sobre Nabucodonosor. Ele foi levado para longe dos seres humanos, comeu plantas, como os bois, e o seu corpo foi regado com o orvalho dos céus, até os seus cabelos ficarem longos como uma águia, e as suas unhas como as aves.

³⁴Ao fim do tempo, eu, Nabucodonosor, levantei os meus olhos aos céus. A minha sanidade voltou para mim e eu adorei o Altíssimo, louvei e honrei aquele que vive para sempre, cujo governo é um governo que dura para sempre, cujo reinado prossegue de geração em geração. ³⁵Todos os habitantes da terra são contados como nada. Ele age de acordo com os seus desejos, com as forças dos céus e os habitantes da terra. Não há ninguém capaz de restringir a sua mão ou de lhe dizer: "O que você fez?" ³⁶Naquela hora, a minha sanidade voltou para mim, e para a honra do meu reinado, a minha glória e o meu esplendor voltaram para mim. Os meus cortesãos e as pessoas importantes buscaram audiência comigo. Fui estabelecido sobre o meu reino, e excedente poder me foi acrescentado. ³⁷Agora, eu, Nabucodonosor, louvo, exalto e honro o Rei dos Céus, cujos feitos são todos verdadeiros e os seus caminhos justos, e que pode derrubar pessoas que andam com orgulho.

Algum tempo atrás, recebemos um palestrante em um dia de oração que falou sobre o anseio de Paulo para que o amor das pessoas fosse abundante. O apóstolo não deixa claro se ele se referiu ao amor por Deus ou amor pelas outras pessoas; o palestrante comentou que se houver amor, ele descobrirá uma forma de expressão em relação a qualquer objeto que se apresente. Refleti, novamente, sobre esse comentário durante esta semana, quando alguns estudantes leram o salmo116. A ordem das palavras, no começo do salmo, é notável — não é: "Eu amo o Senhor, porque ele ouviu a minha voz" (como está na maioria das traduções), mas, antes é: "Eu amo, porque o Senhor ouviu a minha voz." O salmo, igualmente, convida à inferência de que esse amor que responde ao amor de Deus encontrará expressão em relação a qualquer objeto que se apresente.

Ao contrário. Nabucodonosor enfrenta problemas com sua atitude em relação a Deus e às demais pessoas. O Novo Testamento denomina Daniel como um profeta, mas o livro que leva seu nome, não; ele é um homem de discernimento, de percepção. Aqui, nesse relato, ele age como um profeta, em sua confrontação ao rei, e exposição do problema de Nabucodonosor em relação às pessoas, que caminha em paralelo com a sua atitude em relação a Deus. Trata-se de outra forma de corrupção na qual os líderes sucumbem. Daniel não diz ao rei que ele necessita abrir mão de seu orgulho, mas diz: "Quebre as tuas ofensas pela **fidelidade**, a tua transgressão pela graça ao fraco." O papel de um líder, no Novo Testamento inclui cuidar das pessoas fracas e, portanto, cumprir a vocação de ser fiel a elas e a Deus. Na prática, os líderes, de maneira típica, cuidam de si mesmos e de outras pessoas fortes, o que conta como transgressão, pois infringe os padrões divinos para os líderes. Com efeito, Daniel desafia Nabucodonosor a se arrepender, embora ele não use essa palavra. O rei precisa se arrepender, não no sentido de sentir tristeza ou de dizer que sente muito (embora essas reações não façam mal algum), mas no sentido de mudar a maneira de agir — em termos mais específicos, na forma de ele exercer a sua liderança. Daniel, então, torna explícito que o julgamento, retratado no sonho, não é inevitável.

Caso Nabucodonosor não mude e Deus aja em juízo, parece provável que o rei seja disciplinado e assim permaneça até aprender a sua lição e mudar. A advertência sobre o julgamento apontava em outra direção. Deus havia anunciado que o juízo seria terrível e duradouro, mas não fatal ou permanente.

As raízes profundas da árvore serão deixadas na terra. O julgamento durará "sete períodos" — a expressão não deixa claro a duração de tempo real, mas o número sete significa que é um tempo "perfeito". Trata-se de um julgamento, não de uma disciplina. Ele é designado a confirmar, publicamente, o que é correto, e condenar, publicamente, o que é errado. Não se trata, em si mesmo, de persuadir Nabucodonosor a uma reforma pessoal, mas o juízo é designado a deixar claro que há alguém que governa e domina o mundo, e que não é Nabucodonosor.

Yahweh não parece operar com a presunção de que o julgamento muda as pessoas. Talvez seja irrealista. Quando os **judaítas** foram levados para o **exílio**, *Yahweh* não esperou até eles terem aprendido a lição para permitir que retornassem à Judá. Ao retornarem, eles estavam na mesma condição em que estavam quando foram exilados. Na verdade, no caso de Nabucodonosor, é difícil ver como ele poderia ter aprendido a lição quando, aparentemente, ele estava privado de suas funções mentais humanas normais. Embora a punição, às vezes, consiga mudar as pessoas, a Bíblia assume que a misericórdia e a graça realizam um trabalho melhor. Nabucodonosor é restaurado porque Deus decide que já basta. Ele é colocado sob juízo até aprender a reconhecer *Yahweh*. Mas, o fato de *Yahweh* dar um fim ao juízo é que leva o rei a fazer esse reconhecimento.

DANIEL 5:1-31
FOSTE PESADO E ACHADO EM FALTA

¹O rei Belsazar deu um grande jantar para mil de suas pessoas importantes e, na presença das mil, ele estava bebendo vinho. ²Belsazar disse, enquanto provava o vinho, que trouxessem os recipientes de ouro e de prata que Nabucodonosor, o seu pai, havia tomado do palácio em Jerusalém, para que pudessem beber neles — o rei, as suas pessoas importantes, as suas

rainhas e as suas consortes. ³Os recipientes de ouro e de prata que haviam sido tomados do palácio, na casa de Deus, em Jerusalém, foram trazidos e eles beberam neles — o rei, as suas pessoas importantes, as suas rainhas e as suas consortes. ⁴Eles beberam vinho e louvaram deuses de ouro e de prata, de bronze, de ferro, de madeira e de pedra. ⁵Naquele momento, dedos de uma mão humana surgiram e escreveram, contra o candelabro, no reboco da parede do palácio do rei. O rei viu a palma da mão que escrevia. ⁶O semblante do rei mudou de cor. Os seus pensamentos o alarmaram. As articulações do seu quadril ficaram frouxas e seus joelhos batiam um no outro. ⁷O rei ordenou, vigorosamente, para trazer os encantadores, os caldeus e os exorcistas. O rei exclamou aos peritos da Babilônia: "Qualquer um que conseguir ler essa inscrição e me contar o seu significado vestirá púrpura e uma corrente de ouro em seu pescoço, e governará como o terceiro no reino."

⁸Todos os peritos do rei se apresentaram, mas não conseguiram ler a inscrição ou tornar conhecido o seu significado ao rei. ⁹O rei Belsazar ficou muito alarmado, o seu rosto mudou ainda mais de cor e as suas pessoas importantes se agitaram. ¹⁰A rainha — por causa das palavras do rei e de suas pessoas importantes, entrou no salão de bebidas. A rainha exclamou: "Vida longa ao rei! Os teus pensamentos não deveriam se alarmar ou o teu rosto mudar de cor. ¹¹Há um homem em teu reino no qual está o espírito dos santos deuses. Nos dias de teu pai, discernimento, capacidade e conhecimento, como dos deuses, foram encontrados nele. O rei Nabucodonosor, o teu pai, o indicou como chefe dos adivinhos, encantadores, caldeus e exorcistas — o teu pai como rei. ¹²Uma vez que um espírito notável, conhecimento e capacidade — na interpretação de sonhos, na explicação de enigmas e na elucidação de mistérios — foram encontrados nele, em Daniel, a quem o rei nomeou Beltessazar, Daniel deveria, agora, ser chamado. Ele relatará o significado."

¹³Daniel foi levado à presença do rei. O rei exclamou a Daniel: "Você é Daniel, um dos exilados de Judá, a quem o meu pai,

como rei, trouxe de Judá? ¹⁴Ouvi sobre você, que o espírito dos deuses está em você e que discernimento, capacidade e um conhecimento notável são encontrados em você. ¹⁵Os peritos (os encantadores) foram trazidos, agora, diante de mim para que pudessem ler esta inscrição e fazer o seu significado conhecido a mim, mas eles não conseguiram relatar o significado das palavras. ¹⁶Eu mesmo ouvi a seu respeito, de que você pode explicar significados e solucionar enigmas. Se conseguir, agora, ler a inscrição e fazer o seu significado conhecido a mim, você vestirá púrpura e a corrente de ouro em seu pescoço, e governará como terceiro no reino."

¹⁷Daniel exclamou diante do rei: "Os teus presentes podem ficar para ti; dê os teus presentes a alguém mais. No entanto, lerei a inscrição para Vossa Majestade e tornarei conhecido o seu significado. ¹⁸Ó Vossa Majestade! O Deus Altíssimo deu reinado, grandeza, majestade e honra a Nabucodonosor, o teu pai. ¹⁹Por causa da grandeza dada a ele, todos os povos, nações e línguas tremiam e temiam diante dele. A quem desejasse, ele matava, e a quem desejasse, ele mantinha vivo. A quem desejasse, ele elevava, e a quem desejasse, ele derrubava. ²⁰Quando a mente dele se tornou elevada e o seu espírito arrogante, de modo a torná-lo presunçoso, ele foi tirado do seu trono real, e a sua honra foi removida dele. ²¹Ele foi levado para longe dos seres humanos, e a sua mente foi feita como a de um animal, a sua habitação com os jumentos selvagens. Eles o alimentaram com grama, como a bois, e o seu corpo foi regado com o orvalho dos céus, até que ele reconhecesse que o Deus Altíssimo governa sobre o reino humano e pode estabelecê-lo sobre quem desejar. ²²Mas, tu, o seu filho, Belsazar, não humilhou a tua mente, porque conhecias tudo isso, ²³mas, elevou-se acima do Senhor dos Céus. Os recipientes da sua casa foram trazidos diante de ti, e tu, as tuas pessoas importantes, as tuas rainhas e as tuas consortes beberam vinho neles, e louvaram deuses de prata e de ouro, de bronze, de ferro, de madeira e de pedra, que

não veem, não ouvem e não sabem. Mas, o Deus que tem o teu fôlego em suas mãos, e todo o teu caminho, tu não glorificaste.

²⁴Da sua presença a mão foi enviada, e essa inscrição ela escreveu: ²⁵Esta é a inscrição que foi escrita: 'Contado em uma *mina*, um *siclo* e duas metades.' ²⁶Este é o significado das palavras. Uma *mina*: 'Deus *contou* os dias do teu reinado e o entregou.' ²⁷Um *siclo*: 'Foste *pesado* em balanças e achado deficiente.' ²⁸Uma metade: 'O teu reino foi *dividido* e dado à Média e à Pérsia.'" ²⁹Belsazar ordenou e eles vestiram Daniel com púrpura e a corrente de ouro em seu pescoço, e proclamado a seu respeito que ele governaria como o terceiro no reino. ³⁰Naquela noite, Belsazar, o rei caldeu, foi morto, ³¹e Dario, o medo, adquiriu o reino, como um homem de sessenta e dois anos.

O prédio no qual vivemos está dando sinais claros de sua idade e todo o sistema de água e de esgoto precisa ser substituído. A minha esposa, uma arquiteta experiente, sabe quão é importante, nesses casos, agir quanto antes e está ansiosa para obter a anuência da associação de moradores e iniciar a reforma, mas a minha tendência é pensar: "Tanto faz." Na verdade, mudanças revolucionárias no ensino superior também estão causando ansiedade no seminário, mas sou inclinado a pensar: "Tanto faz." Por outro lado, posso ficar ansioso quanto ao futuro da igreja da qual sou o encarregado, e preciso me controlar em relação a essa ansiedade.

Belsazar parece alguém que precisava ter mais responsabilidade e resistir à tentação de dizer: "Tanto faz." Ele foi o último governante antes de o Império **Medo-Persa** derrotar o Império **Babilônico**. Tecnicamente, ele não era rei, mas um regente que administrava os negócios na Babilônia, depois de o verdadeiro rei, Nabonido deixar a capital, uma década antes, por motivos não esclarecidos. Belsazar também era, literalmente, filho de Nabucodonosor, embora pudesse ser descrito como sucessor efetivo desse rei. A rainha que desempenha um papel crucial na história é a rainha-mãe, a esposa de um rei anterior — em geral, uma pessoa politicamente influente na corte do Oriente Médio. A narrativa pode indicar que ela era a esposa de Nabucodonosor, que estaria em posição de dar o conselho.

Belsazar, obviamente, estava desfrutando bons momentos como "rei", ao lado de seus administradores (e ignorando as pessoas comuns, cujas necessidades ele, supostamente, deveria priorizar). Um banquete oficial levou à ação que parecia bastante comum aos babilônios. Quando um exército alcançava uma vitória, os vencedores saqueavam os derrotados; exibir os despojos, nessas ocasiões, era algo normal. Aqueles recipientes, no entanto, não eram despojos comuns, mas foram retirados do templo do verdadeiro Deus. (Há certa ironia no fato de a palavra para "templo" e para "palácio" ser a mesma, de maneira que, inicialmente, a ideia fosse a de usar utensílios pertencentes ao palácio real de Jerusalém; somente mais tarde é que o relato indica que Belsazar estava utilizando recipientes do "palácio" de Deus.

Se os sábios não foram capazes de ler a inscrição na parede (a história é onde obtemos aquele ditado), o motivo pode ter sido pelo fato de o alfabeto de algumas línguas do Oriente Médio possuir apenas consoantes (se eu escrevesse na lousa "th ct st n th mt", os meus alunos, cuja língua nativa é o inglês, identificariam a sentença "the cat sat on the mat" [o gato sentou-se no tapete], mas os demais alunos teriam dificuldades em identificá-la). Caso as palavras não tivessem contexto ou não formassem uma sentença normal, os leitores poderiam nem perceber o conjunto de consoantes. Mas, talvez, fossem capazes de perceber que as palavras soavam como um grito de mercador: "Contado em uma *mina*, um *siclo* e duas metades" (*mina* e *siclo* são unidades de peso). O discernimento sobrenatural de Daniel é que o capacita a ler as palavras de uma outra maneira (eu indico aos meus alunos que alguém poderia ler a sentença apenas com as consoantes, que escrevi na lousa, como "the coat set in the moat" [o casaco colocado no fosso]. Elas declaram o juízo de Deus sobre Belsazar. Daniel, uma vez mais, fala como um profeta, ao confrontar o rei com a perspectiva de Deus sobre o seu reinado.

Como já observado em relação ao sonho de Nabucodonosor, o ponto sobre os avisos de Deus não é, meramente, declarar o que está prestes a acontecer. Belsazar não respondeu como os habitantes de Nínive, a superpotência antes dos babilônios, que receberam uma mensagem similar e se arrependeram. Belsazar, na verdade, respondeu com um "Tanto faz", em uma situação na qual ele precisava assumir a responsabilidade. Não é mera coincidência ele ter perdido a sua vida naquela mesma noite. Ele foi morto por seu próprio povo? Qual é a ligação com a transição do governo babilônico para o governo de um medo? Há alguma intriga interna enquanto os persas avançam em direção à Babilônia? O relato não deixa respostas a essas perguntas, pois foca no retrato de um rei que paga o preço por desdenhar do Deus verdadeiro, e de falhar em responder ao aviso divino, do homem que serve aquele Deus, e do Deus que implementa a sua vontade nos eventos políticos.

DANIEL **6:1-28**
SOBRE PERMANECER FIRME NA FÉ

¹Pareceu bem a Dario indicar sobre o seu reino cento e vinte sátrapas que seriam espalhados pelo reino, ²e sobre eles três supervisores, dos quais Daniel era um, a quem esses sátrapas prestariam contas, e o rei não seria incomodado. ³Este homem,

DANIEL 6:1-28 • SOBRE PERMANECER FIRME NA FÉ

Daniel, distinguiu-se acima dos outros supervisores e sátrapas por causa do notável espírito nele, e o rei ficou inclinado a designá-lo sobre todo o reino. ⁴Os supervisores e sátrapas buscavam encontrar alguma falha por parte de Daniel nos negócios do reino, mas não conseguiram encontrar nenhuma falha ou corrupção, porque ele era confiável; nenhuma negligência ou corrupção pôde ser encontrada contra ele. ⁵Aqueles homens disseram: "Não iremos encontrar nenhuma falha nesse Daniel, a não ser que a encontremos em relação à lei do seu Deus."

⁶Esses supervisores e sátrapas se reuniram para ver o rei e lhe disseram: "Vida longa ao rei Dario! ⁷Todos os supervisores do reino, os governadores, sátrapas, conselheiros e comissários tomaram conselho sobre o estabelecimento de um decreto real ordenando que qualquer um que fizer uma petição a qualquer deus ou ser humano, exceto a ti, Vossa majestade, seja lançado na cova dos leões. ⁸Vossa Majestade, emita a ordem agora e assine o documento, para que ele, definitivamente, não seja mudado, como uma lei da Média e da Pérsia, que não poderá ser revogada."

⁹Assim, o rei Dario assinou o documento e a ordem. ¹⁰Quando Daniel soube que o documento fora assinado, ele foi para a sua casa, com as janelas abertas na parte de cima, voltadas para Jerusalém, e três vezes ao dia ele se ajoelhava, orava e dava graças diante do seu Deus, porque assim fazia antes disso. ¹¹Aqueles homens se reuniram e descobriram Daniel peticionando e orando diante do seu Deus. ¹²Eles se aproximaram do rei e falaram diante dele sobre a injunção real: "Tu não assinaste uma injunção para que qualquer um que pedisse a qualquer deus ou ser humano por trinta dias, exceto a ti, Vossa Majestade, fosse lançado na cova dos leões?" O rei exclamou: "A coisa permanece firme, como uma lei da Média e da Pérsia, que não poderá ser revogada." ¹³Eles exclamaram diante do rei: "Daniel, um dos exilados de Judá, não te dá atenção, Vossa Majestade, ou à injunção que assinaste. Três vezes ao dia

ele faz a sua petição." **¹⁴**Quando o rei ouviu a coisa, ele ficou muito descontente consigo mesmo, e quanto a Daniel, ele aplicou a sua mente para libertá-lo. Até o pôr do sol, ele ficou trabalhando para resgatá-lo. **¹⁵**Aqueles homens se reuniram e disseram ao rei: "Vossa Majestade, reconheça que é uma lei da Média e da Pérsia, e que qualquer injunção ou decreto que o rei estabeleça não pode ser mudado." **¹⁶**O rei disse para eles buscarem Daniel e o lançarem na cova dos leões. O rei exclamou a Daniel: "O seu Deus, a quem você reverencia, continuamente, que ele o livre." **¹⁷**Uma pedra foi trazida e colocada sobre a boca da cova, e o rei a selou com o seu sinete e com os sinetes de suas pessoas importantes, para que a intenção com respeito a Daniel não fosse mudada.

¹⁸O rei saiu para o seu palácio. Ele passou a noite sem alimento; nada foi trazido diante dele. O sono evadiu-se dele. **¹⁹**Pela manhã, o rei levantou-se à primeira luz e saiu, apressadamente, até a cova dos leões. **²⁰**Quando se aproximou da cova, o rei gritou com uma voz angustiada a Daniel. O rei exclamou: "Daniel, servo do Deus vivo, o seu Deus, a quem você reverencia, continuamente — ele conseguiu livrá-lo dos leões?" **²¹**Daniel falou com o rei: "Vida longa ao rei! **²²**Deus enviou o seu ajudante para fechar a boca dos leões. Eles não me machucaram, porque, diante dele, a inocência foi encontrada em mim — e, também, diante de ti, Vossa Majestade, não causei dano." **²³**O rei muito se alegrou, e disse para tirarem Daniel da cova. Assim, Daniel foi levado para fora do poço. Nenhum ferimento foi encontrado nele, porque havia confiado em seu Deus. **²⁴**O rei disse para trazerem aqueles homens que tinham atacado Daniel e os lançarem na cova dos leões, eles, seus filhos e as suas esposas. Antes mesmo de eles atingirem o chão da cova, os leões os subjugaram e esmagaram todos os seus ossos.

²⁵O rei Dario escreveu a todos os povos, nações e línguas que vivem em toda a terra: "Que o seu **bem-estar** seja abundante!

DANIEL 6:1-28 • SOBRE PERMANECER FIRME NA FÉ

> ²⁶De minha parte é dado saber que em todos os domínios do meu reino, as pessoas devem tremer e temer diante do Deus de Daniel, pois ele é o Deus vivo e permanece para sempre. O seu reino é aquele que não experimentará dano algum, o seu governo continuará até o fim. ²⁷Ele liberta e resgata, faz sinais e maravilhas nos céus e na terra. Ele resgatou Daniel das mãos dos leões."
>
> ²⁸Assim, este Daniel prosperou durante o reinado de Dario e durante o reinado de Ciro, o persa.

Por poucos anos, logrei escapar do "Serviço Nacional", a exigência vigente na Grã-Bretanha, entre 1945 e 1963, para o serviço militar obrigatório durante dois anos, ao completar dezoito anos de idade. Um amigo meu, mais velho, não teve a mesma sorte. Durante dois anos, ele compartilhou alojamentos com vinte outros jovens, sem qualquer privacidade, e me contou (sentindo certa vergonha) que a única forma de ele conseguir ler a Bíblia e orar, todos os dias, era ir ao banheiro e ficar ali por mais tempo do que o necessário.

Daniel poderia ter orado na privacidade de sua casa, mas ele escolheu não fazer isso. Da mesma forma que há uma ligação entre as duas histórias sobre Deus mandar um aviso a um rei **babilônico**, Daniel explicar o significado, e o aviso se cumprir (Daniel 4 — 5), também há uma ligação entre as histórias sobre **judaítas** desafiando uma ordem real, o rei sentenciá-los à morte e Deus, miraculosamente, resgatá-los (a seguir, veremos que há uma ligação entre as visões nos capítulos 2 e 7; cada qual descreve uma sequência de quatro regimes e, então, vem o estabelecimento do governo de Deus). A narrativa sobre a cova dos leões lembra a história da fornalha, igualmente incomum e humorada, designada a ironizar os supervisores judaítas. Tais elementos sugerem que não devemos considerá-los como relatos históricos, o que se encaixa com o fato de não haver referências, fora da Bíblia, a "Dario, o medo", como governante da Babilônia. A exemplo do capítulo 3, ser mais ficcional do que histórico não diminui o seu ponto, pois o ensino não é de que Deus sempre resgata o seu povo; a reivindicação não é essa, e sabemos, pela experiência da vida real, que não é sempre assim.

A história é realista com relação à natureza dos políticos. Entre eles, sobejam a inveja, as tratativas e as negociações. Quem se sai melhor deve sempre estar atento para não ser esfaqueado pelas costas. Um rei, presidente ou primeiro-ministro deve manter os olhos bem abertos para não ser manipulado por pessoas que devem estar, supostamente, a seu serviço. Mas, de alguma forma, a pessoa que logra alcançar uma posição de destaque, com frequência, não é mais brilhante ou hábil do que os seus subordinados, e, portanto, ele é passível de manipulação. O édito dos ministros parece tolo, mas é a única maneira de acusar Daniel. Quanto mais alto as pessoas comuns sobem, tanto mais cautelosas elas devem ser para não "dar sopa ao azar". Se houver algo sombrio e obscuro em sua vida, as pessoas descobrirão. É um grande elogio a Daniel o fato de os seus adversários não encontrarem nada para usarem contra ele, exceto a sua reverência a Deus.

A natureza da ação de Daniel é contrária àquela dos três jovens. No caso anterior, a pressão era para eles se curvarem a algo que não Deus e, portanto, para fazerem algo proibido a um **israelita**. No caso de Daniel, a pressão era para ele não se curvar a Deus e, portanto, para não fazer algo demandado de um israelita. O templo de Jerusalém era o lugar no qual ***Yahweh*** havia estabelecido como habitação e, ali, ouvir as orações de Israel. A oração de Salomão, na dedicação do templo, prevê até mesmo israelitas sendo levados para o **exílio** e orando na direção daquela cidade e de seu templo, e pede que *Yahweh* ouça essas orações. Daniel pressupõe que *Yahweh* assim fará.

A oração, no Antigo Testamento, é designada a glorificar a Deus e, assim, ela é feita publicamente. Em uma cultura na qual a adoração é honrada e respeitada, obviamente, há o risco de se fazer isso apenas para as outras pessoas verem, e não pela fé. Para os israelitas em uma terra estranha, o perigo é o oposto. A tentação é esconder o ato da oração. Daniel não cede à essa tentação. A "lei" do Deus de Daniel não exige que ele ore em público, mas ele sabe que deve continuar orando como sempre orou, para não falhar em sua honra a Deus, e dar a impressão de que ele honra o rei mais do que a Deus. A **Torá** prescreve a oferta de sacrifícios, duas vezes ao dia, ao amanhecer e ao entardecer, e esses sacrifícios devem ser acompanhados de orações; a maioria dos israelitas não poderia estar presente nos sacrifícios, mas, naturalmente, eles usavam esses períodos para orar. Orar três vezes ao dia expressa como o comprometimento de Daniel excedia qualquer demanda legal.

Outra conexão com a narrativa do capítulo 3 é que questões são levantadas pelas ações do rei, nas derradeiras cenas da história, com a execução de toda a liderança e as suas respectivas famílias, a determinação do reconhecimento do Deus de Israel como uma exigência legal, assim como com a sua ingenuidade nas cenas iniciais. Uma implicação é de que depositar a confiança no rei é uma insensatez, quer esteja a seu favor ou contra, em um determinado momento. Caso estivesse contra, os leitores da história saberiam que nem todos os que seguem o exemplo de Daniel escapam das consequências, mas a história os conclama a agirem da mesma forma, pois isso suscita a possibilidade de Deus, igualmente, honrar a atitude deles.

DANIEL 7:1-28
AQUELE QUE FALA GRANDES COISAS É SILENCIADO

¹No primeiro ano de Belsazar, rei da Babilônia, Daniel teve um sonho, visões que vieram à sua cabeça, em seu leito. Ele escreveu o sonho. O começo do relato. ²Daniel exclamou: "Olhei em minha visão, durante a noite, e eis que os quatro ventos dos céus agitavam o Grande Mar, ³e quatro animais enormes subiam do mar, cada um diferente dos outros. ⁴O primeiro era como um leão, mas ele tinha asas de águia. Olhei quando as suas asas foram arrancadas e ele foi levantado do chão e colocado sobre seus pés como de um ser humano, e uma mente humana lhe foi dada. ⁵E, eis que havia outro, um segundo animal. Ele era como um urso, mas era elevado de um lado, com três costelas em sua boca. E lhe disseram: "Levante-se, coma muita carne!" ⁶Depois disso, olhei e eis que havia outro, como um leopardo, mas ele tinha quatro asas de ave em suas costas. O animal tinha quatro cabeças e a autoridade lhe foi dada. ⁷Depois disso, olhei em minhas visões noturnas, e eis que havia um quarto animal, assustador, devorando, esmagando e pisoteando o que era deixado aos seus pés. Ele era diferente de todos os animais que vieram antes dele. Ele tinha dez chifres. ⁸Ao olhar os chifres, eis que outro chifre pequeno surgiu entre eles, e três dos primeiros chifres foram arrancados diante dele. E eis que havia algo como olhos humanos nesse chifre, e uma boca falando coisas grandes. ⁹Olhei enquanto

> tronos foram colocados no lugar
> > e alguém avançado em anos se sentou.
> Suas vestes eram brancas como a neve.
> > Os cabelos de sua cabeça como lã de cordeiro.
> O seu trono era chamas de fogo,
> > seus anéis eram uma chama ardente.
> ¹⁰ Um rio de chamas fluía,
> > saindo de diante dele.

> Milhares de milhares ministravam a ele,
>> miríades de miríades estavam diante dele.
> O tribunal sentou-se,
>> e livros foram abertos.

¹¹Olhei, do som das grandes coisas que o chifre estava falando. Olhei quando o animal foi morto. O seu corpo foi destruído e entregue ao fogo ardente. **¹²**O restante dos animais: a autoridade deles foi retirada, mas uma extensão de sua vida lhes foi dada por um tempo. **¹³**Olhei em minhas visões noturnas, e eis que com as nuvens nos céus

> alguém como um ser humano veio. Ele alcançou aquele avançado em anos
> e foi apresentado diante dele. **¹⁴**A ele foi entregue autoridade, honra e reinado;
> todos os povos, nações e línguas devem reverenciá-lo.
>> Sua autoridade é uma autoridade que dura para sempre, que não passará, o seu reinado, um que não será destruído.

¹⁵Eu (Daniel) fiquei perturbado em meu espírito dentro de mim por essas coisas. As visões que vieram à minha cabeça me alarmaram. **¹⁶**Eu me aproximei de um dos que ali estavam e lhe perguntei a verdade sobre tudo aquilo. Ele me contou e fez conhecido o significado da coisa. **¹⁷**Aqueles animais enormes, dos quais havia quatro: quatro reis se levantarão da terra, **¹⁸**mas os santos do Altíssimo receberão o reino. Eles possuirão o reino para sempre, para todo o sempre. **¹⁹**Desejei a verdade sobre o quarto animal, que era diferente de todos eles (extremamente assustador, com dentes de ferro, garras de bronze), devorando, esmagando e pisoteando o que era deixado aos seus pés, **²⁰**e sobre os dez chifres que estavam em sua cabeça, e aquele que surgiu e os três que caíram diante dele — e daquele chifre que tinha olhos e uma boca falando grandes coisas, e cuja aparência era maior que a dos seus companheiros. ²¹Olhei, e aquele chifre fez guerra contra os santos e os derrotou, ²²até que aquele avançado em anos viesse e o julgamento foi dado para os santos do Altíssimo, e chegou o tempo e os santos tomaram posse do reino.

²³Ele assim disse: "O quarto animal — haverá um quarto regime na terra que será diferente de todos os regimes. Ele devorará toda a terra, a esmigalhará e a esmagará. ²⁴Os dez chifres — daquele regime dez reis se levantarão. Depois deles, outro se levantará. Ele será diferente daqueles antes deles. Ele derrubará três reis. ²⁵Dirá coisas contra o Altíssimo e oprimirá os santos do Altíssimo. Ele tentará mudar os tempos e a lei. Eles serão entregues nas suas mãos por um período, períodos e meio período. ²⁶Mas, a corte se sentará e a sua autoridade lhe será tirada, para ser destruída e eliminada permanentemente. ²⁷O reino, a autoridade e a grandeza dos regimes debaixo de todos os céus serão entregues ao povo dos santos do Altíssimo. O seu reino será um reino que dura para sempre. Toda autoridade reverenciará e se curvará a ele."

²⁸Este é o fim do relato. Eu, Daniel — os meus pensamentos foram muito alarmantes para mim. O meu semblante mudou de cor. Eu mantive a coisa em minha mente.

Alguns meses atrás, a minha esposa e eu visitamos sete cidades no oeste da Turquia, a cujas igrejas João escreveu no livro de Apocalipse. Elas eram cidades romanas muito prósperas e, agora, na maioria, não passam de ruínas. Há cidades modernas nos lugares onde, outrora, existia duas ou três delas, mas em nenhuma das sete há uma grande presença cristã. O despertar não é sob o badalo de sinos de igrejas, mas sob o chamado do minarete. João havia advertido a maioria dessas igrejas quanto à necessidade de elas se unirem, caso não quisessem ter esse destino, embora não tenha dado essa mensagem à igreja em Filadélfia. As suas ruínas estão espalhadas pela moderna cidade de Alasehir. Os últimos cristãos na região se mudaram para Atenas após a Primeira Guerra Mundial, em função de um intercâmbio populacional entre a Turquia e a Grécia.

Em Daniel, a expressão "o povo dos santos do Altíssimo" é um termo para descrever os "santos, o povo de Deus. Em cidades como Alasehir, os santos foram reduzidos a quase nada. Na cidade de Jerusalém, a qual a visão de Daniel se refere, parecia que os santos iriam pelo mesmo caminho, mas, a visão promete que essa dinâmica será revertida.

A localização das pessoas no foco de Daniel, portanto, mudou, embora a pressão sobre elas seja similar. A visão remonta ao tempo de Belsazar e, assim, à época do Império **Babilônico**. Ela cobre a sequência de impérios que se sucedem ao longo de quatro séculos, desde a metade do século VI até a metade do século II a.C., começando com a Babilônia e terminando com a Grécia. O animal grego original era Alexandre, o Grande, que conquistou o Oriente Médio nos anos 330 a.C., mas morreu em 323 a.C., com apenas 32 anos. O seu império se partiu e grande parte dele caiu nas mãos de um ou outro de seus generais.

Nos anos de 160 a.C., **Judá** estava sob o controle de um desses domínios, baseado na Síria. O rei **selêucida** era, então, Antíoco IV, que se autodenominava Epifânio; o título sugeria que ele era uma manifestação de Deus. Os judaítas, provavelmente, repudiavam essa autodesignação, que era, talvez, a maior das grandes coisas que emergiram de sua boca. Ele, verdadeiramente, proferiu palavras contra o Deus que é, de fato, o Altíssimo. Por outro lado, os judaítas não eram estimados por ele por causa de suas manobras políticas — as negociações e tratativas sobre quem deveria ser o sumo sacerdote se intercalavam com estimular os sírios, na região norte, como joguetes contra os **egípcios**, no sul. As insurreições dos judaítas, com o tempo, levaram Antíoco a impor um governo direto. Ele "fez guerra contra os santos do Altíssimo e os derrotou" e baniu a adoração de acordo com a **Torá**.

A visão promete um daqueles momentos nos quais Deus intervém. Embora o relato da visão use a prosa para descrever animais horrendos, simbolizando os quatro impérios, em seu clímax, utiliza verso para retratar uma cena no tribunal celestial de Deus. Deus é reportado como um excelso ancião. Outra figura humana é apresentada a ele, e ela recebe suprema **autoridade** no lugar dos quatro impérios. A expressão aramaica para "alguém como um ser humano" é, literalmente, "alguém como um filho de homem", em aramaico ou hebraico, essa expressão "filho de homem" é uma maneira poética de dizer "ser humano". Mais tarde, o pensamento judaico retratou esse "ser humano" ou "filho de homem" como um indivíduo real, que é parte do cenário para o uso de "Filho do homem", nos Evangelhos. A explicação da visão, no entanto, deixa claro que, aqui, a pessoa semelhante a um ser humano representa "o povo dos santos do Altíssimo." Deus decidiu em favor desse povo e não pelo império de Antíoco, simbolizado pelo pequeno chifre.

Antíoco permaneceu no controle de Jerusalém por pouco mais de três anos, de 167 a 164 a.C., mas, então, os judaítas se rebelaram. Os judaítas eram considerados azarões, mas eles venceram. As forças de Antíoco bateram em retirada. Sucessivas visões irão nos fornecer mais detalhes acerca desses eventos.

Pela primeira vez, em seis séculos, Judá estava livre, e assim permaneceu até a chegada dos romanos, um século depois. Não se pode afirmar que os judaítas governaram todo o mundo, ou que a liberdade deles durou para sempre.

O cumprimento da visão ocorreu da mesma maneira que, normalmente, o cumprimento bíblico ocorre. Ele não dá tudo ao povo — o cumprimento final envolverá a implementação final do propósito de Deus. Isso lhes propicia algo, e algo grande, que ́constitui a primeira parcela, digamos, daquele cumprimento final e supremo. Isso nos convida a olhar os momentos ruins, em que nada parece funcionar, a exemplo do que ocorreu com as igrejas na Turquia, à luz desses breves momentos nos quais tudo funciona bem.

┌ DANIEL **8:1–27** ┐

A SUPERVISÃO DE DEUS E O HOMEM QUE FOI LONGE DEMAIS

¹No terceiro ano do reinado do rei Belsazar, uma visão apareceu a mim (eu, Daniel), após aquela que me apareceu antes. **²**Olhei na visão (quando a vi, eu estava em Susã, a cidade fortificada na província de Elão) — olhei na visão e estava junto ao portão de Ulai. **³**Elevei os meus olhos e olhei, e eis que havia um carneiro diante do portão. Ele tinha dois chifres. Os chifres eram altos, mas um era mais alto do que o outro. O mais alto cresceu mais tarde. **⁴**Olhei para o carneiro atacando o oeste, o norte e o sul. Nenhum dos animais o podia resistir. Ninguém conseguia se livrar de sua mão. Ele agia segundo os seus desejos e tornou--se grande. **⁵**Enquanto eu buscava compreender, eis que surgiu um bode, vindo do Ocidente, percorrendo toda a face da terra, sem tocar o chão. O bode, com um chifre notável entre os seus olhos, **⁶**veio na direção do carneiro que possuía dois chifres, que eu tinha visto diante do portão. **⁷**Eu o vi alcançando o carneiro. Ele atacou furiosamente, atingiu o carneiro e quebrou os seus dois chifres. O carneiro não teve forças para resistir diante dele. [O bode] lançou-o ao chão e o pisoteou. Não houve ninguém capaz de livrar o carneiro do seu poder. **⁸**O bode tornou-se muito grande, mas logo que se tornou tão forte, o grande chifre se quebrou. Quatro chifres notáveis surgiram em seu lugar, na direção dos quatro ventos nos céus. ⁹De um deles, apareceu um pequeno chifre. Ele cresceu abundantemente na direção do sul, na direção do Oriente e para a terra mais justa. ¹⁰Cresceu até alcançar o exército dos céus, e fez alguns do exército, algumas das estrelas, caírem na terra, e os pisoteou. ¹¹Cresceu até alcançar o comandante do exército. Com isso, a oferta regular foi removida, o seu lugar sagrado e o seu exército foram derrubados. ¹²Ele será estabelecido sobre a oferta regular em rebelião; lançará a veracidade ao chão. Agirá e terá sucesso.

¹³Ouvi um santo falando, e um ser santo disse ao outro que estava falando: "Por quanto tempo a visão durará — a oferta regular e a rebelião desoladora, a entrega de ambos, do [lugar] sagrado e do exército ao pisoteamento?". ¹⁴Ele me disse: "Por duas mil e trezentas tardes e manhãs, mas o [lugar] sagrado emergirá justo." ¹⁵Enquanto eu, Daniel, olhava a visão e buscava algum entendimento, eis que surgiu diante de mim um ser semelhante a um homem, ¹⁶e ouvi uma voz humana no meio do Ulai. Ela disse: "Gabriel, ajude este homem a compreender a visão." ¹⁷Ele se aproximou do lugar onde eu estava. Quando ele veio, fiquei impressionado e prostrei-me com o rosto em terra. Ele me disse: "Compreenda, jovem, que a visão é referente ao tempo do fim." ¹⁸Quando ele falou comigo, eu caí em transe, com o rosto em terra, mas ele me tocou e me pôs em pé onde eu havia estado. ¹⁹Ele disse: "Aqui estou eu, e irei tornar conhecido a você o que acontecerá na conclusão da ira, porque isso é referente ao tempo indicado para o fim."

²⁰"O carneiro que você viu, possuindo dois chifres, são os reis da Média e da Pérsia. ²¹O bode é o rei da Grécia. O grande chifre entre os seus olhos — este é o primeiro rei. ²²Aquele que se partiu e quatro cresceram em seu lugar; quatro regimes emergirão de uma nação, mas não com o seu poder. ²³Na conclusão do reino deles, quando os rebeldes alcançarem plena medida,

surgirá um rei de semblante feroz e entendedor de enigmas. ²⁴A sua força será poderosa, mas sem a força [de seu predecessor] — ele, porém, realizará atos espantosos de devastação e terá sucesso quando agir. Ele devastará os poderosos, e o povo dos santos, ²⁵com a sua habilidade. Ele terá sucesso em enganar com o seu poder. Com a sua mente, ele crescerá em demasia. Com facilidade, devastará a muitos, e se colocará contra o comandante-chefe. Mas, sem ser tocado, ele quebrará."

²⁶"A visão da tarde e da manhã; o que foi dito é a verdade. Você, sele a visão, porque ela se refere a muitos dias."

²⁷Eu, Daniel, fiquei doente por alguns dias, mas me levantei e realizei os negócios do rei. Mas, fui dominado pela visão e não havia ninguém capaz de me ajudar a entendê-la.

Comentei com a minha esposa a descoberta sobre a Filadélfia, na Turquia, à qual me referi em meu comentário em relação a Daniel 7. Então, conversamos acerca da improbabilidade de a igreja, ali, reivindicar ter passado pela porta aberta que, em Apocalipse 3, Deus afirma ter colocado diante dela. Ela, então, refletiu sobre como a remoção dos cristãos daquele país, muito provavelmente, contribuiu para a estabilidade da Turquia ao longo do século passado — do mesmo modo que, na Grécia, a retirada dos muçulmanos deve ter contribuído para a estabilidade daquela nação. Em outras palavras, Deus extrai o bem do mal, embora isso não impeça o mal de ser doloroso, ou errado, mesmo muitos anos depois.

Algo similar é verdadeiro em relação à comunidade em Jerusalém, cujo destino é descrito por essa visão adicional. Caso não tivéssemos certeza quanto aos eventos mencionados na visão do capítulo 7 (porque não houve menção a nomes), então, essa visão posterior remove qualquer sombra de dúvida. Uma vez mais, Daniel funciona não apenas como intérprete dos sonhos e visões do rei, mas como alguém que recebe sonhos e visões que necessitam ser interpretadas para ele, por membros da equipe de Deus. Aqui, Gabriel aparece pela primeira vez na Bíblia, como um dos **ajudantes** sobrenaturais de Deus.

A visão se inicia, de novo, em um período no qual a **Babilônia** ainda está no controle do Oriente Médio e, então, viaja no tempo até o período dos **medos** e dos **persas**. Sob o reinado de Ciro, a Pérsia ganhara o braço de ferro e absorvera o antigo Império Medo, motivo pelo qual a visão pôde retratar o Império Medo-Persa como semelhante a um carneiro com dois chifres, dos quais o segundo se tornou maior do que o primeiro. O bode, então, representa o Império da **Grécia**, sendo Alexandre o chifre notável que se quebra. Os quatro chifres que crescem em seu lugar sugerem a fragmentação do império de Alexandre. A maior parte do império ficou sob o controle de **Seleuco**, general de Alexandre, cobrindo um vasto território, ao norte e a leste de **Judá**. Um de seus governantes é Antíoco IV Epifânio, o chifre pequeno. A preocupação particular da visão é mostrar como o Império Selêucida avançou em direção à "terra mais justa", isto é, Judá.

O alvo direto da agressão de Antíoco é a adoração oferecida em Jerusalém. O coração daquela adoração é a "oferta regular", realizada no alvorecer e no pôr do sol, a cada dia (as duas ocasiões nas quais Daniel orava). Ele aboliu a adoração regular e a substituiu por uma adoração apropriada à adoração de sua própria guarnição, ou seja, a adoração oferecida pelo restante do império. A visão retrata a genuína adoração sendo suspensa por duas mil e trezentas manhãs e tardes — isto é, um mil, cento e cinquenta dias, ou mais de três anos, um tempo similar aos três períodos e meio da visão anterior, e referente ao tempo de duração da ação de Antíoco.

Os atos de Antíoco, igualmente, têm um efeito oneroso sobre as pessoas que exercem a liderança em Jerusalém, isto é, os sacerdotes. Mas, ao atacá-los e se autopromover como Epifânio, o Deus Manifesto, Antíoco também está ofendendo o Deus que é adorado ali, aquele a quem os líderes servem. O exército celestial, do qual Deus é o comandante-chefe, é equivalente ao "exército" terreno que serve no templo e exerce autoridade na cidade (desse modo, ambos, os membros do povo celestial de Deus e do povo terreno de Deus podem ser chamados "santos"). A agressão de Antíoco significa que alguns dentre esse "exército" perdem a sua vida como resultado de sua fidelidade.

A visão não tem nenhuma relação com os dias de Daniel. Ela se refere ao "tempo indicado para o fim." O Antigo e o Novo Testamentos, regularmente, falam de uma grande crise ou libertação como "o fim" ou "os últimos dias." É como se o juízo final ou a implementação do propósito final de Deus estivesse acontecendo. Na verdade, ele *está* acontecendo, embora, cada vez, pareça que a vida e a história prosseguem. Quando Antíoco suspendeu a verdadeira adoração, em Jerusalém, foi como se o "Fim" tivesse chegado; foi um período de ira. O Antigo Testamento, às vezes, utiliza essa linguagem para denotar não que Deus está agindo em ira, mas que aqueles são eventos que parecem resultantes de alguém tomado pela ira. Se Antíoco tivesse sido capaz de manter a suspensão da genuína adoração, isso, sim, teria sido o "Fim." A libertação espetacular de Jerusalém das mãos de Antíoco, todavia, interrompeu essa crise, que parecia o "Fim", e a transformou em uma ocasião que lhes trouxe liberdade.

Seria tentador para os habitantes de Jerusalém pensar que a história estava ocorrendo fora do controle divino, como pode parecer para nós, que estamos lendo Daniel. A visão assegura que não é assim. Os babilônios, os medos, os persas, os gregos, os selêucidas: por um breve tempo eles parecem tão impressionantes, mas, Deus os mantém sob a sua supervisão. Deus, às vezes, se envolve, ativamente, na ascensão e na queda deles, em outras, alcança seus propósitos por meio deles, e, ainda em outras, simplesmente, os deixa seguir os seus caminhos, mas sempre os mantendo sob supervisão e entrando em cena quando eles ultrapassam os limites e precisam ser trazidos de volta.

DANIEL 9:1–27
SETENTA SEMANAS

¹No primeiro ano de Dario, filho de Assuero, medo de nascimento, que foi feito rei sobre o reino dos caldeus — ²no primeiro ano de seu reinado, eu, Daniel, estava buscando entender nas Escrituras o número de anos que deviam (mensagem de *Yahweh* a Jeremias, o profeta) ser cumpridos para as devastações de Jerusalém, setenta anos. ³Coloquei o meu rosto diante do Senhor Deus, para fazer uma súplica e orar por graça, com jejum, pano de saco e cinzas. ⁴Supliquei a *Yahweh*, o meu Deus, e confessei: "Ó Senhor, Deus grande e assombroso, que guardas a aliança e o compromisso ao povo que se entrega a ti e guarda os teus mandamentos; ⁵cometemos ofensas, fomos rebeldes, nos desviamos dos teus mandamentos e das tuas decisões. ⁶Não ouvimos os teus servos, os profetas que falaram em teu nome aos nossos reis, nossos oficiais e nossos ancestrais, e a todo o povo da terra. ⁷A ti, Senhor, pertence a justiça; a nós, envergonhem-se nesse mesmo dia, povo de Judá, residentes de Jerusalém, e todo o Israel, perto e longe, em todas as terras para as quais tu os conduziste, por causa da transgressão que eles cometeram contra ti. ⁸*Yahweh*, a nós pertence a vergonha no rosto, aos nossos reis, nossos oficiais e aos nossos ancestrais, que pecaram contra ti. ⁹Ao Senhor, nosso Deus, pertence a

compaixão e os atos de perdão, porque nos rebelamos contra ele ¹⁰e não ouvimos a voz de *Yahweh*, nosso Deus; não andamos de acordo com os seus ensinos que ele estabeleceu diante de nós pela mão de teus servos, os profetas. ¹¹Todo o Israel transgrediu o teu ensinamento e se desviou para não ouvir a tua voz. A maldição e o juramento que foram escritos no ensino de Moisés, servo de Deus, nos oprimiram. Porque pecamos contra ele, ¹²confirmou a sua palavra, que falou contra nós e contra os nossos líderes, que nos lideravam, trazendo grande mal sobre nós, que não havia sido feito debaixo de todo o céu como foi feito em Jerusalém. ¹³Como está escrito no Ensino de Moisés, todo esse mal veio sobre nós. Não suplicamos a *Yahweh*, o nosso Deus, para nos desviarmos de nossa transgressão e ganharmos discernimento por meio de tua verdade, ¹⁴assim, *Yahweh* manteve esse mal pronto e o trouxe sobre nós, porque *Yahweh*, o nosso Deus, foi justo em todas as ações que ele realizou, e não ouvimos a sua voz.

¹⁵Mas, agora, Senhor, nosso Deus, que tiraste o teu povo da terra do Egito com mão forte e que fizeste para ti um nome que permanece até este dia, cometemos ofensas, fomos infiéis. ¹⁶Senhor, de acordo com toda a tua fidelidade, que a tua ira e fúria possam se afastar de tua cidade, Jerusalém, a tua sagrada montanha, porque por meio das nossas ofensas e dos atos rebeldes de nossos ancestrais, Jerusalém e o teu povo se tornaram objeto de escárnio para todos os que estão ao nosso redor. ¹⁷Assim, agora, ouça, nosso Deus, à súplica e às orações por graça do teu servo, e resplandeça o teu rosto sobre o teu desolado santuário, para o bem do Senhor. ¹⁸Inclina os teus ouvidos, meu Deus, e ouça, abre os teus olhos e vê as nossas desolações e a cidade sobre a qual o teu nome é chamado, porque não é com base em nossos atos fiéis que estamos fazendo as nossas orações por graça, mas com base na tua abundante compaixão. ¹⁹Senhor, ouve! Senhor, perdoa! Senhor, presta atenção e age, e não demore, para o teu bem, meu Deus, porque o teu nome é chamado sobre a tua cidade e sobre o teu povo."

DANIEL 9:1-27 • SETENTA SEMANAS

²⁰Eu ainda estava falando, suplicando, confessando as minhas ofensas e as ofensas de Israel, o meu povo, e fazendo as minhas orações por graça, diante de Yahweh, meu Deus, com respeito à montanha sagrada de Deus — ²¹eu ainda falava a minha súplica, quando Gabriel, a pessoa que vi na visão que tive antes, cansado e fatigado, aproximou-se de mim na hora da oferta da tarde. ²²Ele me capacitou a compreender e falou comigo: "Daniel, vim, agora, para lhe dar discernimento e compreensão. ²³No começo das suas orações por graça, uma mensagem saiu, e eu mesmo vim para relatá-la, porque você é altamente considerado. Por isso, entenda a mensagem e ganhe compreensão sobre a visão.

²⁴"Setenta semanas foram designadas para o seu povo e para a sua cidade sagrada, para trazer um fim à rebelião, para eliminar as ofensas, para trazer uma fidelidade duradoura, para selar a visão e a profecia, e para ungir o [Lugar] Santíssimo. ²⁵Você deve conhecer e perceber: desde a emissão de uma palavra para restaurar e construir Jerusalém até um ungido, um líder, há sete setes. Por sessenta e duas semanas, ela será, novamente, edificada, com ruas e muros. Mas, na pressão dos tempos, ²⁶após as sessenta e duas semanas, um ungido será cortado, e não haverá nem a cidade, nem o [lugar] sagrado. Um líder por vir devastará o povo e o seu fim virá por uma inundação. Até o fim da batalha, devastações estão determinadas. ²⁷Uma aliança prevalecerá para muitas pessoas por um sete. Na metade de sete, ele suspenderá o sacrifício e a oferta. Sobre uma ala estará uma grande abominação, desoladora, até uma conclusão e algo decretado oprima o desolador."

As investigações de Kathleen, minha esposa, acerca da história de sua família revelou não apenas que alguns de seus antepassados do século XVI foram deportados da Escócia por fomentarem a rebelião contra a Coroa, mas também que um dos seus ancestrais do século XVIII foi um proprietário de escravos nos Estados Unidos; ela viu imagens do testamento com o qual ele delega cada um de seus escravos a algum novo proprietário. Migrar para os Estados Unidos, igualmente, me obrigou, como britânico, a encarar a minha parcela de responsabilidade pelo envolvimento da Grã-Bretanha no comércio escravagista, pelo menos, no sentido de que a minha família britânica, indiretamente, se beneficiou desse comércio. Não somos apenas indivíduos isolados, mas estamos conectados, por meio da teia da vida, com os nossos ancestrais.

A oração de Daniel reconhece essa realidade. Ela começa com as advertências, em Jeremias 25 e 29, de que o **exílio** dos **judaítas** não iria terminar rapidamente, como prometiam outros profetas, mas duraria setenta anos, longo o suficiente para significar que, praticamente, nenhum dos ouvintes de Jeremias ainda estaria vivo. A questão sobre esse número não era designar um tempo exato (setenta, não sessenta e nove ou setenta e um), mas dar o sentido de algo como o tempo de uma vida. As pessoas precisavam aceitar que elas, muito provavelmente, não viveriam o bastante para testemunhar o fim do exílio.

Este capítulo pressupõe que setenta anos, mais ou menos, haviam se passado. O foco da mensagem de Daniel, contudo, residia, de novo, não na situação do povo na **Babilônia**, em sua própria época, mas na condição das pessoas em Jerusalém, nos anos 160 a.C. Em um sentido literal ou geográfico, o exílio acabara há muito tempo. Há séculos, as pessoas já eram livres para retornar a Jerusalém, e estavam desfrutando dessa liberdade. Em outro sentido, a situação é ainda pior do que antes. A comunidade jamais esteve sob uma pressão tão grande para abandonar o seu compromisso com *Yahweh* e com o ensino que lhes fora dado por meio de Moisés. Então, o que aconteceu com aquela declaração de que o exílio duraria setenta anos?

A oração de Daniel reconhece, profundamente, que diante disso, a comunidade dos dias de Daniel ou dos anos 160 a.C. pode apenas se lançar à misericórdia divina. Ainda que possam reivindicar estarem comprometidos com os caminhos de Deus, eles pertencem a uma comunidade que não tem sido fiel ao longo dos anos. Ao mesmo tempo que compartilham os privilégios de pertencerem a essa comunidade, também não podem evitar de participar das consequências da infidelidade, sobre a qual o Ensino de Moisés, na **Torá**, advertiu, quando falou acerca de *Yahweh* substituir a bênção pela calamidade. Mesmo alguém, como Daniel, que se notabiliza por sua fidelidade, deve ter essa presunção.

Além de aceitar a parcela de responsabilidade pelo que está errado, a única esperança reside em lançar-se sobre quem Deus é. Daniel apela para a compaixão de Deus, para o seu poder perdoador, para a sua **fidelidade** e para o próprio nome divino. Deus parece estar fazendo papel de tolo ao permitir que Jerusalém permaneça naquele estado desolador e seu santuário continue profanado, quer nos dias de Daniel, quer no tempo de Antíoco. Com base nisso, mesmo reconhecendo a infidelidade da comunidade, a oração pode pressionar Deus: "Presta atenção, age, não demora!"

A resposta vem em uma revelação que retrabalha a declaração de Jeremias. Sim, a aflição de Jerusalém parece durar mais como setenta setes do que setenta, mas ainda há um limite determinado para ela, por Deus, e que esse limite está perto de ser alcançado. Há várias maneiras de compreender a revelação de Gabriel; aqui está uma possibilidade. Os primeiros sete setes (ou semanas) começam desde o tempo em que Jeremias estava profetizando sobre a destruição e a restauração de Jerusalém, nos anos 590 e 580 a.C., e prosseguem até o fim do exílio. O ungido, então, será o rei Ciro (Isaías 45 refere-se a ele como ungido de *Yahweh*), ou um dos líderes judaítas envolvidos na restauração da cidade, Zorobabel, o governador da linhagem de Davi, ou Josué, o sumo sacerdote. Os números, uma vez mais, não são designados a indicar valores exatos, embora tenha havido um período de cerca de quarenta e nove anos, desde a queda de Jerusalém para a Babilônia até o início da restauração da cidade. Então, houve (aproximadamente!) sessenta e duas semanas, a partir de então, até a crise em Jerusalém, nos anos 160 a.C., um período durante o qual a cidade foi repovoada e reconstruída. Mas, no septuagésimo sete (ou septuagésima semana), a cidade está em meio a enorme crise e sofrimento. Um ungido (isto é, um sumo sacerdote), Onias III, foi deposto e morto, em 171 a.C., o que marca o início do último sete (ou semana). Os fiéis perderam o poder sobre a cidade e o templo. Uma falsa aliança, feita por outras pessoas, lhes deu o controle da cidade. Na metade do período do sete final, em 167, a adoração regular do templo é abolida e uma abominação pagã é erigida no altar do templo (que possui cantos superiores similares a asas, regularmente, citadas como os seus chifres). A promessa de Deus é de que o período de setenta setes está, portanto, mais ou menos, cumprido. O desastre virá sobre Antíoco; como veio. A visão profética de Jeremias (conforme retrabalhada por Gabriel) se cumprirá, e o santuário será ungido — isto é, purificado e dedicado novamente.

DANIEL 10:1—11:14
ASSIM NA TERRA COMO NOS CÉUS

¹No terceiro ano de Ciro, rei da Pérsia, uma mensagem revelou-se a Daniel, que era chamado Beltessazar. A mensagem era verdadeira e [referente] a uma grande guerra. Ele entendeu a mensagem; teve compreensão por meio da visão.

²Naqueles dias, eu Daniel, estava de luto por um período de três semanas. ³Não comi alimento em elevada consideração; carne e vinho não entraram em minha boca. Não usei maquiagem até o término do período de três semanas. ⁴Então, no vigésimo quarto dia do primeiro mês, eu estava junto à margem do grande rio, o Tigre. ⁵Levantei os meus olhos e olhei, e eis que havia um homem vestido de linho, com um cinto de ouro puro em sua cintura, ⁶o seu corpo era como topázio, seu rosto como o brilho do relâmpago, seus olhos como tochas flamejantes, seus braços e pés como o esplendor do bronze polido, e o som de suas palavras como o som do trovão. ⁷Somente eu, Daniel, tive essa visão. As pessoas que estavam comigo não a viram, mas um grande terror caiu sobre elas, que fugiram e se esconderam. ⁸Assim, fiquei sozinho. Olhei para essa grande visão. Nenhuma força permaneceu em mim. O meu vigor se transformou em colapso em mim. Não consegui reter nenhuma força. ⁹Ouvi o som das suas palavras, mas, quando ouvi o som das suas palavras, caí em transe, prostrado, com o rosto em terra. ¹⁰Mas, eis que uma mão me tocou e me pôs sobre os meus joelhos e as palmas das minhas mãos. ¹¹Ele me disse: "Daniel, homem tido em elevada consideração, entenda as palavras que irei lhe falar. Levante-se em seu lugar, porque, agora, fui enviado até você." Quando ele falou esta mensagem comigo, pus-me em pé, tremendo. ¹²Ele me disse: "Não tenha medo, Daniel, porque desde o primeiro dia em que você pôs a sua mente para compreender e se humilhou diante de Deus, as suas palavras foram ouvidas. Eu vim por causa das suas palavras. ¹³O líder do reino da Pérsia resistiu diante de mim por vinte e um dias, mas eis que Miguel, um dos líderes supremos, veio em meu socorro. Assim, permaneci lá com os reis da Pérsia, ¹⁴mas vim para capacitá-lo a compreender o que acontecerá ao seu povo no fim do tempo, porque ainda há uma visão para aquele tempo."

¹⁵Enquanto ele falava comigo de acordo com estas palavras, prostrei-me, com o rosto em terra, e mantive silêncio. ¹⁶Mas, eis

que alguém, com a semelhança de um ser humano, tocou os meus lábios, e abri a minha boca e falei àquele que estava em pé, diante de mim: "Meu senhor, por causa da visão, as minhas convulsões me derrubaram. Nenhuma força restou em mim. [17]Como pode este servo do meu senhor falar contigo, meu senhor, quando nenhuma força, agora, permanece em mim. Nenhum fôlego me resta." [18]Aquele com uma aparência humana me tocou, novamente, e me encorajou. [19]Ele disse: "Não tenha medo, homem tido em elevada consideração, tudo ficará bem para você. Coragem, coragem." Quando ele falou comigo, tomei coragem e disse: "Meu senhor, pode falar, pois me encorajaste."

[20]Ele disse: "Sabe por que eu vim até você? Agora, devo retornar à batalha contra o líder da Pérsia. Quando eu partir, eis que o líder da Grécia virá. [21]Mas irei relatar a você o que está inscrito em um documento verdadeiro. Ninguém está me fortalecendo contra estes, exceto Miguel, o líder do seu [povo].

CAPÍTULO 11

[1]Mas, eu, no primeiro ano de Dario, o medo, o meu lugar era fortalecê-lo e fortificá-lo. [2]Agora, eu devo lhe contar alguma verdade. Eis que três reis mais irão surgir para a Pérsia, e um quarto possuirá grandes riquezas, mais do que todos. De acordo com a força que possui por meio de sua riqueza, ele agitará todos contra o reino da Grécia. [3]Mas um rei guerreiro surgirá, governará com grande domínio e agirá de acordo com a sua vontade. [4]Mas, assim que ele surgir, o seu reino se despedaçará e será espalhado aos quatro ventos dos céus, e não para a sua posteridade, nem de acordo com o domínio com o qual governou, porque o seu reino será desarraigado e pertencerá a outro povo, além destes."

No evento de Mardi Gras, na noite passada, em um restaurante local, o trompetista da banda perguntou se alguém conhecia o significado de "Fat Tuesday" [Terça-feira Gorda], a tradução literal, frequentemente, usada nos Estados Unidos. Dentre os presentes que alegaram saber, eu fui o único chamado a explicar que o dia seguinte seria a Quarta-feira de Cinzas, quando iniciamos seis semanas de disciplina, enquanto nos preparamos para a Páscoa. Portanto, Mardi Gras, ou *Fat Tuesday*, é o dia apropriado para se comer ricas iguarias antes do início do jejum da Quaresma. Seu nome cotidiano, na Grã-Bretanha, é *Pancake Day* [Dia da Panqueca]; era o único dia, durante todo o ano, no qual a minha mãe preparava panquecas. O seu nome formal é "Terça-feira da penitência", porque as pessoas costumavam se penitenciar pela confissão e absolvição em preparação para a disciplina da Quaresma.

Existem diversos graus para o ato de jejuar, e Daniel estava, evidentemente, seguindo algo similar a essa tradição de ser disciplinado em relação ao alimento que comemos. Trata-se de um sinal externo da seriedade interior quanto à submissão a Deus. A pessoa não se entrega à glutonaria quando está centrada em algo importante. Além disso, o jovem Daniel não está preocupado em apresentar uma boa aparência, mas tem outro foco. Ele não nos revela o motivo de estar agindo daquela maneira, mas, talvez, seja possível inferir que o padrão dos capítulos anteriores prossegue nos capítulos 10 – 12 (trata-se da seção mais longa do livro, dividida em três capítulos, por conveniência). Ele está buscando uma revelação maior de Deus, para capacitar, ele e as outras pessoas, a compreender o que Deus está fazendo com **Judá**. Por que a história se desenrola daquela maneira? Por que os séculos passam e Judá continua debaixo do controle dos grandes impérios — **Babilônia**, **Media-Pérsia**, **Grécia** e o **Selêucida**?

A Bíblia oferece diversos discernimentos quanto à essa questão; Gabriel identifica o fato de que os eventos na terra refletem acontecimentos nos bastidores celestiais. A situação está mais complicada lá do que podemos imaginar. Quando oramos, "Venha o teu reino, seja feita a tua vontade, assim na terra como no céu", provavelmente, assumimos que o reino de Deus é uma realidade no céu e que desejamos que essa realidade seja refletida na terra, mas, talvez, a oração reconheça que há coisas que precisam ser resolvidas nos céus, assim como na terra. Gabriel indica isso.

Ele fala em termos de haver "líderes" nos céus que representam cada uma das nações terrenas. Eles são seres, com frequência, como "anjos", o equivalente a **ajudantes**, ou assessores, presidenciais, que agem como agentes de Deus na implementação das intenções divinas no mundo. Do mesmo modo que os conflitos podem se desenvolver entre os membros da equipe presidencial terrena, pode haver conflitos entre os membros da equipe celestial. O trabalho deles inclui representar os interesses individuais das nações e, assim, eles podem entrar em conflito na defesa desses interesses.

Gabriel não é o líder que representa Judá, este é Miguel. O trabalho de Gabriel é trazer revelações ao povo, mas ele foi retardado pela oposição do líder que representa a Pérsia. Talvez, esse líder, não queira que seja revelado que os dias da Pérsia estão contados, ou o seu objetivo seja prejudicar Judá. O pano de fundo para o retardamento é oferecer uma percepção sobre um motivo pelo qual as orações não são, imediatamente, respondidas; isso reforça a ideia de que é mais sábio persistir, em jejum e oração, do que desistir de imediato.

Mas, apesar do atraso, o ajudante com a revelação chega a Daniel. A revelação, uma vez mais, é referente ao "fim do tempo", período que os capítulos deixam claro tratar-se da crise em Jerusalém nos anos 160 a.C. Assim, a revelação inicia-se percorrendo um solo familiar, embora com o fornecimento de mais detalhes. Haverá mais reis da Pérsia, e eles tentarão expandir o domínio territorial na direção ocidental, rumo à Grécia. O rei Xerxes invadiu a Grécia e foi derrotado na batalha de Salamina, em 480 a.C. Com o tempo, as forças gregas, sob o comando de Alexandre, o Grande, derrotaram os persas, mas, após a sua prematura morte, o Império Grego esfacelou-se.

DANIEL 11:5-35
CONFUSO? SIM, VOCÊ DEVERIA ESTAR. ESSE É O PONTO

⁵"O rei do sul será poderoso, mas um dos seus oficiais o derrotará e governará um domínio ainda maior do que o domínio dele. ⁶Ao fim de alguns anos, as pessoas farão uma aliança, e a filha do rei do sul irá para o rei do norte para efetivar um acordo. Masela não reterá o vigor de sua força, nem a força dele resistirá. Ela será entregue, ela e a sua escolta, e aquele que a gerou e aquele que deu poder a ela. No tempo, ⁷um dos renovos de suas raízes se levantará no lugar [do rei do sul]. Ele virá contra o exército e chegará à fortaleza do reino do norte. Ele agirá contra eles e será poderoso. ⁸Também os seus deuses com as suas imagens, com os seus utensílios, tidos em alta consideração, ouro e prata, ele levará, cativos, ao Egito. [O rei do sul], por alguns anos, se afastará do rei do norte. ⁹[O rei do norte] virá contra o reino do rei do sul, mas retornará para a sua própria terra. ¹⁰Os seus filhos financiarão a guerra e reunirão a horda de muitas forças. Ele virá, repetidamente, e inundará e varrerá, e, novamente, guerrearão até a sua fortaleza. ¹¹O rei do sul se enfurecerá e sairá para batalhar com ele (com o rei do norte). Ele levantará uma grande horda, mas a horda será entregue nas mãos [do rei do norte]. ¹²A horda será derrotada, mas a mente [do rei do sul] se tornará superior; ele fará miríades cair, mas não prevalecerá. ¹³O rei do norte levantará, novamente, uma horda, maior do que a primeira. Ao fim de um período de anos, ele virá, repetidamente, com uma grande força e muito equipamento. ¹⁴Naqueles tempos,

muitos se levantarão contra o rei do sul. Homens selvagens entre o seu povo se levantarão, para confirmar uma visão, mas eles colapsarão. ¹⁵O rei do norte virá, lançará uma rampa, e capturará uma cidade fortificada. As forças do sul não resistirão, mesmo a sua companhia de soldados selecionados. Não haverá força para resistir. ¹⁶Aquele que vier contra ele, agirá como desejar, e não haverá ninguém que resista diante dele. Ele se levantará na terra mais justa, com a destruição em sua mão. ¹⁷Determinará a sua mente para vir e controlar todo o reino [do rei do sul], mas fará um acordo com ele e lhe dará uma esposa, a fim de destruí-lo. Mas isso não prevalecerá, não acontecerá para ele. ¹⁸Ele voltará o seu rosto para as costas estrangeiras e capturará muitas, mas um comandante irá parar a sua insolência por ele, de maneira que ele não será capaz de devolver a sua insolência. ¹⁹Ele voltará o seu rosto para as fortalezas em sua própria terra. Mas, colapsará, cairá e desaparecerá. ²⁰Eis que surgirá em seu lugar alguém que enviará um opressor de esplendor real. Mas, em poucos dias, ele quebrará, não por ira ou por batalha.

²¹Eis que se levantará em seu lugar alguém desprezível, a quem não deram uma honra real. Ele virá com facilidade e ganhará poder sobre o reino com palavras vazias. ²²Forças esmagadoras serão oprimidas diante dele e destruídas; assim ocorrerá, também, a um governante da aliança. ²³Por meio de alianças, ele exercerá o engano. Crescerá e se tornará forte com um pequeno grupo, ²⁴com facilidade. Ele virá contra as mais ricas províncias e fará o que o seu pai e os seus antepassados não fizeram. Saque, despojo e riqueza, ele distribuirá entre o povo. Elaborará planos contra as fortalezas, até um certo tempo. ²⁵Imporá o seu poder e a sua vontade contra o rei do sul com uma grande força. O rei do sul sustentará a guerra com uma grande e poderosa força, mas não resistirá, porque as pessoas elaborarão planos contra ele. ²⁶Pessoas que comem das suas provisões o destruirão. Sua força será sobrepujada.

Muitos cairão mortos. ²⁷Os dois reis, cada qual com sua mente voltada para o mal, em uma mesa falarão mentiras, mas não serão bem-sucedidos, porque um fim, ainda por vir, aguarda o tempo determinado. ²⁸[O rei do norte] retornará para a sua terra com grande riqueza e com a sua mente contra a aliança sagrada. Assim, ele agirá e retornará para a sua terra. ²⁹No tempo determinado, ele virá, novamente, contra o Sul, mas não será como na primeira e na segunda vez. ³⁰Navios de Quitim virão contra ele, ele se acovardará e recuará. Ele se enfurecerá contra a sagrada aliança e agirá. Retornará e dará atenção às pessoas que abandonarem a sagrada aliança. ³¹Forças de sua vontade se levantarão e profanarão o santuário, a fortaleza. Removerão a oferta regular e colocarão a abominação desoladora. ³²Aqueles que agirem infielmente contra a aliança, ele os fará apóstatas por meio de palavras vazias, mas pessoas que reconhecem a vontade do seu Deus serão fortes e agirão. ³³Os discernentes entre o povo ajudarão a multidão a compreender, mas cairão pela espada, pelo fogo, pelo cativeiro e se tornarão presas, por um tempo. ³⁴Ao caírem, receberão uma pequena ajuda, mas muitos se unirão a eles com palavras vazias. ³⁵Alguns dentre os discernentes cairão, para refiná-los, purificá-los e para limpá-los, até o tempo do fim, porque ele virá, mas aguarda pelo tempo determinado."

Ontem, ouvi um professor de psicologia descrevendo os Estados Unidos como uma nação vivendo em meio a um trauma ainda não solucionado, em decorrência de passar por várias guerras: a Guerra Revolucionária, a Guerra Civil, as duas Guerras Mundiais, Coreia, Vietnã e, mais recentemente, Iraque e Afeganistão. Presumo que a tragédia maior de toda essa história é que isso não nos levou a lugar algum. A Primeira Guerra Mundial, em particular, seria, supostamente, "a guerra para terminar todas as guerras", mas foi um conflito de brutalidade e horror sem precedentes. Como isso pode se repetir? A descrição, não obstante, de "a guerra para terminar todas as guerras, parece irônica à luz das guerras subsequentes do século XX, e parece não haver previsão de alteração nessa tendência. A situação está piorando, no sentido de que, pelo menos, sabemos que lado saiu "vitorioso" na Primeira Guerra Mundial e por que o conflito ocorreu? Mas, talvez até nos questionemos com respeito a essa presunção, considerando todo o custo envolvido.

A visão de Daniel discorre sobre muitos séculos de conflitos que parecem não levar a lugar nenhum; na verdade, a tendência é para baixo. A visão é um relato, levemente, disfarçado e facilmente decodificado de eventos, com foco no período **selêucida** e no controle **egípcio** de **Judá**, desde Alexandre (336 a.C.) até Antíoco (164 a.C.). O "rei do norte" é o monarca selêucida do dia; o "rei do sul" é regente egípcio do dia. Os reis selêucidas foram Seleuco I—IV e Antíoco I—IV; os reis egípcios eram todos chamados Ptolomeu (I—VI). Um dos efeitos de se chamar sucessivos monarcas com a mesma denominação (rei do norte/sul) é sublinhar a natureza unificada e sem sentido da história. Caso tenha se perdido no enredo dessa seção, você entendeu o ponto: não há enredo.

No primeiro parágrafo, a visão se movimenta, dinamicamente, pelos primeiros cinco Ptolomeus, os primeiros quatro Seleucos, e os primeiros três Antíocos, que governaram dos anos 320 a.C. até 181 a.C. e 175 a.C., respectivamente. Ele detém o foco no contínuo conflito entre os dois impérios e no papel dos casamentos de aliança na busca por expandir o poder, de uma forma ou de outra. Os dois impérios estão em ambos os lados de Judá, de maneira que a rivalidade entre eles reverbera em Jerusalém. As referências a "homens selvagens entre o seu povo" e a uma visão apontam para conflitos políticos em Jerusalém e para a convicção, por parte de algumas pessoas, de que estavam cumprindo o propósito de Deus, enquanto a referência a "terra mais justa" indica uma incursão específica em Judá.

O segundo parágrafo foca em Antíoco IV (175-163 a.C.), que já foi tema proeminente em Daniel 7—9. O governante da aliança deposto é o sumo sacerdote Onias III, a quem Antíoco substitui por seu próprio representante. Os seus atos contra a aliança sagrada são as ações às quais as visões precedentes já falaram, que envolviam a manipulação de potenciais colaboradores, em Jerusalém, levando-os a agir de maneira mais infiel do que eles jamais conceberam, pela instalação no templo de expressões dos meios pagãos de adoração de Antíoco. O tiro, no entanto, saiu pela culatra. As pessoas do povo tiveram de fazer uma escolha. Há líderes na comunidade que logram encorajar um bom número de pessoas a resistirem firmes, e estarem preparadas a pagar o preço por seus atos de resistência com a própria vida. Isso tem o efeito de refinar a comunidade e revelar os que eram seriamente comprometidos.

Por que Deus dá a Daniel esse relato detalhado dos eventos que só acontecerão três ou quatro séculos mais tarde? Textos comparáveis do Oriente Médio fornecem o que parece, à primeira vista, serem profecias, mas que foram escritos, principalmente, após os eventos. Na maioria, são registros históricos transcritos em predições. Há dois motivos pelos quais alguém poderia escrever dessa maneira. Falar de eventos passados como se tivessem sido preditos, é uma forma vívida de indicar que eles estavam sob o controle de Deus. E a seção histórica acrescenta autoridade e reforça a predição real que vem no fim — a qual, neste caso, compreende a passagem de 11:36 —12:13. Isso não significa que, simplesmente, a predição simulada dê autoridade à predição verdadeira. Uma característica da história codificada é que grande parte do "código" vem de textos anteriores das Escrituras, como os livros de Isaías e de Ezequiel. A visão, portanto, mostra que é possível obter sentido da sequência de eventos históricos ao olhá-los à luz das Escrituras.

Não sabemos se a audiência original reconheceu a convenção da história escrita como se fosse profecia. O autor, obviamente, conhecia a convenção e tinha ciência do que estava fazendo quando nos deu uma visão desse tipo. Como o autor obteve essa visão? A minha suposição é de que ele possuía familiaridade com as histórias precedentes sobre Daniel, nos capítulos 1– 6, e, em particular, com a visão dos quatro regimes, no capítulo 2, e os usou para escrever a primeira parte de seu livro. Ponderando sobre como Deus poderia estar envolvido na história que estava mais perto de seu próprio tempo, ele almejou encorajar aqueles cuja fé estava sob pressão. Deus usou aquela visão anterior, no capítulo 2, para inspirá-lo com as revelações da segunda metade do livro. O seu senso de ser inspirado pela história de Daniel e pela visão anterior desse profeta, bem como a sua consciência de estar, simplesmente, desenvolvendo as implicações da visão de Daniel, explicariam por que ele anexou as suas próprias visões (capítulos 7–12) à história de Daniel e à sua visão (capítulos 1–6). Embora autores ocidentais, em geral, apreciem ter os seus nomes em seus livros, as atitudes nas sociedades tradicionais são diferentes!

O cumprimento da predição real, na última parte dessas visões acerca da queda de Antíoco e a libertação e restauração de Jerusalém, seriam um motivo-chave pelo qual a comunidade reconheceu que elas vinham de Deus e que ele estava vigiando aquela sequência de eventos sem sentido.

DANIEL 11:36—12:13
AS PESSOAS QUE AJUDAREM OUTRAS A SEREM FIÉIS BRILHARÃO COMO ESTRELAS

³⁶"Assim, o rei fará o que desejar. Ele exaltará e glorificará a si próprio, acima de todo deus, e contra o Deus dos deuses falará coisas terríveis. Ele terá sucesso até que a ira esteja completa, porque o que foi decretado será feito. ³⁷Aos deuses de seus ancestrais ele não dará atenção, nem àquele que as mulheres têm em elevada consideração. Ele não dará atenção a nenhum deus, porque acima de todas as coisas ele se engrandecerá. ³⁸Um deus das fortalezas ele honrará em seu lugar. Um deus ao qual os seus ancestrais não conheceram, ele honrará com ouro e prata, com pedras preciosas e coisas tidas em alta consideração. ³⁹Lidará com as fortalezas mais seguras com o auxílio de um deus estrangeiro. Dará grande honra aos que ele estima. Ele os deixará governar sobre uma multidão e dividirá a terra como pagamento.

⁴⁰No tempo do fim, o rei do sul lutará com ele, mas o rei do norte o assaltará com carruagens, cavaleiros e muitos navios. Ele virá contra as terras, e avançará por elas como uma grande inundação, ⁴¹e virá contra a terra mais justa. Muitos cairão, mas estes escaparão de suas mãos: Edom, Moabe e os melhores dentre os amonitas. ⁴²Depositará a sua mão contra outras terras, e a terra do Egito não encontrará escape. ⁴³Ele governará os tesouros de ouro e de prata e todas as coisas tidas em alta consideração no Egito, com os líbios e os sudaneses em submissão a ele. ⁴⁴Mas relatos do leste e do norte o alarmarão e ele sairá em grande fúria para destruir e aniquilar muitos. ⁴⁵Armará as suas tendas entre os mares e a montanha sagrada mais justa. Mas ele chegará ao seu fim. Não haverá quem o ajude."

CAPÍTULO 12

¹"Naquele tempo, Miguel, o grande líder que fica ao lado daqueles que pertencem ao seu povo, se levantará. Haverá um

tempo de tribulação como nunca houve desde que se tornou uma nação até então. Mas, naquele tempo, o seu povo escapará, todo aquele que for encontrado escrito no livro, ²e muitos dormindo no pó da terra despertarão, alguns para a vida eterna, alguns para a grande vergonha, para o repúdio eterno. ³As pessoas sábias brilharão, como o esplendor do céu, e as pessoas que ajudarem muitos a serem fiéis serão como estrelas, para todo o sempre. ⁴Você, Daniel, encerre as palavras, sele o livro, até o tempo do fim. Muitos correrão para lá e para cá, em busca de maior conhecimento."

⁵Eu, Daniel, olhei, e eis que havia dois outros diante de mim, um junto à margem do rio deste lado, o outro junto à outra margem. ⁶Alguém disse ao homem vestido de linho, que estava acima das águas do rio: "Quanto tempo até o fim dos eventos terríveis?" ⁷Ouvi o homem vestido de linho, que estava acima das águas do rio. Ele levantou a sua mão direita e a sua mão esquerda para os céus e jurou por aquele que vive eternamente: "Por um tempo, tempos e meio. Quando o despedaçamento da mão do povo santo terminar, todas essas coisas chegarão a um fim." ⁸Eu ouvi, mas não entendi. Perguntei: "Meu senhor, qual será o estágio final nesses eventos?" ⁹Ele disse: "Vá, Daniel, porque as palavras estão encerradas e seladas até o tempo do fim. ¹⁰Muitos se purificarão, se limparão e se refinarão, mas o infiel agirá infielmente. Nenhum dos infiéis entenderá. ¹¹Desde o tempo em que a oferta regular for removida e a abominação desoladora for colocada no lugar, serão mil duzentos e noventa dias. ¹²Abençoado aquele que esperar e alcançar mil trezentos e trinta e cinco dias! ¹³Você, vá para o fim e descanse, para que se levante para o seu destino no fim do período."

Este é o último volume da série *O Antigo Testamento para todos* e, pela primeira vez, eu chorei enquanto escrevia. Creio que, mais de uma vez, comentei que, em geral, eu presumo que nada do que escrevo faz qualquer diferença para alguém, mas, os leitores, ocasionalmente, me mandam *e-mails* dizendo que isso não é verdade (não se trata de uma dica para você me enviar mensagens). Nesse contexto, senti-me comovido ao ler o comentário do homem trajado de linho sobre as pessoas que ajudarem os outros a serem **fiéis**. Não estou no mesmo patamar daqueles "sábios", que aceitaram a vocação para encorajar outros a permanecerem fidedignos no contexto de uma crise em Jerusalém à qual essa visão se refere, mas aprecio a percepção de que tudo o que se requer de um professor é que ele ofereça auxílio para a manutenção da fidelidade. Se eles fazem isso ou não, então, é problema deles.

No contexto dessa crise, houve pessoas que não permaneceram fiéis, enquanto outras sim. Era necessário decidir em qual lado estar. Nesta derradeira seção de Daniel, após o resumo da visão, até aqui, no primeiro parágrafo, o segundo marca a transição da história lançada como conversa sobre o futuro, para uma conversa real acerca do futuro. Neste parágrafo, as imagens e a linguagem mudam. Isso não provém de tornar eventos passados em códigos, porém, também não é proveniente de imaginação visionária. Vem de sua leitura mais sistemática das Escrituras. A descrição da maneira com que a crise atingirá um clímax utiliza imagens de passagens presentes nos Profetas, como Isaías 10 e Ezequiel 38—39, e por trás delas, de salmos como 2, 46, 48 e 76. O auge da crise será outra personificação do Fim descrito pelos Profetas. A revelação de Daniel é comparável à de João, em Apocalipse, que não nos fornece descrições literais das coisas, mas, igualmente, lança mão de imagens do Antigo Testamento — incluindo o livro de Daniel — a fim de descrevê-las.

O terceiro parágrafo apresenta mais promessas que refletem as Escrituras, o conteúdo, todavia, estabelece um ponto novo. Embora outras passagens do Antigo Testamento contem histórias sobre indivíduos trazidos de volta à vida, bem como sobre uma nação que voltou à vida após "morrer" no **exílio**, esta é a única passagem no Antigo Testamento que promete o retorno à vida de muitas pessoas. A exemplo daquelas outras histórias e nos relatos de Jesus trazendo pessoas de volta à vida, trata-se de ressuscitação em vez de ressurreição. Elas são trazidas de volta à vida com a mesma natureza humana, não com uma natureza transformada. Mais solenemente, como o Novo Testamento, a promessa envolve um retorno à vida que resultará em uma nova vida para alguns, mas uma segunda morte para outros. O pano de fundo é um sentido de que Deus, dificilmente, pode deixar sem solução uma situação na qual pessoas fiéis foram martirizadas, enquanto outras infiéis lograram escapar com sua infidelidade. A visão promete que as coisas não permanecerão dessa forma. Os fiéis serão justificados e honrados, e os infiéis expostos.

O tempo previsto pela revelação corresponde ao previsto anteriormente — um tempo, dois tempos e meio. Não é obrigatório considerar essa fórmula como correspondente a três anos e meio, mas quando a crise durou esse tipo de tempo, é difícil resistir à tentação de ver uma ligação. As referências subsequentes a 1.290 dias e a 1.335 dias confirmam essa inferência. Talvez, aquelas referências de tempo correspondam a estágios no desenvolvimento e na resolução da crise. Os livros dos Macabeus são a nossa fonte primária para um relato da crise, mas eles não nos fornecem informações sobre datas específicas que nos permitam interpretar os números.

Até onde sabemos, as pessoas não retornaram dos mortos após a libertação da cidade do domínio de Antíoco. Mas, evidentemente, as pessoas ficaram impressionadas com a correspondência, a princípio, entre a promessa de libertação e o próprio evento da libertação o suficiente para reconhecerem a visão como uma revelação divina. A dinâmica compartilhou uma característica que aparece nos Profetas e no Novo Testamento, na qual um grande ato de libertação ou julgamento futuro é descrito como o cumprimento do propósito final e supremo de Deus. O ato de Deus não traz o fim real de todas as coisas, mas traz uma parcela do fim, uma incorporação dentro da história do propósito supremo de Deus, e uma confirmação de que esse propósito supremo será cumprido.

OSEIAS

OSEIAS 1:1—2:1
UM CASAMENTO CONDENADO

¹Mensagem de *Yahweh* que veio a Oseias, filho de Beeri, nos dias de Uzias, Jotão, Acaz e Ezequias, reis de Judá, e nos dias de Jeroboão, filho de Jeoás, rei de Israel.

²O começo da mensagem de *Yahweh* por meio de Oseias. *Yahweh* disse a Oseias: "Vá e tome para si uma mulher imoral e filhos imorais, porque a terra comete imoralidade por se distanciar de *Yahweh*." ³Assim, ele foi e tomou a Gômer, filha de Diblaim, e ela engravidou e lhe gerou um filho. ⁴*Yahweh* lhe disse: "Dê-lhe o nome de Jezreel, porque daqui a pouco tratarei o derramamento de sangue de Jezreel pela casa de Jeú. E farei cessar o regime da casa de Israel. ⁵Naquele dia, quebrarei o arco de Israel no vale de Jezreel." ⁶Ela ficou grávida, novamente, e gerou uma filha. [*Yahweh*] lhe disse: "Dê-lhe o nome de Sem-compaixão, porque não terei mais compaixão, novamente, pela casa de Israel ou continuarei a carregá-los. ⁷(Mas sobre a casa de Judá terei compaixão e os libertarei por meio de *Yahweh*, o Deus deles — não os livrarei por meio do arco, da espada e da batalha, não por meio de cavalos e cavaleiros.)." ⁸Ela desmamou Sem-compaixão, engravidou e gerou um filho. ⁹*Yahweh*

> disse: "Dê-lhe o nome de Não-meu-povo, porque vocês não são o meu povo e eu — não serei Deus para vocês.
>
> ¹⁰Mas, o número dos israelitas será como a areia do mar que não pode ser medida ou contada. No lugar onde lhes é dito 'Vocês não são o meu povo', lhes será dito 'Filhos do Deus vivo.' ¹¹Os judaítas e israelitas se reunirão, todos juntos, e estabelecerão uma cabeça para si mesmos. Subirão da terra, porque o dia de Jezreel será grande. ²:¹Digam aos seus irmãos 'Meu povo', e às suas irmãs 'Amadas.'"

Quando mal havia deixado a minha adolescência, apaixonei-me por outra aluna; dois ou três anos mais tarde, ela foi diagnosticada com esclerose múltipla. À época, estávamos, embora não oficialmente, noivos, portanto, em teoria, eu poderia ter rompido o nosso relacionamento, mesmo considerando que o noivado, ainda que informal, significava que ambos críamos que Deus havia nos unido. Permanecemos casados durante quarenta e três anos, os quais foram de crescente incapacidade e perda (mas, também, de alegria) para Ann, anos de crescente estresse e perda (mas, também de felicidade), para mim. Da mesma forma, aqueles anos também me capacitaram a ser uma pessoa que podia ministrar a outras.

Não há comparação com o que Deus pediu a Oseias, embora haja uma pequena sobreposição entre as nossas experiências. Deus, às vezes, solicita coisas difíceis às pessoas, não apenas em relação ao casamento (o que é verdadeiro acerca de Jeremias e de Ezequiel). A severidade, neste caso, aplica-se tanto a Gômer quanto a Oseias, mas não nos é revelado o lado dela, nessa história. Quem sabe que espécie de experiência a levou a ser uma "mulher imoral"? O fato de ser uma pessoa assim, no entanto, a tornou alguém que Deus poderia usar. Muitas traduções a descrevem como uma prostituta, mas a palavra não é tão específica assim (embora se ela fosse uma prostituta, a mesma questão quanto ao que a levou à prostituição poderia ser suscitada). Mas, o uso da expressão popular "mulher fácil" pode, às vezes, transmitir a impressão correta da linguagem de Oseias.

Oseias ministrava em **Efraim** nos últimos anos antes da sua queda diante da **Assíria**. Seu objetivo era evitar aquele evento. Os formadores de opinião e aqueles que tomam decisões na vida pública são os homens sobre os quais ele mantém o foco. Os homens podem tanto se sentirem atraídos quanto condenarem uma mulher cuja sexualidade não está sob o controle deles. Desse modo, Deus está dizendo a esses homens que eles próprios são prostituídos. Efraim, supostamente, estava em uma relação de "casamento" com *Yahweh*, mas mantinha um longo caso com o **Mestre**, Baal.

Yahweh trabalha com o fato de que, naquele contexto social, o casamento é uma instituição patriarcal e o homem é o senhor. A palavra hebraica *ba'al* significa tanto "senhor" quanto "marido". O próprio Antigo Testamento, raramente, utiliza esse termo com esse significado; em geral, as palavras "marido" e "esposa", nas traduções bíblicas, representam palavras hebraicas comuns para "homem" e "mulher" (ele é o meu homem", "ela é a minha mulher") — a próxima seção do livro começará com um exemplo. Esse uso indica uma relação mais ideal do casamento, mas é o modelo patriarcal que fornece um modelo melhor para a compreensão da relação entre Deus e nós. *Yahweh* é o Mestre, o Senhor; como tal, nós devemos ser subordinados, submissos a ele.

Em Efraim, essa relação não funciona dessa maneira; a nação olha para o Mestre por causa de sua fertilidade e sua bênção. A descendência de Oseias sublinha o ponto por meio da escolha de seus nomes. Certa mãe que conheço ficou contrariada pelo fato de Oseias ter dado à sua filha o nome

"Sem-compaixão" — o que esse nome significaria para ela à medida que ela crescia? As crianças também podem pagar um preço por fazerem parte de uma família que está sendo usada por Deus; certamente, temi que os nossos filhos pagassem um preço por causa da enfermidade da mãe deles (mas, também assegurei Ann de que a experiência iria fazer parte da formação deles, como, de fato, creio que ocorreu). Mas não deveríamos interpretar mal a maneira como os nomes na Bíblia funcionam. Muitos filhos e filhas recebem nomes estranhos que não se parecem com nomes que as pessoas, normalmente, usariam no dia a dia e que, portanto, tornam as crianças objetos de escárnio e zombaria, na escola. Talvez, fossem usadas apenas dessa forma na hora de nomeá-las, após o nascimento.

Jezreel foi a capital de Efraim por algum tempo, de maneira que "Jezreel" pode referir-se, implicitamente, ao próprio reino de Efraim. Era o local de um massacre envolvendo a ascensão do bisavô de Jeroboão. *Yahweh* usou toda a simbologia desse evento (veja 2Rs 9 —10), embora ele também o condene. Jezreel, todavia, será restaurado. Ainda que *Yahweh* responda à quebra de seu compromisso conjugal falando em termos de divórcio ("vocês não são o meu povo e eu — não serei Deus para vocês"), ele não pode manter essa posição e reter a compaixão para sempre.

OSEIAS 2:2–13
TAL MÃE, TAIS FILHOS E FILHAS

² "Contendam com a sua mãe, contendam,
    porque ela não é a minha mulher e eu não sou o
    homem dela.
Ela deve desviar a sua imoralidade de seu rosto,
    o seu adultério do meio dos seus seios.
³ Do contrário, eu a deixarei nua,
    como no dia em que ela nasceu.

Farei dela como o deserto, a tornarei uma terra seca,
   a deixarei morrer de sede.
⁴ Sobre os seus filhos eu não terei compaixão,
   porque são filhos imorais.
⁵ Porque a mãe deles foi imoral;
   aquela que os concebeu agiu vergonhosamente.
Porque ela disse: 'Irei atrás dos meus amantes,
   aqueles que me dão o meu pão e a minha água,
   a minha lã e o linho, o meu óleo e a minha bebida.'

⁶ Portanto, aqui estou eu,
   e irei cercar o seu caminho com arbustos espinhosos.
Construirei um muro para ela,
   para que não possa encontrar os seus caminhos.
⁷ Ela perseguirá os seus amantes,
   mas não os alcançará.
Procurará por eles, mas não os achará,
   e dirá: 'Irei e retornarei,
para o meu primeiro homem,
   pois era melhor para mim, então, do que agora.'
⁸ Ela não reconheceu
   que eu — fui aquele que lhe deu
   o grão, o vinho novo e o azeite fresco.
Eu produzi uma abundância de prata para ela,
   e ouro, que eles usaram para o Mestre.
⁹ Portanto, tomarei de volta o meu grão em sua estação
   e o meu vinho novo em seu tempo determinado.
Arrancarei dela a minha lã e o meu linho,
   que cobriam a sua nudez.
¹⁰ Agora, descobrirei a sua grosseria
   diante dos olhos dos seus amantes.
Ninguém a resgatará das minhas mãos,
¹¹ e farei cessar toda a sua celebração,
os seus festivais, as suas luas novas, os seus sábados,
   todo o conjunto de eventos dela.

¹² Arruinarei as suas videiras e figueiras,
  das quais ela disse: 'É o pagamento
  que os meus amantes me deram.'
Eu as transformarei em uma floresta;
  animais selvagens as consumirão.
¹³ Lidarei com ela pelos dias do Mestre,
  quando queimou ofertas para eles.
Ela se enfeita com seu anel e com suas joias,
  e vai atrás dos seus amantes,
  e tem me desconsiderado'" (declaração de *Yahweh*).

Certa ocasião, tive uma conversa com uma mulher sobre ciúmes. Ela e o marido haviam se casado quando ambos tinham mais de trinta anos, de modo que os dois tinham muitos amigos do sexo oposto, mas estes não eram parceiros sexuais. Após se casarem, o seu marido afirmou que manteria o contato com suas amigas, mas ela, claro, não apreciou essa ideia; ela havia considerado não manter as suas amizades masculinas. Por outro lado, havia um homem que era uma espécie de orientador espiritual, embora ela não usasse essa definição — alguém com quem ela conversava a respeito de sua relação com Deus. A mulher queria manter esse contato, mas se sentia desconfortável, como se o marido tivesse o direito de sentir ciúmes caso ela necessitasse de alguém mais para ser o seu parceiro de conversa sobre assuntos que lhe eram íntimos.

O sentimento de ciúme é estranho; trata-se de uma emoção como a ira, que podemos considerar, inerentemente, errados, mas, que, no entanto, são emoções com as quais Deus nos criou. Assim, a questão é se um certo nível de ciúme ou de ira pode ser apropriado. Nesse sentido, outros sentimentos, como compaixão e misericórdia, os quais somos propensos a considerar como, inerentemente corretos, também são ambíguos.

Deus, às vezes, retém a compaixão e a misericórdia, do mesmo modo que pais que compreendem que, em certas situações, é hora de dizer: "Basta! Tempo esgotado!"

Esta é uma ocasião para **Yahweh** sentir ciúmes e um momento de "basta" para **Efraim**, uma questão relacional muito mais grave do que a descrita antes. O povo de Efraim é culpado de imoralidade ou adultério, expresso quando Efraim, como esposa de *Yahweh*, vai atrás de outros deuses. Oseias se refere aos efraimitas (os filhos) como se eles fossem distinguíveis da própria nação de Efraim (a mãe), mas que, na verdade, não são. Eles estão sendo desafiados a formular uma acusação contra si mesmos e a imaginar a penalidade que paira sobre as suas cabeças. Eles próprios são "filhos imorais."

A calamidade assumirá a forma de uma onda de seca e de fome. Será uma justiça poética, pois eles acreditam que a melhor maneira de assegurar uma boa colheita é orar aos **Mestres**. Na realidade, será a melhor forma de garantir o fracasso das colheitas. Então, por que eles se voltam para os Mestres? Eles sabiam que *Yahweh* os havia resgatado da escravidão no **Egito** e os conduzira até Canaã, mas talvez estivessem em dúvida se *Yahweh* podia fazer as colheitas abundarem. O povo local tinha uma teologia a lhes dizer quem fazia as plantações e as respetivas colheitas abundarem — eram os Mestres. Assim, **Israel** os seguia ou, talvez, imaginasse que poderia estar duplamente garantido ao orar a *Yahweh* e aos Mestres. *Yahweh*, na verdade, afirma que é o único a dar a Efraim o que o seu povo necessitava para viver. Eles até mesmo transformaram o ouro e a prata que Yahweh deu em elementos para confecção de imagens de adoração a outros deuses.

Embora afirme que a sua esposa pagará um preço, *Yahweh* também revela a intenção de impedir que ela continue buscando os Mestres. Ele não indica como o faria; o ponto da declaração é que ele não a entregou. Ele deverá retornar. Indiretamente, essas são boas notícias, pois implica que a punição não precisa ser exigida, embora seja, ao mesmo tempo, uma advertência para ela não brincar com coisa séria.

OSEIAS 2:14 —3:5
O VALE DA TRIBULAÇÃO PODE SE TORNAR A PORTA DA ESPERANÇA

¹⁴ Portanto, agora — eu irei atrai-la;
   eu a farei ir pelo deserto,
   e falarei ao seu coração.
¹⁵ E lhe darei, dali, as suas vinhas,
   o vale da Tribulação como Porta da Esperança.
   Ela responderá, ali, como nos dias de sua juventude,
   como no dia em que subiu da terra do Egito.
¹⁶ Naquele dia" (declaração de Yahweh), "ela me chamará 'Meu Homem',
   não me chamará mais 'Meu Mestre'.
¹⁷ Removerei os nomes dos Mestres de sua boca;
   eles não mais serão mencionados por seus nomes.
¹⁸ (E selarei uma aliança por eles, naquele dia,
   com as criaturas selvagens,
com as aves nos céus,
   e com o que se move sobre o chão.
O arco, a espada e a batalha, eu quebrarei da
   terra, e os capacitarei a se deitarem com segurança.)
¹⁹ Eu a casarei comigo para sempre,
   a casarei comigo com fidelidade e autoridade,
com compromisso e compaixão,
²⁰ a casarei comigo com verdade.
Você reconhecerá *Yahweh*,
²¹ e, naquele dia, eu responderei" (declaração de *Yahweh*).
Responderei aos céus,
   e eles responderão à terra.

²² A terra responderá com grãos, vinho novo e azeite fresco,
e estes responderão com Jezreel.
²³ Eu a semearei para mim mesmo na terra
e terei compaixão de Sem-compaixão.
Direi a Não-meu povo, "meu povo",
e eles dirão "meu Deus!"'

CAPÍTULO 3

¹*Yahweh* me disse mais: "Vá, ame a mulher que é amada pelo próximo e que comete adultério — como o amor de *Yahweh* pelos israelitas, embora eles se voltem a outros deuses e amem bolos de passas." ²Assim, eu a adquiri para mim por quinze [peças] de prata, um barril e meio de cevada. ³Eu lhe disse: "Por um longo tempo, você deve viver comigo. Não deve cometer imoralidade. Não deve pertencer a [outro] homem. Assim, também, eu serei para você." ⁴Pois, por um longo tempo, os israelitas devem viver sem rei, sem oficial, sem sacrifício, sem coluna, sem éfode ou efígies. ⁵Depois disso, os israelitas retornarão e recorrerão a *Yahweh*, o seu Deus, e a Davi, o seu rei. Estarão no temor de *Yahweh* e de sua bondade, nos últimos dias.

Uma aluna, hoje, me disse: "Culturalmente, estamos acostumados a finais felizes". Ela tinha todo o direito de falar sobre o tema, pois havia perdido dois filhos para o câncer. Além disso, a sua mãe nascera no que, atualmente, chamamos de Coreia do Norte, e a aluna não tinha nenhuma esperança de poder visitá-la. Podemos ser acusados por desejarmos que as coisas tenham um final feliz? Quando a minha esposa e eu assistimos a um filme, queremos que haja certo realismo, mas, esperamos que tenha um final feliz. Não nos importamos com um romantismo irreal, e não queremos que pessoas que não parecem se encaixar, terminem juntas. Dormimos bem quando há realismo, mas também um final auspicioso.

O livro de Oseias não diz se a história de Oseias e Gômer tem um final feliz, que seria adequado, pois a profecia de Oseias é dirigida a um povo que está diante de decisões que determinarão qual será o fim da história. No contexto do ministério de Oseias, o povo é **Efraim**, mas as profecias, igualmente, se referem a **Judá**; os judaítas precisam aprender com a falha dos efraimitas para responder à mensagem de Oseias.

Oseias tem tentado usar a vara; agora, ele tenta usar uma cenoura na ponta da vara. Ele lança mão de ameaças; agora, de promessas. Ir para o deserto significa retornar à vida à qual **Israel** não estava diretamente tentada pelos **Mestres**, como ocorre em Canaã. Embora a história, na **Torá**, mostre que a vida no deserto tenha exercido pressões sobre a confiança de Israel em *Yahweh*, essa pressão significou confiar em *Yahweh*, ou se desesperar com mais frequência do que confiar, ou, então, voltar-se para alguém mais. Israel, de fato, atravessou o vale da Tribulação, mas chegou ao outro lado. Isso pode acontecer novamente.

A declaração de *Yahweh* de que eles não mais o chamarão "Meu Mestre" sugere outra perspectiva sobre o problema na vida religiosa do povo. As pessoas não se viam adorando outros deuses; elas cultuavam *Yahweh*, mas o chamavam "Meu Mestre." Por que esse hábito era censurável? O problema residia no fato de esse nome estar relacionado às divindades dos cananeus, e carregava com ele percepções equivocadas sobre Deus. Isso significava, todavia, que as pessoas, na verdade, estavam adorando um deus diferente, ainda que considerassem estar adorando *Yahweh*.

Colocar o relacionamento na perspectiva correta demandará Israel reconhecer Yahweh da maneira correta. Esse reconhecimento envolverá **fidelidade** no exercício de **autoridade**, compromisso, compaixão e veracidade. Oseias não especifica se estes são aspectos da maneira que *Yahweh* irá se relacionar com Israel, ou aspectos do modo que os israelitas se relacionarão uns com os outros. Em outras passagens, Oseias indica que ele espera que essas qualidades caracterizem todos os três relacionamentos, de maneira que, talvez, ele queira, aqui, implicar a mesma expectativa.

O encerramento da promessa conduz, apropriadamente, a uma outra cena da relação entre Oseias e Gômer. É possível que seja o próprio relato de Oseias acerca do início da relação descrita no capítulo 1, ou, talvez, indique que Gômer tenha deixado Oseias, ou que este a mandou embora, de maneira que, agora, ele adote passos para tê-la (de volta) e faça o pagamento necessário por ela ter se tornado serva de outra pessoa.

OSEIAS 4:1-19
CONHECENDO E RECONHECENDO

1 Ouçam a mensagem de *Yahweh*, israelitas,
 porque *Yahweh* tem uma contenda
 com os habitantes da terra.
Pois não há veracidade ou compromisso,
 não há reconhecimento de Deus na terra.
2 Maldição, engano, assassinato,
 roubo, adultério, têm se espalhado;
 derramamento de sangue sobre derramamento de sangue.
3 Por isso, a terra definha;
 todos os que vivem nela desfalecem,
com os animais selvagens e as aves nos
 céus — mesmo os peixes no mar são varridos.

4 Mas, ninguém deve contender,
 Ninguém deve reprovar.
 O seu próprio povo é que contende com o sacerdote,
5 e vocês caem de dia.
 O profeta também cairá com vocês de noite,
 e eu destruirei a sua mãe.

⁶ O meu povo é destruído
   por falta de reconhecimento [a mim].
  Porque vocês rejeitaram reconhecer [a mim]
   Eu os rejeitarei como um sacerdote para mim.
  Desprezaram o ensino do seu Deus;
   eu desprezarei os seus filhos, também.
⁷ Quanto mais se tornaram muitos, tanto mais pecaram
      contra mim;
   eu trocarei a honra deles por humilhação.
⁸ Eles se alimentam das ofensas do meu povo;
   Direcionam o seu apetite para as transgressões deles.
⁹ Assim será: como é o povo, assim é o sacerdote;
   atentarei aos seus caminhos por isso.
  Trarei de volta os seus atos por isso;
¹⁰   eles têm se alimentado, mas não estão satisfeitos.
  Têm sido imorais, mas não se espalham,
   porque abandonaram *Yahweh*
  para prestar atenção ¹¹à imoralidade,
   pois o vinho, e o vinho novo retiram o sentido.
¹² O meu povo consulta o seu pedaço de madeira;
   a sua vara o informa.
  Porque um espírito imoral os tem desviado;
   eles têm sido imorais e abandonam o seu Deus.
¹³ Nos cumes das montanhas eles sacrificam,
   nas colinas, queimam ofertas,
  debaixo do carvalho, do álamo e do terebinto,
   porque a sombra deles é boa.
  Portanto, as suas filhas são imorais,
   as suas noivas cometem adultério.
¹⁴ Eu não atentarei para as suas filhas
   por serem imorais,
   ou para as suas noivas por cometerem adultério.
  Porque os próprios homens se associam com prostitutas
   e sacrificam com mulheres sagradas,
   e um povo que não compreende colapsa.

OSEIAS 4:1-19 • CONHECENDO E RECONHECENDO

¹⁵ Se você é imoral, Israel,
   Judá não deve se tornar culpado.
Não venham a Gilgal, nem subam a Bete-Áven,
   não jurem 'Tão certo como *Yahweh* vive!'
¹⁶ Pois como uma vaca teimosa,
   Israel tem sido rebelde.
Agora, *Yahweh* os apascentará
   como ovelhas na campina.
¹⁷ Efraim é apegado a imagens;
   deixem-no consigo mesmo.
¹⁸ A bebida deles acaba enquanto eles se prostituem
      e se prostituem,
   amam e amam.
A humilhação é o seu presente;
¹⁹   o vento os prendeu em suas asas,
   para que sejam envergonhados por causa de seus
      sacrifícios.

Na Grã-Bretanha e nos Estados Unidos, fui parado por policiais que me perguntaram: "O senhor sabe a que velocidade estava dirigindo na rodovia?". Em ambos os casos, eu sabia que o limite era 105 quilômetros por hora, e que estava dirigindo acima dele (sou um homem reformado, agora). Nos dois contextos, peguei-me sorrindo ao refletir que se tivesse tido essa experiência em Israel, não teria tanta certeza, ao responder à pergunta, pois a palavra hebraica para o verbo "conhecer" ou "saber" implica o reconhecimento de algo pela maneira de viver, não, simplesmente, que você está ciente de algum fato. Eu conhecia o limite de velocidade, mas não o reconheci.

Os Profetas apreciam essa palavra para "conhecer", que implica "reconhecimento", e Oseias a usa em três ocasiões, apenas nessa seção. Primeiramente, não há veracidade ou compromisso em **Efraim**: em outras palavras, não há reconhecimento de Deus. Podemos imaginar que prosseguirá em seu ataque à vida religiosa de Efraim, mas ele explica que esta falha se expressa por meio de "maldição, engano, assassinato, roubo, adultério e derramamento de sangue." Maldição não significa o que chamaríamos de profanação, mas pronunciar o desastre sobre outra pessoa. Nesse contexto, "adultério" terá o seu significado natural. Oseias está castigando as pessoas pela falha mais básica em relação ao compromisso da aliança; falhar em guardar os Dez Mandamentos (orar aos **Mestres**, igualmente, é uma transgressão àquelas expectativas). Isso explica o motivo de as coisas não irem bem na vida da comunidade.

O segundo parágrafo subverte a crítica da abertura ao declarar que a responsabilidade pelo que está errado na comunidade repousa sobre o sacerdócio. Quando Oseias fala de "um sacerdote", ele pode estar se referindo ao sacerdote chefe (Amós 7 nos relata uma história acerca de um sacerdote em Efraim), ou pode ser referente a qualquer sacerdote. Embora o papel do sacerdote envolva a liderança na adoração, eles são como pastores; a função deles também envolve o ensino. Se as pessoas agem como se não conhecessem o que a **Torá** espera delas, isso pode significar que os sacerdotes têm fracassado em sua missão de ensino. É fácil para pastores ou sacerdotes focarem no encorajamento às pessoas, em lugar de lhes falar duras verdades que elas necessitam ouvir. Isso se aplica aos profetas, os quais Oseias segue citando. Sacerdotes, profetas e pastores são dependentes das pessoas quanto à própria subsistência; assim, eles sempre estão sob pressão para não serem confrontadores demais. Sempre há um conluio entre os desejos e as transgressões de ambas as partes. A falha dos sacerdotes e dos profetas significará a perda da sua respectiva posição, mas, igualmente, significará que a comunidade como um todo, ou seja, a "mãe" deles pagará um preço terrível. Isso será uma consequência pela falha deles em reconhecer *Yahweh* e, portanto, falha do povo em fazer o mesmo.

Oseias, subsequentemente, reverte para outro tipo de falha quanto a reconhecer *Yahweh*: a imoralidade e o adultério metafóricos, a busca do auxílio de outros deuses com suas imagens. Ele os ridiculariza como meros ídolos de madeira. O culto, nesses santuários, pode também ter envolvido a prática sexual, como uma oração encenada por fertilidade. Seja como for, Oseias diz: "Não acusem apenas as mulheres — especialmente aquelas que estão ansiosas para conceber, que também participam da adoração com essas sacerdotisas" (como ele, anteriormente, disse: "Não culpem somente as pessoas, culpem os sacerdotes").

O derradeiro parágrafo acrescenta outro comentário sarcástico ao longo das linhas: "Está certo, Efraim, deixe-se levar pela sua imoralidade religiosa, mas não deixe que isso infecte **Judá**". Profetas posteriores, como Jeremias, observarão que o próprio Judá necessita levar essa mensagem a sério. Gilgal (próximo a Jericó) e Bete-Áven (um nome depreciativo para Betel) ficavam junto à fronteira sul de Efraim com Judá.

OSEIAS 5:1— 6:3
QUANDO A TRAÇA E A PODRIDÃO CORROMPEM E OS LADRÕES INVADEM E ROUBAM

1 Ouçam isto, sacerdotes;
   prestem atenção, israelitas!
 Deem ouvidos, casa real,
   porque a autoridade pertence a vocês.
 Pois, têm sido uma armadilha em Mispá,
   uma rede estendida sobre Tabor.
2 Os rebeldes têm feito uma profunda matança;
   eu mesmo sou o castigo para todos eles.

³ Eu mesmo conheci Efraim;
   Israel não me escapou.
   Porque, agora, você tem sido imoral, Efraim;
   Israel se tornou impuro.
⁴ Os seus feitos não lhes permitem
   voltar para o seu Deus.
   Porque há um espírito imoral no meio deles,
   e eles não reconhecem *Yahweh*.
⁵ A majestade de Israel testificará contra si; assim,
   Israel e Efraim cairão por sua transgressão
   (Judá também cairá com eles).
⁶ Eles podem sair com seus rebanhos e seu gado,
   buscar o socorro de *Yahweh*.
   Mas, eles não o encontrarão — ele se retirou deles;
⁷   eles têm sido falsos com *Yahweh*.
   Pois deram à luz crianças estrangeiras,
   a lua nova, agora, os devorará com suas porções.
⁸ Soem o chifre em Gibeá, a trombeta em Ramá,
   elevem um grito em Bete-Áven; depois de você,
      Benjamim.
⁹ Efraim se tornará um desperdício
   no dia da reprovação.
   Contra os clãs de Israel
   tornei conhecido algo certo.
¹⁰ Os oficiais de Judá se tornaram verdadeiros alteradores
      de fronteiras;
   sobre eles derramarei a minha fúria como água.

¹¹ Efraim é defraudado, esmagado pelo juízo,
   porque decidiu e foi atrás do vazio.
¹² Mas, eu mesmo, sou como uma traça para Efraim,
   como podridão para a casa de Judá;
¹³ Efraim viu a sua enfermidade,
   Judá as suas chagas.
   Efraim foi para a Assíria procurar o grande rei.

> Mas aquele homem não é capaz de curar vocês:
> ele não os curará das chagas.
> ¹⁴ Porque eu serei como um leão para Efraim,
> como um puma para a casa de Judá.
> Eu mesmo os despedaçarei e irei;
> carregarei e não haverá ninguém para resgatar.
> ¹⁵ Irei, retornarei ao meu lugar,
> até eles carregarem a sua culpa,
> e buscarem o meu socorro;
> em sua aflição eles me buscarão com urgência."
>
> CAPÍTULO 6
> ¹ "Venham, voltemos para *Yahweh*,
> porque ele é aquele que nos despedaçou, e pode
> nos curar.
> Ele nos feriu e pode nos enfaixar;
> ² pode nos trazer à vida depois de dois dias.
> No terceiro dia, ele pode nos levantar,
> para que vivamos em sua presença.
> ³ Quando reconhecermos, perseguirmos o conhecimento
> de *Yahweh*,
> como a alvorada, a sua vinda é certa.
> Ele virá para nós como a chuva,
> como a chuva da primavera que rega a terra."

Quando estava em sala de aula, duas noites atrás, a minha esposa descobriu que uma faixa inferior da parede, que fica atrás da minha escrivaninha, havia se desintegrado. Água da chuva havia se infiltrado na base da parede externa, e as paredes na Califórnia não são feitas de materiais sólidos como tijolos, a exemplo das casas na Grã-Bretanha. São feitas de madeira revestida de reboco e, se a água se infiltra, elas apodrecem. A chuva não irá, imediatamente, vazar e molhar os meus pés enquanto eu trabalho; nesse sentido, não é um problema imediato, mas ela precisa de uma atenção e de uma ação rápida, para não afetar superfícies cada vez maiores. Com o tempo, toda a parede irá colapsar.

Em uma das imagens mais impactantes da Bíblia, **Yahweh** declara: "Sou como podridão para a casa de Judá" (ao usar o termo "casa de **Judá**", a analogia com a nossa residência se torna ainda mais próxima). "Sou como uma traça para **Efraim**." Se a traça atinge as suas roupas ou as suas roupas de cama, logo, elas se tornam inutilizáveis. Ao ver a mais leve indicação de apodrecimento, traça ou mofo, em sua casa, é vital lidar o mais rápido possível com esse problema. Caso contrário, tudo poderá vir abaixo.

Se apenas eu tivesse percebido a umidade na parede, talvez não a levasse muito a sério, adiando qualquer ação, mas Kathleen é uma arquiteta e sabe o que pode resultar da negligência. Sabe que a hora de agir é agora! Oseias está na posição de um arquiteto, em relação a **Israel**, mas não consegue convencer os israelitas a tratar o problema com seriedade. É como se ele estivesse tocando a trombeta para alertar sobre a aproximação do inimigo, mas as pessoas o ignoram. Há um inimigo literal sobre o qual se deve falar. Efraim está sob pressão por parte da **Assíria**, e a referência a Judá alterar marcos de fronteira e, portanto, de roubar terras, reflete a tensão entre Judá e Efraim nesse contexto político (veja 2Rs 15—16). Efraim, contudo, tem um inimigo mais sinistro — o próprio *Yahweh*.

Oseias, uma vez mais, se dirige a todo o povo, e aos sacerdotes que os ensinam, mas, adicionalmente, à "casa real", ao rei e à sua administração. Eles são aqueles que detêm **autoridade** para promover a fidelidade e a justiça na comunidade e para proteger os vulneráveis — mas, eles estão sendo uma "armadilha" para eles, em vez de protegê-los. Há algo de misterioso acerca da má vontade do povo em enfrentar os fatos, do mesmo modo que seria para nós ignorarmos a desintegração da nossa parede. É como se as pessoas estivessem dominadas por um espírito imoral, que os encoraja a persistirem na infidelidade a *Yahweh*; elas não se permitirão voltar para ele. Podem até sacrificar muitos animais, mas, na ausência de uma mudança de vida, não haverá acerto.

No parágrafo de encerramento da passagem, Oseias chama a comunidade a tomar a ação que é necessária. Ela precisa retornar a *Yahweh* e desistir de buscar socorro e provisão em outros deuses; necessita reconhecê-lo. O verbo estabelece o mesmo ponto, mas vai além, pois reconhecimento significa fazer o que *Yahweh* diz a respeito da natureza da vida comunitária — sobre questões como fidelidade, justiça e proteção aos fracos. Isso envolve ação; eis o motivo da referência a "perseguir" o conhecimento. A boa notícia é que *Yahweh* tem a capacidade de nos subjugar como um leão, uma tempestade ou o calor do sol, mas possui a capacidade para curar e restaurar, e fazer isso muito rapidamente, em dois ou três dias. Chuva e sol podem ser forças destrutivas, mas podem ser doadoras de vida.

OSEIAS 6:4—7:16
MELANCOLIA DE JUNHO

4 "O que devo fazer com você, Efraim,
o que devo fazer com você, Judá,
quando o seu compromisso é como a nuvem da manhã,
como o orvalho que logo se vai?
5 Portanto, eu os cortei com os meus profetas,
os matei com as palavras da minha boca;
com julgamentos contra vocês é que a luz sairá.
6 Pois eu queria compromisso, não sacrifício,
reconhecimento de Deus, mais do que ofertas.
7 Mas, eles — como em Adão, transgrediram a aliança;
ali, foram falsos comigo.
8 Gileade é uma cidade de malfeitores,
trilhada em sangue.

⁹ A companhia de sacerdotes
 é como gangues esperando por alguém.
 Na estrada para Siquém, cometem assassinato,
 porque eles têm um plano.
¹⁰ Na casa de Israel vi uma coisa terrível:
 a imoralidade de Israel está ali.
 Israel se tornou impuro ¹¹(Judá, também);
 ele indicou uma colheita para você.

Quando eu restaurar a sorte do meu povo,

CAPÍTULO 7

¹ quando eu curar Israel,
 a transgressão de Efraim se revelará, o mal de Samaria.
 Pois as pessoas praticam falsidades, um ladrão entra,
 uma gangue corre nas ruas.
² A mente delas não diz:
 'Guardei na mente todo o seu mal.'
 Agora, os seus feitos as têm rodeado;
 estão diante do meu rosto.
³ Fazem um rei celebrar, com todo o seu mal,
 e os oficiais, com as suas mentiras.
⁴ Todos eles estão cometendo adultério,
 como um forno queimando sem um padeiro.
 Ele para de mexer,
 desde quando sova a massa até a sua fermentação.
⁵ No aniversário do nosso rei,
 os oficiais ficam doentes com o calor do vinho.
 Ele estendeu a sua mão aos zombadores
⁶ quando eles se aproximaram,
 a mente deles é como um forno com intrigas.
 Durante toda a noite o seu padeiro dormiu,
 de manhã ele está queimando, como um fogo
  flamejante.
⁷ Todos eles queimam, tão quente quanto um forno,
 consomem os seus governantes.

Todos os seus reis caíram;
    não há ninguém entre eles clamando a mim.

⁸ Efraim entre os povos, ele se desperdiça.
    Efraim se tornou um pão não virado
⁹ Estrangeiros consomem a sua força,
    e ele não reconhece isso.
Sim, os cabelos grisalhos se espalham sobre ele,
    e ele não reconhece isso.
¹⁰ A majestade de Israel testifica contra ele,
    mas, eles não se voltam para *Yahweh*, o seu Deus;
    não buscam o seu socorro apesar de tudo isso.
¹¹ Efraim se tornou como uma pomba símplice, sem senso;
    eles chamaram o Egito, foram à Assíria.
¹² Quando se forem,
    estenderei a minha rede sobre eles.
Como uma ave nos céus, eu os derrubarei;
    os castigarei de acordo com o relato de
        sua assembleia.
¹ Ai daquele povo, porque se desviaram de mim;
    destruição para eles, porque se rebelaram contra mim.
Embora eu seja o único capaz de redimi-los,
    eles mesmos têm falado mentiras sobre mim.
¹⁴ Não clamam a mim em seu coração,
    quando gemem em seu leito.
Sobre grãos e vinho novo discutem;
    se voltam contra mim.
¹⁵ Eu mesmo os treinei, estendi os seus braços,
    mas eles planejam o mal contra mim.
¹⁶ Eles se voltam, não para o Altíssimo;
    se tornaram como um arco falso.
Os seus oficiais cairão pela espada
    por causa da ferocidade da língua deles
        (este será o escárnio deles na terra do Egito).'"

OSEIAS 6:4—7:16 • MELANCOLIA DE JUNHO

A cada ano, nesta parte do planeta, experimentamos a "melancolia de junho"; caso ela chegue mais cedo, torna-se a "melancolia de maio". O céu está nublado, quando nos levantamos, e não sabemos se o tempo irá melhorar ou não. Na praia, a nebulosidade pode permanecer o dia todo, embora na região onde vivemos, distante quase cinquenta quilômetros da costa, pode desaparecer na hora do almoço, pois o sol a dissipa. Caso persista, não produzirá a chuva da qual tanto necessitamos. Trata-se de um "fenômeno marinho", como uma camada provocada pelo fato de o mar ainda estar se aquecendo no começo do verão, enquanto a terra já está aquecida.

O problema com o compromisso de **Israel** e o seu conhecimento de Deus é que isso assemelha-se a essa nebulosidade marinha e o orvalho da manhã, extremamente importante para as plantações durante o verão sem chuvas, mas que também evapora rapidamente. As divisões do capítulo na Bíblia nos encorajam a ler o primeiro parágrafo como uma resposta de ***Yahweh*** à resolução expressa na seção anterior (6.1-3), e pode-se imaginar que qualquer resolução das pessoas era de curta duração. Deus, portanto, implementou o juízo por meio das palavras dos profetas; o sol brilhando forte no verão é uma expressão desse juízo. É fácil as pessoas pensarem que a adoração agrada a Deus, mas, nessas circunstâncias, isso não ocorre. Outros versículos, na passagem de Oseias, deixam claro o clamor a Deus, que é envolvido na adoração, o voltar-se a ele e, então buscar o socorro divino. Mas, a oração e o louvor, bem como o sacrifício, que é a expressão externa deles, são inúteis se não estiverem acompanhados pelo compromisso e reconhecimento de Deus fora desses atos de oração e de louvor. (As menções a Adão, Jordão, Gileade e Siquém são relativos a incidentes, ali ocorridos, dos quais, nada saberíamos, se não fosse essa seção de Oseias.)

Por causa dessa falha, Israel experimentará uma colheita na qual ele ceifará o que semeou. O segundo parágrafo sublinha esse ponto, ao observar que isso não significa que *Yahweh* se abstém de agir em amor e em misericórdia, O problema é que tais atos apenas funcionam como reforço positivo, encorajando mais transgressões do que o reconhecimento de que *Yahweh* continua testemunhando esses malfeitos.

As referências a reis, oficiais e intrigas apontam na direção de manobras políticas que caracterizavam os dias de Oseias, quando houve, pelo menos, dois assassinatos, e outras mudanças de regime. Um conspirador, contudo, jamais imagina ser a próxima vítima. As menções a forno e padeiro, talvez, reflitam o papel do tempo quando alguém trama um plano e precisa discernir o momento certo da sua implementação. Conspiradores e suas vítimas estão todos envolvidos em adultério (i.e., infidelidade a Yahweh); ninguém está clamando a ele.

O terceiro parágrafo observa, uma vez mais, que Israel não está ignorando apenas *Yahweh*, mas os seus próprios problemas. Ele é como um homem que se tornou velho e fraco, mas que não quer enfrentar esse fato. Até aqui, quando reconhecem as suas dificuldades, eles pensam que a solução reside no socorro da **Assíria** ou do **Egito**, as grandes potências nos dois lados. Os relatórios de suas assembleias podem recomendar essa ação, mas apenas provocarão *Yahweh* a enviar mais juízo.

OSEIAS 8:1-14
LÍDERES COMO FARDOS

1 "Soe a trombeta em seus lábios,
    como uma águia sobre a casa de *Yahweh*!
Porque eles transgrediram a minha aliança,
    se rebelaram contra o meu ensino.
2 Eles clamaram a mim:
    'Meu Deus, como Israel nós te reconhecemos!'

³ Israel rejeitou o que é bom;
   um inimigo os persegue.
⁴ Eles fizeram reis, nas não por meio de mim;
   fizeram oficiais, mas eu não os reconheci.
  Com sua prata e seu ouro, fizeram imagens para si mesmos,
   para que [Israel] seja cortado.
⁵ Ele rejeitou o seu bezerro, Samaria;
   a minha ira arde contra eles
  Até quando serão incapazes de inocência? —
⁶   porque [foi feito] por Israel.
  Aquela coisa — um escultor o fez;
   não é um deus.
  Porque será quebrado em pedaços
   o bezerro de Samaria.

⁷ Porque semearam ventos, eles colherão um tornado,
   um talo que não cresce — que não produz farinha.
  Se, talvez, produzir, estrangeiros a engolirão;
⁸   Israel foi engolido.
  Eles, agora, se tornaram entre as nações,
   como um objeto que ninguém quer.
⁹ Porque subiram à Assíria;
   um jumento selvagem por conta própria, Efraim
     contratou amantes.
¹⁰ Mesmo quando contratam entre as nações,
   agora, eu os reunirei.
  Eles definharam por um tempo,
   por causa do fardo (rei, oficiais).
¹¹ Pois Efraim construiu mitos altares para cometer ofensas;
   por isso, eles se tornaram altares para cometer ofensas.
¹² Ainda que lhes escrevesse muitas coisas em meu ensino,
   elas teriam sido consideradas como estranhas.
¹³ Ainda que ofereçam sacrifícios a mim como presentes, e
    comam carne,
   Yahweh não os aceita.

OSEIAS 8:1-14 • LÍDERES COMO FARDOS

> Agora, ele se lembra da transgressão deles,
> e está atento às suas ofensas;
> aquelas pessoas voltarão para o Egito.
> **¹⁴** Israel desconsiderou o seu Criador e construiu palácios,
> e Judá edificou muitas cidades fortificadas.
> Eu atearei fogo às suas cidades; ele consumirá as suas
> fortalezas.'"

Mencionei, em meu comentário sobre Daniel 5, que o presidente do meu seminário está se aposentando e que o prospecto de mudança provoca ansiedade entre o corpo docente e os alunos. A comunidade do seminário está orando muito por essa transição, e não apenas por causa da ansiedade. Acredita-se que Deus tem um plano para essa mudança e é importante descobrirmos o plano divino. Eu sustento a visão herege de que não há base para pensar que Deus tem um plano; ele deixa as decisões para nós. Sendo um Pai amoroso, Deus não tem planos para nós, embora ele tenha expectativas acerca dos princípios necessários à pessoa que indicarmos.

Não há sobreposição com a forma pela qual **Yahweh** fala sobre **Efraim** fazer reis, mas "não por meio de mim." Existem inúmeros níveis de se compreender essa avaliação. A monarquia em **Israel** começou como um ato de rebelião, quando os israelitas insistiram em ter, sobre eles, reis humanos, pois estavam insatisfeitos com *Yahweh* como rei. Assim, por consequência, *Yahweh* designou uma linhagem de reis davídica; embora alguns reis de Efraim tenham sido designados por profetas em nome de Deus, a monarquia efraimita, como instituição, resultou de uma decisão de deixar a linhagem estabelecida por *Yahweh*. Além disso, observamos que Efraim experimentou uma série de assassinatos e golpes; *Yahweh*, dificilmente, se preocupa com essa forma de troca de governo, ao contrário de exigir que o presidente ou o primeiro-ministro deixe o cargo após quatro ou cinco anos de mandato. *Yahweh* prossegue para falar sobre a recusa em reconhecer os oficiais de Efraim, a sugerir que essa mudança envolvendo assassinatos e golpes é o que domina a mente de Oseias. Mesmo se Efraim tivesse buscado a vontade de Deus para designar os seus líderes, eles, então, tomariam as suas próprias decisões, do mesmo modo que as igrejas e seminários.

A evidência disso é a maneira com que o rei e o governo operaram. Eles levaram o povo a transgredir as expectativas da aliança (basicamente, os Dez Mandamentos), e a se rebelarem contra o ensino de *Yahweh* ou da **Torá**. O rei e os oficiais são, portanto, um fardo que o povo tem de carregar, embora não reconheçam essa dinâmica em sua vida. As pessoas não possuem mais discernimento do que o seu rei e os seus oficiais. Caso *Yahweh* aumentasse o conteúdo de seu ensino (o que, por ironia, é, exatamente, o que ele estava fazendo ao longo dos séculos), eles o considerariam estranho.

Assim, pelo fato de o povo falhar em reconhecer *Yahweh* (ao contrário do que eles, explicitamente, alegam), *Yahweh* declina de reconhecê-los. Da mesma maneira que a liderança de Efraim não foi escolhida por *Yahweh*, mas por eles próprios, a adoração é "de Israel", escolhida por Israel. O povo escolheu como adorar, do mesmo modo que escolheu a sua liderança. Eles, igualmente, tomaram as suas próprias decisões no campo político, estabelecendo compromissos mútuos com a **Assíria** — outra quebra da aliança. Efraim (*'eprayim*) é como um jumento selvagem indomável (*pere'*), ou como uma prostituta pagando pelo sexo, em vez de ser paga por ele.

Do mesmo modo que ter más colheitas, os efraimitas, portanto, terão experiências políticas cujos resultados serão semelhantes a más colheitas — isto é, os seus planos políticos falharão em produzir frutos. Ou, eles serão "recolhidos" como trigo, que não é uma experiência agradável. Expressando isso na pior forma possível, eles se descobrirão de volta ao **Egito**, necessitando de um novo êxodo.

OSEIAS 9:1-17
A ARMADILHA SUAVE

1 "Não celebre, Israel, com exultação, como os povos,
   pois vocês se prostituíram, se afastaram do seu Deus.
  Vocês amaram o pagamento
   em cada eira de grão.
2 A eira e o lagar não os alimentarão,
   o vinho novo os enganará.
3 Eles não viverão na terra de *Yahweh*;
   Efraim voltará para o Egito,
   na Assíria comerão comida impura.
4 Eles não derramarão vinho para *Yahweh*;
   os seus sacrifícios não o agradarão.
  Como pão de pranteadores para eles,
   todos os que dele comerem serão impuros.
  Pois esse pão é para a própria necessidade deles;
   e não entrará na casa de *Yahweh*.
5 O que farão para o dia estabelecido,
   para o dia do festival de *Yahweh*?
6 Porque, eis que irão para a destruição,
   o Egito os recolherá, Mênfis os sepultará.
  Embora com alta consideração se apeguem à sua prata,
   a sarça de apropriará dela, o espinheiro estará em
     suas tendas.
7 Os dias de visitação chegaram,
   os dias de recompensa chegaram,
  Israel deve reconhecer isso.
    O profeta é estúpido,
  a pessoa do espírito é louca,
   por conta da abundância de suas transgressões,
   haverá abundante hostilidade.

⁸ Um profeta, com o meu Deus,
   é uma sentinela sobre Efraim.
Há uma armadilha de caçador sobre todos os seus caminhos,
   animosidade na casa do seu Deus.
⁹ Eles se aprofundaram na corrupção. Como nos dias
      de Gibeá;
   ele se lembrará da transgressão deles,
   ele atentará às suas ofensas.

¹⁰ Encontrei Israel
      como uvas no deserto.
   Vi os seus pais
      como os primeiros frutos de uma figueira em
         seu começo.
   Quando aquelas pessoas foram ao Mestre de Peor,
      elas se dedicaram à vergonhosa idolatria, e
      se tornaram abominações como a coisa que amaram.
¹¹ Efraim — o esplendor deles voará como uma ave,
      para longe do nascimento, do ventre e da concepção.
¹² Mesmo que criem os seus filhos,
      eu os privarei de pessoas.
   Pois — ai deles, de fato,
      quando eu me afastar deles!
¹³ Efraim — como vi com Tiro, plantado em uma campina,
      assim Efraim levará os seus filhos para o matador."
¹⁴ Dá-lhes: *Yahweh*, o que lhes dará? —
      dá-lhes um ventre que aborte, seios secos.
¹⁵ "Todo o seu mal estava em Gilgal,
      porque, ali, eu os repudiei.
   Por causa do mal de seus feitos,
      eu os expulsarei da minha casa.
   Não adicionarei o meu amor por eles;
      todos os seus oficiais são rebeldes.
¹⁶ Efraim está ferido, a sua raiz definha,
      não mais produzirão fruto.

OSEIAS 9:1-17 • A ARMADILHA SUAVE

> Mesmo quando tiverem filhos,
>   matarei os valiosos do seu ventre.
> ¹⁷ O meu Deus os rejeitará,
>   porque não o escutaram;
>   eles se tornarão andarilhos entre as nações."

Na noite passada, fomos ouvir Steve Tyrell, o nosso cantor de jazz/swing favorito, cantando suas canções românticas sobre apaixonar-se. Em minha mente, sempre que o ouço cantar, há sempre uma percepção de que ele perdeu o amor de sua vida para o câncer, alguns anos atrás, e, então, teve um segundo casamento que durou menos do que um ano. Ele contou uma história sobre Sammy Cahn, compositor e letrista, chegando na casa de Frank Sinatra, em Palm Springs, para discutir uma canção a ser usada em um filme futuro. Sinatra apareceu à porta com um semblante horrível e disse a Cahn: "Eu me apaixono muito facilmente. Eu me apaixono intensamente." Chan agradeceu, entrou, caminhou até o piano, em outro aposento, e, em meia hora, ele escreveu uma canção sobre o tema: "Love is the tender trap" [O amor é a suave armadilha]. Cahn a escreveu e Sinatra, mais tarde, a gravou.

Apaixonar-se é como iniciar uma jornada pelo deserto, onde nada muito saboroso cresce, e, então, de repente, você depara com uma videira. É como vivenciar aquele momento na primavera, quando não há nada refrescante e suculento para comer, e em uma figueira, os primeiros frutos surgem nos ramos que cresceram no ano anterior. Não deveríamos ser, excessivamente românticos, acerca dos sentimentos de *Yahweh* por **Israel**, mas essas são as imagens que Oseias usa. Ou melhor, deveríamos ser muito românticos porque, então, teríamos a impressão correta quanto ao que aconteceu a seguir. *Yahweh* imaginou que Israel poderia ser um deleite para ele, e que ele, *Yahweh*, seria um deleite para Israel, mas, na realidade, lá no deserto, antes de os israelitas chegarem à terra prometida, eles já haviam se afastado de *Yahweh* (essa história está em Números 25). Assim, a prostituição que caracteriza a vida de Efraim é a continuação do que começou muito tempo antes. Voltar-se aos **Mestres** tem por objetivo assegurar a fertilidade da família e da natureza. Mas, isso não irá funcionar.

Havia um santuário em Gilgal, e não seria surpresa caso fosse outro santuário no qual o povo estava buscando o Mestre em vez de *Yahweh*. Aquele também era um lugar que estava associado com a confirmação de Samuel da posição de Saul como rei e com a sua destituição do trono (1Samuel 11—13); aqui, o contexto também diz respeito à rebeldia da liderança Efraim. De uma forma ou de outra, *Yahweh* não continuará expressando o amor que sentia por Israel no período de lua de mel do relacionamento entre eles. Gibeá era o lar de Saul, embora também fosse o local de uma atrocidade anterior (veja Juízes 19 —21; 1Samuel 10 —11).

Um festival como aquele realizado em Mestre de Peor envolvia grande regozijo. O primeiro parágrafo começa conclamando os efraimitas a não pensarem que podem participar dessa festividade; é possível supor que Oseias, nessa ocasião, tenha feito dos pátios do santuário o seu ponto de pregação. Aquela celebração era correta aos olhos de povos como os moabitas; eles apenas podiam celebrar à luz do que conheciam. Se Israel se unisse a eles no festival, retornaria ao caminho no qual *Yahweh* os alcançou. Aqui, também, Oseias se refere ao amor, mas ao amor equivocado de Israel. Ao se voltarem ao Mestre na tentativa de assegurar alimento suficiente na próxima colheita, Oseias, uma vez mais, diz ao povo que eles estão se comportando como uma prostituta. É possível, novamente, imaginar a reação dos homens israelitas. Eles supõem estar agindo de modo responsável para garantir o sustento de suas respectivas famílias. Virá um tempo (Oseias alerta), no qual eles desejarão oferecer sacrifícios a *Yahweh*, mas não serão capazes de fazê-lo. Em Efraim, experimentarão a destruição e o despojo de seu ouro e de sua prata, então, serão levados para o exílio na **Assíria** ou no **Egito**, onde eles morrerão, deixando a sua terra crescer sem cuidado. Haverá comida lá, certamente, mas eles terão de tratá-la como um alimento comum. Não serão capazes de celebrar um festival diante de *Yahweh*.

Os profetas são como servos de Yahweh, tentando anunciar esses eventos, mas apenas recebem em retorno ataques e animosidade, quando falam dessa maneira no contexto dos pátios do santuário. Isso basta para deixar um profeta totalmente contrariado.

OSEIAS 10:1-15
O QUE SEMEAR, COLHERÁ

1. Israel é uma videira desperdiçada;
   o seu fruto se assemelha a ela.
   De acordo com a abundância do seu fruto,
   ela multiplicou os seus altares.
   De acordo com a bondade da sua terra,
   fizeram boas colunas.
2. Porque o seu espírito era enganoso,
   agora, eles carregam a sua culpa.
   [*Yahweh*] derrubará os seus altares,
   destruirá as suas colunas.
3. Porque eles, agora, dizem:
   "Não temos nenhum Rei.
   Porque não temos medo de *Yahweh*;
   o Rei: o que ele fará para nós?"
4. Eles fizeram afirmações com juramentos falsos
   ao selaremuma aliança.

A tomada de decisão floresceu como uma erva venenosa
nos sulcos do campo arado.
⁵ O residente de Samaria está no temor do bezerro
de Bete-Áven,
quando o seu povo e os seus sacerdotes
têm pranteado por ele.
Eles se regozijam por seu esplendor,
quando ele será afastado.
⁶ Ele, também, será levado para a Assíria,
um presente ao grande rei.
Efraim receberá a vergonha,
Israel será envergonhado por seus planos.
⁷ Samaria e seu rei estão chegando ao fim,
como um graveto sobre a superfície das águas.
⁸ Os lugares altos de Áven serão destruídos,
as ofensas de Israel;
espinheiros e cardos crescerão em seus altares.
Eles dirão às montanhas: "Cubram-nos",
para as colinas: "Caiam sobre nós."

⁹ Desde os dias de Gibeá, vocês têm pecado,
Israel; ali permaneceram.
A batalha não os alcançará, em Gibeá, por causa
dos malfeitores?
¹⁰ Quando quiser, eu os disciplinarei.
Povos se reunirão contra eles,
quando forem disciplinados por sua dupla transgressão.
¹¹ Embora Efraim fosse uma bezerra treinada que gostava
de debulhar,
eu coloquei o jugo sobre o seu pescoço,
e conduzirei Efraim, Judá terá de arar,
Jacó rastelará por si mesmo.
¹² Semeiem para si mesmos por fidelidade,
colham em proporção ao compromisso,
cultivem o solo cultivável para si mesmos.

> É tempo de buscar o socorro de *Yahweh*, até que ele venha,
> e faça chover fidelidade sobre vocês.
> ¹³ Vocês araram a infidelidade, ceifaram malfeitos,
> comeram um fruto enganoso.
> Porque confiaram em seu próprio caminho,
> na abundância dos seus guerreiros.
> ¹⁴ Um rugido se levantará contra o seu povo,
> e todas as suas fortalezas serão destruídas.
> Como a destruição de Salmã sobre Bete-Arbel,
> no dia da batalha,
> quando mães foram esmagadas com seus filhos.
> ¹⁵ Assim [*Yahweh*] irá fazer a você, Betel,
> por causa do seu mal, do seu mal.
> Ao amanhecer, chegará a um fim,
> rei de Israel.

Ontem à noite, jantamos com dois outros casais que têm filhos e netos, e para sua mútua consternação, esses outros casais descobriram que passaram pela mesma experiência dolorosa. Ambos têm filhas adultas que sofreram abusos, quando mais jovens, por parte de pessoas nas quais os pais confiavam. As filhas ainda vivem com as consequências dos abusos que sofreram; isso resultou em uma colheita infeliz na vida de ambas, e ainda gera frutos. Sofremos por essas garotas, hoje mulheres adultas, por suas mães e por seus pais, e pelos abusadores que, provavelmente, foram vítimas de experiências dolorosas em sua própria vida que os levaram a essas ações reprováveis. Questionamo-nos se ainda pode haver esperança para os abusadores, suas vítimas, as mães e os pais envolvidos.

Para uma comunidade arruinada pelo afastamento de Deus em sua vida religiosa, sua vida comunitária e em sua vida política, Oseias promete que Deus vem. Nunca é tarde demais para um recomeço, não devido ao potencial que há em nosso interior, mas por causa do potencial que reside em Deus. Ele pode fazer chover **fidelidade** sobre nós. Trata-se de uma imagem implausível. Se estivéssemos na posição de Oseias e de alguém que visse as coisas da perspectiva do profeta, e sofresse pela situação vigente em **Efraim**, seria muito difícil manter acesa a chama dessa esperança. Mas Oseias a mantém. A concretização dessa esperança, no entanto, depende de uma resposta apropriada do povo; eles precisam voltar para *Yahweh*, buscar o socorro do seu Deus em lugar de recorrer a outros recursos, a exemplo do que, regularmente, fazem. O que eles semearem é o que colherão.

Oseias começa o capítulo usando uma imagem padrão no Antigo Testamento: a de **Israel** como uma videira. Ele poderia, facilmente, ter retrabalhado a imagem, como em Isaías 5, descrevendo Israel como uma videira que tem produzido uvas estragadas, impróprias ao consumo. Em vez disso, Oseias descreve Israel como uma videira desperdiçada que, simplesmente, não produz fruto. Ela floresceu, outrora, mas em vez de fazer disso um motivo para regozijar-se em *Yahweh*, a videira voltou-se para outros deuses.

A exemplo de Isaías, Oseias coloca palavras na boca de outras pessoas. Elas não dizem, na verdade, que *Yahweh* não é o Rei delas e que não temem a sua ação como Rei, mas essa era a implicação da atitude delas. A sua liderança estabeleceu acordos com outras nações que tiveram consequências desastrosas para o seu próprio povo. Ainda estão, profundamente, comprometidos com as formas de adoração desses outros povos (em lugar da adoração a *Yahweh*), mas estes estão condenados. A destruição, quando vier, será tão terrível que as pessoas desejarão ser sobrepujadas por um terremoto do que passar por ela.

A referência a Gibeá, uma vez mais, relembra as histórias em Juízes 19 – 21 e 1Samuel 10 –11, que são graves por motivos distintos; talvez, a expressão "dupla transgressão" seja referente a esses relatos. A menção a Efraim ser uma bezerra treinada e, portanto, dócil, contrasta com o que a nação se tornou e com a dura disciplina que Yahweh, agora, lhe impõe. (Não sabemos mais a respeito da destruição de um lugar chamado Bete-Arbel por alguém cujo nome era Salmã.)

OSEIAS 11:1–11
A NATUREZA INFALÍVEL DO AMOR DE UMA MÃE

1 "Quando Israel era um menino, eu o amei;
    do Egito eu o chamei meu filho.
2 Quanto mais o chamava, mais se afastava de mim;
    ele sacrifica aos Mestres, queima ofertas a imagens.
3 Eu mesmo ensinei Efraim a andar, o levantei em
        meus braços,
    mas ele não reconheceu que eu o curei.
4 Com cordas humanas eu o conduzi,
    com amorosos laços.
  Por ele, era como pessoas que levam um bebê junto ao rosto,
    e me inclinei a ele para alimentá-lo.
5 Não, ele voltará para a terra do Egito,
    a Assíria será o seu rei,
    porque se recusou a retornar.
6 Uma espada girará contra as suas cidades, consumirá as
        trancas dos seus portões,
    ela os devorará por causa dos seus planos.
7 O meu povo está decidido a se afastar de mim;
    quando clamar ao Altíssimo,
    de modo algum, ele o levantará.
8 Como posso desistir de você Efraim, entregar você,
    Judá, como torná-lo como fiz com Admá, tratá-lo como
        tratei Zeboim?

OSEIAS 11:1-11 • A NATUREZA INFALÍVEL DO AMOR DE UMA MÃE

> O meu espírito se agita dentro de mim,
> o meu consolo se aquece de uma vez.
> 9 Não agirei sobre a minha ira ardente;
> não tornarei a destruir Efraim.
> Porque eu sou Deus e não um ser humano,
> o santo no meio de vocês,
> e não virei contra a cidade.
> 10 Eles seguirão *Yahweh* — ele rugirá como um leão;
> quando ele rugir, os filhos virão tremendo do Ocidente.
> 11 Virão tremendo como uma ave do Egito,
> como uma pomba da terra da Assíria,
> eu os deixarei viver em suas casas" (declaração de *Yahweh*).

Dois meses atrás, participamos de uma festa natalina em um salão local (um centro de detenção para jovens), ao lado de um casal conhecido, cujo filho havia sido mantido ali. O grupo com o qual celebramos incluía adolescentes sentenciados a prisão perpétua. A minha esposa teve uma conversa tocante com um garoto de catorze anos, que aguardava julgamento em relação à morte de outros dois jovens: "Eu não me atrevo a admitir para a minha mãe que fiz isso", ele disse. "Mas é a mãe dele", Kathleen me disse, mais tarde. "As mães ainda abraçarão os seus filhos, mesmo que tenham feito algo terrível." Então, lembrei-me de uma mãe que estava convencida de que relações com pessoas do mesmo sexo era errado e, então, ouviu do próprio filho que ele era homossexual. Como ela não continuaria a abraçá-lo? Ele ainda era seu filho.

Outra mãe comentou comigo que esse capítulo, em Oseias, revela a contribuição de Gômer à mensagem do profeta. Embora **Yahweh**, em outras passagens, fale como um marido traído, aqui, ele fala como uma mãe traída. E, enquanto é possível ao marido se divorciar de sua esposa infiel, uma mãe não pode se divorciar de seus filhos; independentemente do que façam, eles continuam sendo seus filhos. Assim, *Yahweh* está dividido entre expulsar seus filhos de casa e se recusar a ter qualquer relação com eles, ou ceder ao instinto de consolá-los como uma mãe faria. Talvez precise ser o consolo que uma mãe dá, após disciplinar, severamente, os seus filhos. Não sabemos muito sobre Admá ou Zeboim, exceto que eram cidades próximas a Sodoma e Gomorra e foram devastadas, a exemplo delas (Deuteronômio 29.22-23). Como seria possível a *Yahweh* tratar **Efraim** como se fosse uma localidade obscura, a exemplo daquelas cidades?

Deus não pode fazer isso, pois ele é o Altíssimo, não um ser humano. O nosso instinto é o de agir em ira, quando somos enganados, decepcionados ou traídos. O garoto ao qual me referi conhecia esse instinto humano. As pessoas, com frequência, concebem Deus à sua própria imagem e presumem que ele aja da mesma forma. Deus ser santo significa que ele seja austero e rígido, e que, certamente, age movido pela ira? Essa expectativa não é, exatamente, errada, mas Oseias retrabalha essa lógica em sua mente. A santidade de *Yahweh* reside em ele se abster da ira contra a nossa infidelidade.

As linhas finais do capítulo prometem outra expressão do consolo de *Yahweh*. O exílio virá, mas as pessoas irão, por fim, seguir *Yahweh*, e ele as trará de volta à terra deles. O rugido de *Yahweh* os fará tremer e, então, se submeterem a ele, mas o leão estará mais preocupado em rugir contra os senhores nas terras das quais ele os resgatará e levará para casa.

OSEIAS 11:12—13:11
BOAS-VINDAS E CONFRONTO

¹² "Efraim me cercou de mentiras,
 a casa de Israel, de enganos,
 mas, Judá ainda segue com Deus,
 guarda a fé com os santos.

CAPÍTULO 12

1. Efraim se alimenta de vento, persegue o oriental;
    continuamente, aumenta o engano e a destruição.
   Eles selam uma aliança com a Assíria;
    o azeite é carregado para o Egito.
2. *Yahweh* terá uma contenda com Judá,
    e atentará para Jacó de acordo com os seus caminhos;
    de acordo com os seus atos, ele lhe retribuirá.
3. No ventre, ele agarrou o seu irmão,
    e em sua masculinidade, lutou com Deus.
4. Lutou com o ajudante e venceu,
    chorou e buscou a graça dele.
   Ele o encontrou em Betel, falou com ele, ali,
5. *Yahweh*, Deus dos Exércitos — *Yahweh* é o seu nome.
6. Portanto, você deve retornar para o seu Deus,
    salvaguardar o compromisso na tomada de decisão,
    e esperar sempre pelo seu Deus.
7. Um comerciante em cujas mãos há balanças enganosas
    adora trapacear.
8. Efraim disse: 'Sim, tornei-me rico,
    adquiri força para mim.
   Todos os meus ganhos não me trarão
    transgressão que se equipare à ofensa.'
9. Eu sou *Yahweh*, o seu Deus,
    desde a terra do Egito.
   Farei você viver em tendas, novamente,
    como nos dias do seu festival determinado.
10. Eu costumava falar aos profetas,
    e eu lhes dei muitas visões;
    por meio dos profetas eu destruirei.
11. Gileade tornou-se rebelde, sim, tornou-se
    vazio, em Gilgal sacrificaram bois?
   Os seus altares, também
    são como pilhas de pedras nos sulcos do campo.

¹² Jacó fugiu para a terra aberta de Arã;
   Israel serviu por uma esposa — por uma esposa ele
      cuidou [de ovelhas].
¹³ Por meio de um profeta *Yahweh* tirou Israel do Egito,
   e por meio de um profeta ele foi cuidado.
¹⁴ Efraim provocou com grande amargura;
   o seu Senhor deixará o seu derramamento de sangue
      sobre ele,
   lhe retribuirá a sua injúria.

CAPÍTULO 13

¹ Quando Efraim falava, havia tremor,
   quando levantava [sua voz] em Israel,
   mas, por meio do Mestre, ele se tornou culpado e morreu.
² Agora, eles cometem mais e mais ofensa,
   e fizeram um ídolo para si,
   imagens de sua prata, de acordo com o seu entendimento,
      o trabalho de um artífice, todas elas.
   Com respeito a elas, estão dizendo: 'Sacrifícios humanos',
      enquanto beijam bezerros.
³ Por isso, eles serão como a nuvem da manhã,
   como o orvalho que logo passa,
   como a palha que rodopia de uma eira,
   como a fumaça de uma janela.
⁴ Eu sou *Yahweh*, o seu Deus,
   desde a terra do Egito.
   Vocês não conhecem um deus além de mim;
      não há libertador, exceto eu.
⁵ Conheci vocês no deserto,
   em uma terra de secas.
⁶ Quando eram apascentados, ficavam satisfeitos,
   quando estavam satisfeitos, a atitude deles se
      tornava superior;
   por isso, eles me desconsideraram.
⁷ Tornei-me como uma onça para eles,
   como um leopardo, espreitarei junto à estrada;

⁸ os atacarei como uma ursa enlutada,
   que rasga o envoltório do coração deles.
  Eu os consumirei como um leão,
   os animais selvagens os despedaçarão:
⁹ isso significará a sua destruição, Israel,
   porque em mim está o seu socorro.
¹⁰ Onde está o seu rei, então,
   para os livrar em todas as suas cidades,
  e os seus líderes dos quais você disse:
   'Dê-me um rei e oficiais'?
¹¹ Dei-lhes um rei em minha ira,
   e o tirei em meu furor.'"

Um amigo meu, certa ocasião, deu uma descrição vívida de uma experiência paternal comum. O seu filho, então com dezoito anos, lhe diz que estará de volta às 23h30, mas só retorna às três da manhã. Como você reage? O ideal seria pai e mãe ainda estarem acordados quando o filho retornasse, para que um dissesse: "Onde você estava?" e o outro: "Estou tão feliz que chegou bem em casa." A primeira pergunta poderia ser feita pelo pai, enquanto a segunda seria uma expressão de alívio da mãe, mas não devemos usar esse padrão como um estereótipo. O problema do meu amigo era que a sua esposa já estava dormindo, de maneira que ele teve que assumir os dois papéis. Muito depende, então, de qual das reações é expressa por último e em tom mais elevado.

É tentador ler o testemunho de **Yahweh**, em Oseias 11, como o clímax de todo o texto, e, talvez, seja, mas não é o fim do livro. *Yahweh*, na verdade, é como uma mãe que sempre abraça o seu filho, mas, igualmente, como o marido, que agirá com raiva ao ser enganado e traído. Yahweh é aquele pai que precisa expressar aas duas reações. Nos capítulos finais do livro, *Yahweh*, primeiro, expressa: "Estou tão feliz que chegou bem em casa" (Oseias 11), mas, aqui, reage com a pergunta: "Onde você estava?". Em contraste com o cenário de declarar o amor de mãe por **Efraim**, ele também pode declarar a disposição do pai ou do marido em ser severo. Essa característica já está implícita nos versículos derradeiros do capítulo 11, os quais pressupõem que *Yahweh* iria levar Efraim para o exílio.

Os pais podem facilmente temer que seus filhos estão determinados à autodestruição. Esse é o receio de *Yahweh*. Nos dias de Oseias, **Judá** não se voltou para os **Mestres**, como Efraim, mas voltou-se para outras nações em busca de auxílio político e militar (o que pode estar subjacente à mudança da afirmação para a crítica sobre Judá). Efraim está em apuros por ambas as ações. Esperar em Deus é uma expectativa mandatória em relação a um governo; parece uma falha em assumir a responsabilidade. A luta de Efraim com Deus lembra Jacó, o seu ancestral, não apenas por sua capacidade de enganar (veja Gênesis 25–33). A linha sobre o comerciante mais parece um provérbio, mas sugere que o sucesso de Efraim (a respeito do qual Efraim passa a expressar uma compreensível satisfação) baseia-se na arte do engano – que, em geral, também é a base do mundo dos negócios. A palavra hebraica para "comerciante" é "Canaan" (os cananeus eram um povo negociante); essas associações de palavras deixam o ponto ainda mais impactante. Efraim é cananeu em sua vida de negócios e em sua adoração. Mas, as alusões à história de Jacó também mostram como o modo Jacó de ser não significa que você não pode buscar a Deus.

Por outro lado, eles descobrirão que o costume de viver em tendas, no festival de Sucote, no outono, que os faz recordar a vida no deserto, se tornará, uma vez mais, uma realidade diária. A ausência de resposta à ação dos profetas significará que as palavras de juízo, que eles expressaram, se cumprirão. A experiência da área de Gileade, do outro lado do Jordão, precisa atuar como uma advertência: os lugares de adoração, naquela região, já haviam sido transformados em meras pilhas de pedras. Há um sentido no qual Efraim, como um todo, já havia passado da vida (e da influência) para a morte, mas, logo, aquela morte provisória se tornaria em destruição. Efraim possui sangue nas mãos e tem o insulto a *Yahweh* e aos seus servos em sua consciência. Oseias inclui uma referência ao sacrifício humano uma prática que expressa quão desesperado um povo pode se tornar (pense em uma mãe desejosa que o seu filho se torne um homem-bomba). Os efraimitas sabem que se suas colheitas não produzirem, eles podem morrer de fome. Pode-se até imaginar alguém disposto a ser sacrificado pelo bem da sua família, nessa conexão, e, ainda com a sensação de não ter nada a perder, caso a fome, de fato, venha. A prática, no entanto, reflete um desvio da verdadeira compreensão de Deus.

OSEIAS 13:12—14:9
NASCIMENTO E MORTE

¹² "A transgressão de Efraim está preservada,
  as suas ofensas estão armazenadas.
¹³ Quando as dores do parto vierem a ele,
  ele será um filho insensato.
  Porque, na hora, ele não se apresentará
  na brecha dos filhos.
¹⁴ "Da mão do Sheol eu os redimirei,
  da morte eu os restaurarei.
  Onde estão os seus flagelos, morte,
  onde está a sua destruição, Sheol?
  O consolo se esconderá dos meus olhos,
¹⁵ porque ele é frutífero entre os juncos.
  Um vento oriental virá, o vento de *Yahweh*,
  subindo do deserto.

Sua fonte secará,
a sua nascente definhará.
Isso saqueará o tesouro,
cada objeto tido em alta consideração.
¹⁶ Samaria é culpada
porque se rebelou contra o seu Deus.
As pessoas cairão pela espada,
seus bebês serão esmagados,
suas mulheres grávidas serão rasgadas."

CAPÍTULO 14

¹ Volte, Israel, para *Yahweh*, o seu Deus,
porque você caiu por suas transgressões.
² Levem palavras com vocês, e voltem para *Yahweh*;
digam-lhe: 'Carregarás tudo isso, as transgressões?
Receba algo bom:
em lugar de bois, renderemos os nossos lábios.'
³ A Assíria não irá nos libertar,
não cavalgaremos em cavalos.
Não mais diremos 'nosso Deus'
para o trabalho de nossas mãos,
porque em ti o órfão encontrará compaixão."
⁴ "Eu curarei o afastamento deles, os amarei
com liberalidade,
porque a minha ira se afastou de mim.
⁵ Eu me tornarei como o orvalho para Israel; ele florescerá
como o lírio,
aprofundará raízes como um [cedro] do Líbano.
⁶ Os seus brotos crescerão e o seu esplendor será como o de
uma oliveira,
a sua fragrância como a do Líbano.
⁷ As pessoas que se assentam em sua sombra, de novo,
levantarão grãos,
e florescerão como o vinho, a sua fama como o vinho
do Líbano.

> 8 "Efraim, o que mais terei com os ídolos?
>   Eu mesmo responderei e cuidarei dele.
>   Eu mesmo sou como um cipreste verdejante;
>   de mim o seu fruto aparece."
>
> 9 Quem é sensível e compreende essas coisas;
>   é discernente e as conhece?
>   Pois os caminhos de *Yahweh* são retos, e os fiéis caminham por eles,
>   mas os rebeldes caem neles.'"

A última página da revista The New Yorker convida os leitores a escreverem legendas em um desenho em branco, e pede votos para as sugestões de legenda das pessoas para outro desenho. Nesta semana, o desenho retrata duas pessoas olhando para o corpo de um homem, dentro de um caixão aberto; o homem ainda apresenta um gotejamento intravenoso. As legendas possíveis são: "Ele jamais poderia cometer", ou "Nós, eventualmente, sentiremos a falta dele", ou "Ele tinha um excelente plano de saúde." Raramente alguém pensa na morte, de maneira que é positivo incentivar essa reflexão. Conta-se que havia um aviso em um boletim de hospital lembrando à equipe que os primeiros dez minutos da vida de alguém estão entre os mais perigosos; então, alguém completou o aviso: "Os dez últimos minutos também podem ser muito complicados." Vida e morte são fatos opostos, mas têm muito em comum.

Esta seção começa com uma conversa justaposta sobre nascimento e morte. **Efraim** não quer nascer, pois o nascimento é doloroso e arriscado. Mas evitar a dor e o compromisso, quando chega a hora do parto, significará a morte. E esse tempo chega. **Yahweh** não tem uma lei de três avisos (sob a qual você é tratado com leniência na primeira ou na segunda ofensa, mas, então, na terceira, o tratamento é mais severo), mas tem uma lei de mil advertências. Efraim possui uma extensa ficha criminal. Expressando de outra maneira, *Yahweh* poderia salvar Efraim da morte que paira ameaçadora sobre a nação, mas ela não olhará para ele a fim de obter essa cura. Os efraimitas insistem em voltar os olhos na direção de outros recursos entre os juncos (i.e., o **Egito**) em lugar de buscar o socorro de *Yahweh*. As suas políticas significarão morte em batalha para os homens, morte na infância para os pequeninos e uma morte terrível para as mulheres grávidas. Sabemos, com base no que vemos e ouvimos no noticiário, que a guerra funciona dessa forma. Nada muda.

A afirmação de que não haverá consolo contrasta com a declaração maternal no capítulo 11, mas o segundo parágrafo pressupõe que essa ameaça não constitui uma decisão final. Sempre é possível voltar. O povo de Deus sempre teve uma escolha diante de si. Se Efraim já caiu, essa experiência precisa fazê-lo dar meia-volta, antes que o pior aconteça. Trata-se de um tiro de advertência; *Yahweh* sempre pode ser conclamado a carregar as nossas transgressões, em vez de nos obrigar a carregá-las, embora a súplica funcione apenas se for acompanhada das outras palavras necessárias, que indicam a desistência de olhar para a **Assíria** ou o Egito (com os seus cavalos) e de buscar o auxílio de outros deuses.

No evento, não havia desistência ou provas de que *Yahweh* era capaz e estava disposto a ser fonte de renovação para Efraim, pela maneira de descrever do segundo parágrafo, embora o próprio livro de Oseias não relate como as advertências do profeta se cumpriram na destruição de Efraim. O seu efeito é, portanto, nos deixar com a escolha que foi colocada diante de Efraim. Assim, o versículo de encerramento pergunta: "Você não verá sentido?". Não seja como a criança insensível que não quer nascer.

JOEL

JOEL 1:1–20
TUDO O QUE VOCÊ PODE FAZER É ORAR

¹ Mensagem de *Yahweh* que veio a Joel, filho de Petuel.
² "Ouçam isto, anciãos;
   deem ouvidos, todos vocês, habitantes da terra.
Isso ocorreu em seus dias,
   ou nos dias dos seus ancestrais?
³ Contem aos seus filhos sobre isso, e os seus filhos, aos
      filhos deles,
   e os filhos destes, à próxima geração.
⁴ O que foi deixado pelo cortador, o gafanhoto comeu;
   o que foi deixado pelo gafanhoto, a larva comeu;
   o que foi deixado pela larva, a cigarra comeu.
⁵ Acordem, bêbados e chorem; lamentem, todos vocês
      bebedores de vinho,
   sobre o vinho novo, porque ele foi cortado de
      seus lábios.
⁶ Porque uma nação subiu contra a minha terra,
   forte e inumerável.
Seus dentes são como os dentes de um leão,
   e possui as presas de uma leoa.
⁷ Fez das minhas videiras um total desperdício,
   das minhas figueiras, um toco.
Arrancou-lhe a casca e a jogou fora;
   os seus galhos se tornaram brancos.
⁸ Chorem como uma garota cingida de pano de saco,
   por causa de seu marido em sua juventude.
⁹ A oferta e a libação foram cortadas da casa de *Yahweh*;
   os sacerdotes, ministros de *Yahweh*, estão enlutados.
¹⁰ Os campos foram destruídos,
   o solo está de luto.
Porque o grão foi destruído,
   a videira nova murchou, o azeite fresco definhou.

¹¹ Agricultores, envergonhem-se; vinicultores, lamentem
    pelo trigo, pela ceva,
    porque a colheita do campo pereceu.
¹² A videira murchou, a figueira definhou,
    a romãzeira, a palmeira e o damasco.
   Todas as árvores do campo secaram,
    porque a alegria secou-se da humanidade.

¹³ Vistam-se de luto e lamentem, sacerdotes,
    pranteiem, ministros do altar.
   Venham, passem a noite em pano de saco,
    ministros do meu Deus.
   Porque a oferta e a libação
    foram cortadas da casa de *Yahweh*.
¹⁴ Declarem um jejum sagrado, convoquem uma assembleia,
    reúnam os anciãos, todos os habitantes da
   terra, para a casa de *Yahweh*, o seu Deus,
    e clamem a Yahweh.
¹⁵ Ai por aquele dia, pois o Dia de *Yahweh* está próximo;
    ele vem como destruição do Destruidor!
¹⁶ Não é o alimento cortado de diante dos nossos olhos,
    a alegria e a celebração da casa de *Yahweh*?
¹⁷ Sementes murcharam sob os seus torrões
   Armazéns estão desolados, celeiros estão em ruínas,
    porque o grão murchou.
¹⁸ Como os animais gemem, as manadas de bois se agitam,
    porque não há mais pasto;
    mesmo os rebanhos de ovelhas sofrem a punição.
¹⁹ A ti, *Yahweh*, eu clamo,
    pois o fogo tem consumido os pastos no deserto,
   a chama queimou todas as árvores no campo;
²⁰   mesmo os animais selvagens suspiram por ti.
   Porque as correntes de água secaram;
    o fogo consumiu os pastos no deserto."

Adam Mussa é originário de Darfur, no Sudão, e viveu em um campo para refugiados no Chade. Após quase uma década vivendo ali, ele decidiu levar a sua família de volta para o Sudão; não sei o que aconteceu a ele, depois disso. Com equipamentos levados aos refugiados dos Estados Unidos, antes de partir, ele postou fotos de gafanhotos em torno do acampamento. Adam comentou que, embora o gafanhoto seja o inseto mais implacável para as colheitas, as crianças do acampamento tinham uma visão diferente dele. Trata-se de uma fonte rica em proteína. As fotos de Adam mostravam centenas de meninos caçando gafanhotos. Eles esperavam que a nuvem de insetos permanecesse ali por alguns dias. A atitude em relação aos gafanhotos, no Oriente Médio, é diferente enquanto eu escrevo. Ao longo dos últimos três meses, uma grande quantidade deles tem invadido o Egito, vindos do Sul, para consumir alimento suficiente para assegurar o suprimento de comida para dez milhões de pessoas durante um ano inteiro. E a nuvem de gafanhotos começou a se deslocar para a região sul de Israel.

Os **judaítas**, nos dias de Joel, tinham todos os motivos para temerem os gafanhotos, e, de fato, eles experimentaram o tipo de invasão que tanto temiam. É como se o **Dia de** *Yahweh*, o Dia do Senhor, estivesse chegando, o dia que traz o juízo supremo de *Yahweh* sobre o povo (a comparação com uma garota enlutada pressupõe que ela é uma noiva cujo futuro marido morreu quando eles estavam prestes a se casar).

Às vezes, ocorrem coisas às pessoas que as deixam totalmente paralisadas e sem ação. Uma praga de gafanhotos é uma dessas experiências; é similar a um tsunami em câmera lenta. Parece que as pessoas estão evitando encarar os fatos acerca do que aconteceu; mas é difícil culpá-las por isso. Melhor é, simplesmente, embriagar-se. Joel conclama as pessoas a se apresentarem diante de Deus e clamarem a ele. O termo que é usado é o mesmo utilizado para expressar o clamor dos **israelitas** debaixo da opressão no Egito. Isso demonstra a gravidade da situação. Sacerdotes, anciãos e membros do povo, todos deveriam se reunir em uma espécie de protesto. Quanto maior o protesto, maiores as chances de eles serem ouvidos.

O dia chega como destruição do Destruidor. A palavra hebraica para "Destruidor" é *Shaddai*. Esse nome é, normalmente, traduzido por "Todo-poderoso", mas é similar a uma palavra para "destruição", e esta passagem indica que os israelitas poderiam notar a similaridade. É um fato assustador que *Yahweh* possa agir como o Destruidor. O consolo potencial, no entanto, é que aquele que destrói pode também ser aquele que tem misericórdia. Se *Yahweh* não estivesse no comando, seria inútil pedir por restauração e alívio; mas ele está no comando e, portanto, pode agir dessa forma. Tudo o que você pode fazer é orar, mas esse "tudo" é grandioso. A praga de gafanhotos significa que não haverá disponibilidade dos meios para oferecer a *Yahweh* uma adoração apropriada; os israelitas sabiam que a adoração precisava ser externa, concreta e material, não apenas interior e verbal. Paradoxalmente, essa indisponibilidade de recursos materiais torna ainda mais importante ir ao templo para protestar e orar.

JOEL 2:1–27
OS ANOS NOS QUAIS O GAFANHOTO COMEU

¹ Toquem a trombeta em Sião,
  soem o alarme na minha montanha sagrada.
Todos os habitantes da terra devem tremer,
  porque o Dia de *Yahweh* está chegando.
Pois ele está próximo, ²um dia de escuridão e de tristeza,
  um dia de nuvens e de sombras.

Como o amanhecer se espalha sobre as montanhas,
   haverá uma vasta e poderosa companhia.
Nada igual aconteceu desde antigamente,
   e não mais acontecerá depois disso,
   pelos anos de geração em geração.
³ Diante deles o fogo consome,
   depois deles, a chama arde.
Diante deles a terra era como o jardim do Éden,
   depois deles, como um deserto desolador —
   na verdade, nenhum sobrevivente foi deixado ali.
⁴ A aparência deles é como a aparência de cavalos;
   Como corcéis, assim eles galopam.
⁵ Como o som de carruagens,
   sobre os cumes das montanhas, eles saltam,
como o som de um fogo ardente, consumindo a palha,
   como uma poderosa companhia em posição de batalha.
⁶ Diante deles, as pessoas estremecem;
   todos os rostos perdem o rubor.
⁷ Como guerreiros, eles correm,
   como combatentes, escalam um muro.
Vão, cada um deles, em seus caminhos,
   não se desviam de suas veredas.
⁸ Não se empurram uns aos outros;
   cada homem segue em seu curso.
Quando eles avançam entre os armamentos,
   não quebram a formação.
⁹ Lançam-se contra a cidade,
   correm até os seus muros.
Sobem nas casas,
   entram pelas janelas como um ladrão.
¹⁰ Diante deles a terra treme,
   os céus se abalam.
O sol e a lua escurecem,
   as estrelas recolhem o seu brilho.

¹¹ *Yahweh* — ele eleva a sua voz
    diante de suas forças,
porque o seu exército é muito vasto,
    pois é poderoso o que realiza a sua palavra.
Porque o Dia de *Yahweh* é grande,
    muito amedrontador — quem pode suportá-lo?

¹² "Mas, mesmo agora (declaração de *Yahweh*),
    "voltem para mim de todo o seu coração,
    com jejum, pranto e lamento."
¹³ Rasguem o seu coração, não as suas vestes,
    e voltem-se para *Yahweh*, o seu Deus.
Pois ele é gracioso e compassivo,
    longânimo e vasto em compromisso
    e se arrepende do mal.
¹⁴ Quem sabe, ele pode voltar e se arrepender,
    e deixar atrás de si uma bênção,
uma oferta e uma libação para *Yahweh*,
    o seu Deus?
¹⁵ Toquem a trombeta em Sião,
    declarem um jejum sagrado, convoquem uma assembleia.
¹⁶ Reúnam o povo,
    santifiquem a congregação.
Ajuntem os anciãos,
    reúnam os bebês e aqueles que mamam no peito;
o noivo deve sair de seu aposento,
    a noiva deve sair de sua tenda.
¹⁷ Entre o pórtico e o altar, os sacerdotes,
    os ministros de *Yahweh*,
devem chorar e dizer:
    Poupa o teu povo, *Yahweh*.
Não entregue os teus próprios ao insulto,
    como um provérbio contra eles, entre as nações.
Por que deveriam dizer entre os povos:
    'Onde está o seu Deus?'"

¹⁸ Assim, *Yahweh*, foi tomado de zelo por sua terra,
   teve piedade de seu povo.
¹⁹ *Yahweh* respondeu ao seu povo:
   "Aqui estou eu, e irei enviar grãos a vocês,
vinho novo e azeite fresco —
   vocês se satisfarão plenamente.
Eu jamais os entregarei, novamente,
   para serem objeto de insulto entre as nações.
²⁰ Levarei o invasor do norte para longe de vocês,
   o lançarei em uma terra seca e desolada,
o seu rosto para o mar oriental,
   a sua retaguarda para o mar ocidental.
O seu odor subirá, o seu fedor subirá,
   porque ele agiu grandiosamente.

²¹ Não tenha medo terra, alegre-se e celebre,
   pois *Yahweh* agiu grandiosamente.
²² Não tenham medo, animais selvagens,
   porque os pastos do deserto estão verdejantes.
Porque a árvore gerou o seu fruto,
   a figueira e a videira entregaram suas riquezas.
²³ Povo de Sião, celebre,
   alegre-se em *Yahweh*, o seu Deus.
Porque ele lhes dá
   a chuva do outono em fidelidade.
Ele fez cair a chuva sobre vocês,
   as chuvas do outono e da primavera, como antes.
²⁴ As eiras ficarão cheias de grãos,
   as prensas transbordarão com vinho novo e azeite fresco.
²⁵ Recompensarei vocês pelos anos
   nos quais o gafanhoto e a larva comeram,
a cigarra e o cortador,
   a minha grande força que enviei contra vocês.
²⁶ Vocês comerão até se fartarem,
   e louvarão o nome de *Yahweh*, o seu Deus,

> que agiu prodigiosamente com vocês;
> o meu povo não será envergonhado para sempre.
> ²⁷ Reconhecerão que estou no meio de Israel.
> Eu sou *Yahweh*, o seu Deus,
> e não há outro,
> e o meu povo não será envergonhado para sempre."

Maria Yellow Horse Brave Heart é uma professora de serviço social, nativa americana, que percebeu que as questões a serem lidadas pelos membros de sua comunidade não podiam ser compreendidas isoladamente das experiências traumáticas que tiveram ao longo de cinco séculos. O povo foi submetido a opressão física, emocional, social, além de angústia espiritual e tormento como resultado da chegada de colonizadores europeus e dos eventos dos séculos subsequentes. As pessoas que, hoje, pertencem à comunidade não são, claro, aquelas que viveram nos tempos mais sombrios. Todavia, o impacto desse trauma sobre um povo não se restringe à geração que, diretamente, o vivencia. O seu efeito traumático persiste sobre as gerações seguintes.

A história de **Judá** sobrepõe-se a essa experiência. Os judaítas foram submetidos a repetidas e constantes invasões por parte dos poderes imperiais, ao massacre de seu povo, e a destruição de suas comunidades e o exílio de seus habitantes. A referência do livro de Joel aos **gregos**, em seu derradeiro capítulo, indica ser este um dos últimos livros no Antigo Testamento, e esta seção também aponta para um tempo no qual Judá vivenciou, de fato, muito dessa experiência. Um dos meus alunos sugeriu que o livro reflete a maneira que um trauma do passado pode ter um efeito contínuo sobre um povo. Aqui, o trauma da invasão de gafanhotos traz de volta o trauma da invasão por um exército estrangeiro. Os profetas estavam acostumados a descrever essa espécie de evento como o **Dia de** *Yahweh*. Joel sobrepõe a descrição de um exército invasor ao relato sobre a chegada de uma praga de gafanhotos. Talvez uma praga de insetos possa ser considerada trivial comparada com a invasão de um inimigo, mas as implicações da ação desses gafanhotos, a seu modo, são tão devastadoras quanto as consequências de uma invasão militar. Mas, quando as pessoas revivem um trauma, mesmo um episódio trivial pode disparar o gatilho de uma reação similar à causada pelo evento traumático original.

Ao retratar a invasão de gafanhotos dessa forma, Joel eleva o efeito da sua mensagem, no primeiro capítulo, além de reforçar o impacto de sua exortação acerca da reação adequada. É mandatório que seja mais do que um arrependimento formal, indicado pelo rasgar de roupas. Deve envolver jejum, pranto e lamento, fruto de um arrependimento interior. Assim, é necessário que envolva toda a pessoa, interna e externamente.

Além disso, Joel enfatiza o poder do apelo ao apontar alguns aspectos-chave de quem *Yahweh* é. O ato de voltar-se a ele pode ser feito com base na esperança de *Yahweh* ser "gracioso e compassivo, longânimo e vasto em compromisso." Joel utiliza a própria autodescrição de *Yahweh*, em Êxodo 34 e, assim, lembra Judá de aspectos básicos do seu conhecimento de Deus. As pessoas podiam imaginar que *Yahweh* fosse um Deus caracterizado pela ira em vez do amor, mas isso não é verdade. Embora Joel assumisse que Deus estava no controle dos gafanhotos, ele não sublinhou esse fato — o profeta enfatizou o horror da ação dos judaítas; não falou sobre o desastre como um ato de julgamento. Mas, seja qual for a sua causa, *Yahweh* ter dado aquela revelação no Sinai envolveu desistir da tribulação com a qual ameaçou **Israel**, de maneira que Joel pode suscitar a possibilidade de *Yahweh* desistir, uma vez mais, de trazer o **mal** sobre eles. O povo precisa dar meia-volta. Se voltar, Yahweh, então, também pode se voltar para eles, dar as costas ao que está fazendo no presente. A exemplo de Moisés, Joel supõe que *Yahweh* pode ser compelido a fazer isso por interesse próprio; ele não precisa ouvir o mundo questionando: "Onde está o Deus deles?". Para *Yahweh*, é possível mudar da tribulação para a bênção, que terá um conteúdo concreto: a terra produzirá os recursos para o povo fazer ofertas e oblações e, portanto, de retomar a adoração apropriada a Deus.

Yahweh cede à lógica da oração do povo e promete mais do que Joel, explicitamente, pede às pessoas. Ele os recompensará pelos anos durante os quais o gafanhoto se fartou de suas lavouras. O relato de Joel acerca dessa reação vem logo após a sua mensagem sobre voltar-se a *Yahweh*, sugerindo que essa mensagem reflete a fusão de uma reação à oração, em palavras, e a sua resposta em ações. Joel pode transmitir ao povo a boa nova de que *Yahweh* ouviu a oração deles e respondeu positivamente. Esse ouvir de *Yahweh* significa que a ação é tão certa a ponto de ser considerada favas contadas. A fala de Deus garante a ação de Deus. As pessoas podem começar a celebrar como se a promessa já tivesse sido cumprida.

JOEL 2:28—3:21
NÃO SE PODE CONTROLAR QUEM RECEBE O ESPÍRITO DE DEUS

²⁸ "Depois disso, derramarei o meu fôlego sobre toda a carne,
 e os seus filhos e as suas filhas profetizarão.
Os seus anciãos terão sonhos, os seus jovens terão visões.
²⁹ Também derramarei o meu fôlego
 sobre os seus servos e as suas servas, naqueles dias.

³⁰ Mostrarei portentos nos céus e na terra,
 sangue, fogo e colunas de fumaça.

JOEL 2:28–3:21 • NÃO SE PODE CONTROLAR QUEM RECEBE O ESPÍRITO DE DEUS

³¹ O sol se converterá em trevas, a lua em sangue,
    antes da chegada do grandioso e terrível dia de *Yahweh*.
³² Todo aquele que clamar no nome de *Yahweh* escapará,
    pois sobre o monte Sião, e em Jerusalém,
haverá um grupo de escape, como *Yahweh* disse,
    entre os sobreviventes aos quais *Yahweh* irá chamar."

CAPÍTULO 3

¹ "Pois, eis que, naqueles dias e naquele tempo,
    quando eu restaurar a sorte de Judá e de Jerusalém,
²   reunirei todas as nações e as farei descer para o vale
        Yahweh-julga.
Chegarei a uma decisão com eles, ali,
    sobre o meu povo, o meu próprio, Israel,
a quem espalharam entre as nações,
    e repartiram a minha terra.
³ Sobre o meu povo eles lançaram sortes,
    e deram meninos em troca de prostitutas,
venderam garotas por vinho e o beberam.
⁴ Agora, o que são vocês em relação a mim, Tiro e Sidom,
    e todas vocês, regiões da Filístia?
Estão dando retribuição a mim? — se estiverem me retribuindo,
    imediata e rapidamente, retornarei a sua retribuição
    sobre a sua cabeça.
⁵ Pois foi a minha prata e o meu ouro que vocês tomaram,
    as coisas boas que eu tinha em elevada estima,
vocês levaram para os seus palácios.
⁶ Venderam pessoas de Judá e de Jerusalém aos gregos,
    de modo a enviá-los para longe de sua terra.
⁷ Aqui estou eu, agitando-os no lugar para onde
    vocês os venderam,
e retornarei a sua retribuição sobre a sua cabeça.
⁸ Venderei os seus filhos e as suas filhas
    para a mão dos judaítas.
E eles os venderão ao cativeiro de uma nação distante"
    (*Yahweh* falou).

⁹ "Proclamem isto entre as nações,
  declarem uma batalha sagrada.
 Despertem os guerreiros,
  todos os combatentes devem se aproximar e subir!
¹⁰ Forjem as suas enxadas em espadas, as suas foices em
   lanças;
  o fraco deve dizer: 'Eu sou um guerreiro!'
¹¹ Depressa, venham, vocês, todas as nações ao redor, se
   reúnam;
  'Faça os seus guerreiros descerem ali, *Yahweh*!'.
¹² As nações devem despertar
  e subir para o vale *Yahweh*-julga,
 porque, ali, eu me assentarei para tomar decisões
  sobre todas as nações em redor.
¹³ Lance a foice, pois a colheita está madura,
   venham, pisem,
 pois os tonéis transbordam,
  os lagares estão cheios,
  porque o mal deles é grande.
¹⁴ Hordas e hordas, no vale do Veredito,
  pois o Dia de *Yahweh* está próximo, no vale do Veredito.
¹⁵ O sol e a lua escureceram,
  as estrelas recolheram o seu brilho;
¹⁶ *Yahweh* ruge de Sião,
  expressa a sua voz de Jerusalém.
 Os céus e a terra tremem,
  mas *Yahweh* é um refúgio para o seu povo,
  uma fortaleza para os israelitas.
¹⁷ Vocês conhecerão que eu sou *Yahweh*, o seu Deus,
  que habito em Sião, a minha montanha sagrada.
 Jerusalém será sagrada;
  estrangeiros jamais passarão por ela.
¹⁸ Naquele dia, as montanhas gotejarão vinho doce,
  das colinas manará leite,
  todos os canais de Judá fluirão águas.

> Uma fonte jorrará da casa de *Yahweh*
> e regará o vale das Acácias.
> ¹⁹ O Egito se tornará uma desolação,
> Edom se tornará um deserto, uma desolação,
> por causa da violência feita aos judaítas,
> em cuja terra eles derramaram sangue inocente.
> ²⁰ Mas Judá habitará para sempre,
> Jerusalém, de geração em geração.
> ²¹ Tratarei como inocente o derramamento de sangue deles,
> que não tratei como inocente,
> quando *Yahweh* estava habitando em Sião.'"

Eu era um jovem coadjutor (equivalente a um pároco assistente, nos Estados Unidos), quando a "renovação carismática" surgiu na Inglaterra. O meu pároco era contrário a esse movimento e, assim, não fiquei entusiasmado quando o meu amigo, David, o outro coadjutor, "confessou", em nosso evento de despedida, que ele próprio havia tido esse tipo de experiência do Espírito Santo vindo sobre ele. Sem sabermos, o mesmo ocorrera à esposa do pároco. O Espírito Santo estava fechando o cerco ao redor do nosso pároco. E, sim, ele mesmo vivenciou uma experiência similar com o passar do tempo. Não podemos forçar a ocorrência dessa experiência, pois ela é um dom de Deus. Talvez você consiga evitar que ela ocorra, caso se esforce muito; Deus pode desistir da tentativa de lhe dar esse dom. Ao que tudo indica, o pároco não se esforçou o suficiente para evitá-lo.

Joel retrata o espírito de Deus descendo sobre filhos e filhas, sobre servos e servas, e sobre jovens e velhos. Talvez mães e pais não estejam excluídos, mas a ênfase reside sobre pessoas que não contam muito, segundo o reconhecimento humano. Isso está de acordo com a maneira que Deus escolhe e usa o irmão mais novo, em lugar do mais velho (a exemplo de Jacó e de Davi). Caso seja a mãe, o pai ou o primogênito, não pode fazer nada a respeito — tudo o que pode fazer é sorrir e alegrar-se com o que Deus faz.

A palavra hebraica para "espírito" é também a mesma para "fôlego" e "vento". A tradução "fôlego" nos lembra que, de fato, isso está fora do nosso controle; não está em nossas mãos decidir quando o fôlego e, portanto, a vida, começa, nem quando termina. "Vento" possui implicações paralelas; o vento é poderoso e incontrolável. Talvez, Joel pertença a um período no qual não havia muitas visões e profecias, a exemplo do tempo na Igreja da Inglaterra, antes do surgimento da renovação carismática. Joel promete que essa ausência não persistirá para sempre. O Novo Testamento vê Pentecoste como um cumprimento da promessa de Joel, mas a igreja, com frequência, descobre-se de volta à situação pressuposta por Joel, de maneira que é positivo que a sua promessa pudesse ser cumprida mais de uma vez. A promessa sobre o fôlego de *Yahweh* é a primeira de uma série de promessas e advertências separadas que abrangem a última seção do livro de Joel. A vaga expressão "Depois disso", que abre a coleção, sugere que não há nenhuma ligação próxima entre essas profecias e a situação da praga de gafanhotos.

Ao lado da promessa acerca do fôlego de Deus vir sobre as pessoas, há a advertência quanto ao juízo sobre o opressivo mundo das nações, que é mais preocupante para aqueles de nós, pertencentes a poderes ocidentais, que estão na mesma posição das grandes nações da época em que os profetas viveram. Embora Isaías 2 descreva a transformação das espadas em enxadas, Joel prediz a transformação inversa. Trata-se de uma expectativa mais realista e, ao que parece, irônica. Com efeito, *Yahweh* está dizendo às nações: "Façam o meu dia!", preparem-se para a batalha, pois é a última na qual lutarão. Vocês se descobrirão em um cenário no qual eu tomarei as decisões sobre o seu destino, e o farei à luz da maneira que vocês se comportaram em relação ao meu povo e à minha terra; e, portanto, em relação ao meu propósito no mundo. A repetida promessa a um povo frágil como **Israel** é de que eles serão protegidos quando a grande crise vier.

A passagem sobre portentos nos céus e uma fonte fluindo da casa de *Yahweh*, em Jerusalém, demonstra que não devemos ser excessivamente literais na interpretação das profecias. O sermão de Pedro, no dia de Pentecoste, em Atos 2, faz essa presunção: os eventos naquele Pentecoste específico não corresponderam, literalmente, ao retrato de Joel, mas Pedro ainda pode compreender Pentecoste como um cumprimento dele. Assim, é valido olhar para as ocorrências no mundo e ponderar se é possível ver uma bênção ou um juízo, em particular, como outro cumprimento dessas promessas e advertências.

A nota final de Joel reverte uma ameaça que parece pairar sobre Jerusalém. Há, com frequência, sangue inocente derramado pela cidade, assim como na cidade, e esse sangue clama aos céus. Enquanto a cidade continuar a ser um lugar de violência, ela deve pagar o preço. A misericórdia de Deus, todavia, significa que, com base em seu arrependimento, Deus pode achar outro meio de responder a esse clamor.

AMÓS

AMÓS 1:1—2:5
AS NAÇÕES SÃO RESPONSÁVEIS

¹Palavras de Amós, que estava entre os criadores de ovelhas, em Tecoa, e que viu acerca de Israel, nos dias de Uzias, rei de Judá, e de Jeroboão, filho de Joás, rei de Israel, dois anos antes do terremoto. Ele disse:

² "Quando *Yahweh* rugir de Sião
  e expressar sua voz de Jerusalém, as
pastagens dos pastores prantearão,
  a cabeça do Carmelo murchará."
³ *Yahweh* assim disse:
  "Por três rebeliões de Damasco,
  por quatro, não o revogarei,
    porque trilharam Gileade com trilhos de ferro.
⁴ Enviarei fogo contra a casa de Hazael,
  e ele consumirá as fortalezas de Ben-Hadade.
⁵ Quebrarei a tranca da porta de Damasco,
    cortarei os habitantes do vale da Iniquidade,
  aquele que segura o cetro da casa de Éden,
  e o povo da Síria irá para o exílio em Quir",
    assim disse *Yahweh*.

⁶ *Yahweh* assim disse:
  "Por três rebeliões de Gaza,
  por quatro, não o revogarei,
    porque levaram toda uma comunidade ao exílio,
      entregando-a a Edom.
⁷ Enviarei fogo contra os muros de Gaza,
  e ele consumirá as suas fortalezas.
⁸ Eliminarei os habitantes de Asdode,
    aquele que segura o cetro de Ascalom.
  Voltarei a minha mão contra Ecrom;
    os remanescentes dos filisteus perecerão",
    assim disse o Senhor *Yahweh*.

⁹ *Yahweh* assim disse:
  "Por três rebeliões de Tiro,
  por quatro, não o revogarei,
    porque entregaram toda uma comunidade de
  exilados para Edom;
    eles não se lembraram da aliança de irmandade.

¹⁰ Enviarei fogo contra os muros de Tiro,
   e ele consumirá as suas fortalezas."
¹¹ *Yahweh* assim disse:
   "Por três rebeliões de Edom,
   por quatro, não o revogarei,
      porque perseguiram o seu irmão com uma espada,
         destruíram a sua compaixão.
   A sua ira despedaçou incessantemente,
      a sua indignação assistiu continuamente.
¹² Enviarei fogo contra Temã,
   e ele consumirá as fortalezas de Bozra."

¹³ *Yahweh* assim disse:
   "Por três rebeliões dos amonitas,
   por quatro, não o revogarei,
      porque rasgaram o ventre de mulheres grávidas
         em Gileade,
      a fim de ampliar o seu território.
¹⁴ Colocarei fogo nos muros de Rabá,
   e ele consumirá as suas fortalezas,
   com gritos em um dia de batalha,
      com um furacão em um dia de tempestade.
¹⁵ O seu rei irá para o exílio,
      ele e os seus oficiais, juntos",
   Yahweh disse.

CAPÍTULO 2

¹ *Yahweh* assim disse:
   "Por três rebeliões de Moabe,
   por quatro, não o revogarei,
      porque queimaram os ossos do rei de Edom até as cinzas.
² Enviarei fogo contra Moabe,
      e ele consumirá as fortalezas de Queriote.
   Moabe morrerá em meio a um tumulto,
      em meio a gritos e o som de uma trombeta.

AMÓS 1:1—2:5 • AS NAÇÕES SÃO RESPONSÁVEIS

³ Eliminarei o governante de dentro dele,
   e matarei todos os seus oficiais com ele",
Yahweh disse.

⁴ *Yahweh* assim disse:
   "Por três rebeliões de Judá,
   por quatro, não o revogarei,
      porque rejeitaram o ensino de *Yahweh* e não guardaram
      as suas leis.
   As suas mentiras os desviaram,
      nas quais os seus ancestrais andaram.
⁵ Enviarei fogo contra Judá,
      e ele consumirá as fortalezas de Jerusalém."

Hoje, pela manhã, li notícias sobre Damasco. O presidente e o governo daquele país estão envolvidos em uma batalha contínua contra forças insurgentes, durante a qual, até agora, resultou na morte de setenta mil pessoas e no deslocamento de centenas de milhares, que ficaram sem suas casas. A simpatia do Ocidente está com os insurgentes, mas os poderes ocidentais já estão desgastados por seu envolvimento nos conflitos no Iraque e no Afeganistão, e há desconfianças acerca desse envolvimento adicional. O noticiário pressupõe que essas forças do Ocidente estão sob uma obrigação moral para agir, embora acrescente o argumento de que o caos na Síria não era objeto de interesse do Ocidente.

Amós concordaria com o argumento de que há obrigações éticas, políticas e sociais pairando sobre a moderna Damasco e os poderes ocidentais. Ele não presume que haja a necessidade de uma revelação especial profética para saber que existem ações corretas e erradas. Deus criou os seres humanos de modo a embutir uma consciência divina básica, verdades fundamentais acerca de Deus e sobre certo e errado. Na verdade, é possível atrofiar essa consciência, a ponto de cauterizá-la, mas a consciência é natural; o repúdio a ela, não.

Deus pode, portanto, nos tratar como pessoas responsáveis por reconhecer o certo e o errado, e de falhar em viver segundo esse conhecimento. Deus fez isso com a Síria, a Filístia, com Tiro, **Edom**, Amom e Moabe — em outras palavras, cada uma das nações vizinhas à **Israel**. Amós, no entanto, não se dirige a esses povos; ele está falando *sobre* eles, não *a* eles. Até onde sabemos, ele jamais saiu de Israel. Os profetas, regularmente, falam sobre a maneira pela qual Deus vê as nações pertencentes ao mundo do Oriente Médio, mas falam sobre elas no decurso de sua comunicação com Israel.

A sua importância, especificamente falando, varia. Pode-se imaginar Amós pregando no pátio de um santuário, declarando o seu juízo sobre os povos vizinhos ("três [...] quatro" é uma espécie de fórmula para expressar "rebelião após rebelião", e "não o revogarei" significa que *Yahweh* não revogará o seu veredito e a sua sentença). Ainda, pode-se imaginar esse discurso levantando uma aclamação entre os israelitas, como um pregador moderno declarando juízo sobre o Irã ou a Coreia do Norte. Amós é um criador de ovelhas em Tecoa, ao sul de Jerusalém, entre Belém e Hebrom. O profeta sabe que Jerusalém é a cidade de *Yahweh*; a casa de *Yahweh* está ali. Portanto, *Yahweh* ruge como um leão desde Jerusalém. O terremoto é mencionado por causa da convicção de que ele trouxe um cumprimento das profecias de calamidade de Amós; há evidências independentes da ocorrência de, pelo menos, um terremoto nos dias de Amós, em indicações arqueológicas acerca de um evento desses em Hazor, na Galileia.

A julgar pelo seu livro, a maior parte ou todo o seu ministério foi exercido em **Efraim**; mais tarde, ele nos contará como foi parar ali, embora sua origem fosse em uma pequena região de **Judá**. Em função do relacionamento ambivalente entre Efraim e Judá, pode-se imaginar o entusiasmo efraimita quando Amós inclui Judá em sua lista de povos sobre os quais Deus está trazendo juízo. Em relação a Judá, o profeta não fala, simplesmente, em termos do que qualquer outro povo deveria saber. Judá possui a **Torá**, e Amós pode criticar Judá por sua atitude arrogante em relação à lei de Deus e declarar que a nação será destruída como os demais povos em derredor. Claro que se você estivesse ouvindo Amós ou lendo as suas mensagens em Judá, em dias posteriores, ou mesmo nos dias do profeta, o impacto sobre você seria menos reconfortante.

AMÓS **2:6 —3:15**
VOCÊS TAMBÉM

⁶ *Yahweh* assim disse:
"Por três rebeliões de Israel,
por quatro, não o revogarei,
porque venderam uma pessoa fiel por prata,
uma pessoa necessitada por um par de sandálias.
⁷ Vocês que pisoteiam a cabeça dos pobres no pó do chão,
e pervertem o caminho das pessoas humildes!
Um indivíduo e o seu pai vão a uma garota,
de modo a profanar o meu sagrado nome.
⁸ Com roupas empenhadas,
se deitam ao pé de qualquer altar.
Na casa do seu Deus eles bebem
o vinho de pessoas que foram defraudadas.

⁹ Eu sou aquele que destruiu o amorreu diante deles,
cuja altura era como a altura de cedros,
e que era tão forte quanto carvalhos
Destruí o seu fruto em cima,
e as suas raízes embaixo.

¹⁰ Sou aquele que tirou vocês
   da terra do Egito.
  Eu os capacitei a atravessar o deserto
   por quarenta anos,
   para tomarem posse da terra dos amorreus.
¹¹ Levantei profetas de seus filhos,
   nazireus de seus jovens.
  Não é, de fato assim, israelitas?"
   (declaração de *Yahweh*).
¹² E fizeram os nazireus beberem vinho
   e ordenaram aos profetas:
  'Vocês não devem profetizar.'
¹³ Eis que esmagarei vocês,
   como uma carroça faz um trilho quando está carregada
    de grãos.
¹⁴ A fuga de nada valerá ao ágil,
   o poderoso não reterá a sua força.
  O guerreiro não salvará a sua vida,
¹⁵ aquele que empunha o arco não permanecerá.
  O rápido de pés não se salvará,
   o que monta um cavalo não salvará a sua vida.
¹⁶ O mais forte de coração entre os guerreiros
   fugirá nu, naquele dia.'"
   (declaração de *Yahweh*).

CAPÍTULO 3

¹ Ouçam esta mensagem,
   que *Yahweh* falou sobre vocês, israelitas.
  Acerca de toda a família
   que tirei do Egito:
² "Somente a vocês eu reconheci
   de todas as famílias da terra.
  Portanto, atentarei para vocês,
   por todos os seus atos de transgressão.
³ Andarão dois juntos,
   se não tiverem feito um acordo?

⁴ Um leão ruge na floresta,
   se não houver presa?
  Um puma eleva a voz de sua toca,
   se não apanhou algo?
⁵ Uma ave cai em uma armadilha na terra em que não
   há laço?
  Uma armadilha se desarma,
   caso, na verdade, não tenha apanhado nada?
⁶ Se uma trombeta soa na cidade,
   o povo não entra em pânico?
  E se o mal vier sobre uma cidade,
   não é *Yahweh* que o fez?
⁷ Pois o Senhor *Yahweh* nada faz,
   se não tiver revelado o seu plano
   aos seus servos, os profetas.
⁸ Um leão rugiu,
   quem não teria medo?
  O Senhor *Yahweh* falou,
   quem não profetizaria?

⁹ "Façam ouvir nas fortalezas de Asdode,
   e nas fortalezas da terra do Egito.
  Digam: 'Reúnam-se nas montanhas de Samaria,
   olhem para o grande caos ali,
   os oprimidos em seu meio.'
¹⁰ Eles não reconheceram o agir correto"
   (declaração de *Yahweh*) — "o povo que acumula
    violência e destruição em suas fortalezas."
¹¹ Portanto, o Senhor *Yahweh* assim disse:
   "Um adversário, e ao redor da terra,
  ele destruirá as suas forças —
   as suas fortalezas serão saqueadas."
¹² *Yahweh* assim disse:
   "Como um pastor resgata da boca do leão
  dois ossos da perna ou a ponta de uma orelha,

> assim os israelitas, que vivem em Samaria, escaparão,
> com a perna de uma cama ou o pedaço de um sofá.
> ¹³ Ouçam e testifiquem contra a casa de Jacó"
> (uma declaração do Senhor *Yahweh*, Deus dos Exércitos):
> ¹⁴ Naquele dia, atentarei para as rebeliões de Israel,
> atentarei para os altares de Betel.
> Os chifres do altar serão cortados,
> e cairão ao chão.
> ¹⁵ Atingirei o palácio de inverno,
> assim como o palácio de verão.
> Os palácios de marfim perecerão,
> as grandes casas chegarão ao fim."
> (declaração de *Yahweh*).

Ontem, na igreja, uma professora de pregação me contou, com certo ar de diversão, que havia recebido uma chamada, na noite anterior, de um ex-aluno, hoje pastor, que não sabia "o que fazer" com a leitura do Evangelho determinada para o dia, extraída de Lucas 13. (O pastor não entendia que pensar no sermão de domingo na noite anterior não era aconselhável. Essa passagem do Evangelho relata uma parábola sobre uma figueira, que representa o povo de Deus. Jesus fala que o proprietário da figueira deu ordens para que ela fosse cortada caso não desse fruto no próximo ano, após mais um período de adubação e cuidados. O pregador não queria levar às pessoas essa mensagem de Jesus.

Amós, talvez, tenham sentido o mesmo, ao ter que transmitir uma mensagem similar (se o terremoto aconteceu dois anos mais tarde, talvez **Yahweh** tenha sido menos duro do que Jesus prometeu ser). A exemplo de Jesus, em suas parábolas, Amós lança mão de quaisquer meios para penetrar a dura cerviz de seu povo. A congregação no santuário dos **efraimitas**, decerto, aplaudiria efusivamente ao ouvir o profeta declarar juízo sobre os seus vizinhos; então, a declaração sobre aqueles **judaítas** hipócritas os faria exultar ainda mais. Amós é sério em sua declaração sobre as demais nações, mas a sua fala, aparentemente, demagógica, é designada a preparar os efraimitas. Os aplausos cessarão assim que ele, em seguida, proferir: "Por três rebeliões de Israel, por quatro, não o revogarei." As primeiras palavras registradas no livro tinham antecipado esse ponto. Quando o leão ruge em Jerusalém, ele faz murchar o cume do Carmelo em Efraim. Sim, Efraim, estava no retrato desde o início.

A crítica de Amós refere-se, primeiro, às pessoas que estão indo bem na comunidade, que se aproveitam daqueles afetados por dias ruins. O versículo sobre um homem e seu pai indo a uma jovem mulher também sugere o abuso dos vulneráveis, embora a questão ali não seja muito clara. Amós passa a abordar a falha da comunidade em responder a tudo o que *Yahweh* fez por ela. Em vez disso, o povo mandou os profetas calarem a boca e persuadiram os nazireus à indulgência, em lugar de manterem o seu estilo de vida simples e inspirador. Israel foi a nação que *Yahweh* escolheu — a referência a toda a família, uma vez mais, desafiaria os leitores judaítas do futuro a se incluírem aqui.

As questões, aparentemente, aleatórias, no terceiro parágrafo, constituem outra tentativa de sensibilizar o povo. Todas as perguntas se relacionam, de uma forma ou outra, com a ligação entre causa e efeito. Consideramos que tudo tem uma explicação; há motivos pelos quais as coisas acontecem, e quando elas ocorrem, há respostas apropriadas. Quando a tribulação sobrevier à Samaria, não será um evento aleatório. *Yahweh* será o causador dela, não sem antes anunciá-la. Amós fala como se estivesse falando sobre qualquer cidade e, em certo sentido, Deus é que causa toda e qualquer calamidade, mas, muitas delas acontecem sem aviso prévio da parte de Deus, e a preocupação do profeta, aqui, não é com o ponto geral acerca da soberania divina, mas com as ações deliberadas específicas, realizadas por Deus, de tempos em tempos, em Israel. Os profetas anunciam esses eventos de antemão para que as pessoas respondam adequadamente — e, assim, deem um motivo para *Yahweh* mudar seu plano. Um profeta que receba tal anúncio, dificilmente, conseguirá se manter calado a respeito (como as pessoas prefeririam!).

Os profetas, às vezes, falam sobre a misericórdia de *Yahweh* permitir que haja um **remanescente** após o juízo divino. Os únicos remanescentes aos quais Amós se refere são os restos inúteis que apenas fornecerão evidências para a companhia de seguros de que alguém, algum dia, possuiu aquela ovelha ou cama.

AMÓS 4:1-13
QUANDO A ADORAÇÃO É OFENSIVA

1 Ouçam esta mensagem, vocês, vacas de Basã
  que estão na montanha de Samaria,
vocês, que defraudam os pobres,
  que esmagam os necessitados,
  que dizem aos seus maridos:
"Tragam algo para bebermos."

2 O Senhor *Yahweh* jurou pela sua santidade:
"Eis que dias estão vindo sobre vocês,
  nos quais alguém os carregará com ganchos —
  sim, os últimos de vocês com anzóis.

3 Pelas brechas vocês sairão,
  cada mulher em frente,
e serão lançados para Harmom"
  (declaração de *Yahweh*).

⁴ "Vão a Betel e se rebelem —
   a Gilgal multiplicar a rebelião.
Tragam os seus sacrifícios a cada manhã,
   os seus dízimos a cada três dias.
⁵ Queimem o pão fermentado da sua oferta de gratidão,
   proclamem ofertas voluntárias,
façam-nas ser ouvidas,
   pois vocês amam isso, israelitas"
   (declaração do Senhor *Yahweh*).
⁶ "Embora eu mesmo lhes tenha dado
   dentes vazios em todas as suas cidades,
falta de comida em todos os seus lugares,
   mas vocês não retornaram para mim"
   (declaração de *Yahweh*).
⁷ Embora eu mesmo tenha retido a chuva de vocês,
   quando ainda faltavam três meses para a colheita.
Eu deixei chover sobre uma cidade,
   mas não deixei chover sobre outra.
Sobre um lote choveu,
   e o lote sobre o qual não choveu, murchou.
⁸ Duas ou três cidades perambularam
   até outra cidade para beber água, e não se saciaram.
Mas vocês não retornaram para mim" (declaração de *Yahweh*).

⁹ "Eu os afligi com ferrugem e mofo,
   multiplicando-os em seus jardins e pomares,
os gafanhotos comeram as suas figueiras e oliveiras,
   mas vocês não retornaram para mim" (declaração de
   Yahweh).
¹⁰ "Enviei epidemias entre vocês,
   à maneira do Egito,
matei os seus jovens com a espada,
   deixei seus cavalos serem capturados,
fiz o odor dos seus campos subir,
   até mesmo em suas narinas,

mas vocês não retornaram para mim" (declaração
de *Yahweh*).
¹¹ "Derrubei alguns de vocês,
como a extraordinária queda de Sodoma e de Gomorra,
e vocês se tornaram como um tição em chamas, tirado
do fogo,
mas vocês não retornaram para mim" (declaração
de *Yahweh*).
¹² "Portanto, isto é o que farei a você, Israel;
porque farei isto a você,
prepara-se para encontrar o seu Deus, Israel.
¹³ Pois há um que molda montanhas,
cria o vento,
diz aos seres humanos que é o seu pensamento,
transforma a alvorada em trevas,
pisa nos lugares altos da terra —
Yahweh, Deus dos Exércitos, é o seu nome."

Numa noite dessas, durante uma aula, estávamos considerando uma passagem, nos Profetas, na qual Deus diz que não está interessado na adoração da comunidade, porque os seus membros estão adorando apenas como expressão da própria autoindulgência. Na ocasião, comentei que essa atitude lembra a forma que vamos adorar na esperança de termos um período grandioso e de elevarmos os nossos sentimentos. Um dos alunos empalideceu de maneira visível. Ele jamais percebera, anteriormente, como a nossa adoração pode ser tão autocentrada.

Quando Amós convidou o povo a ir a Betel e a Gilgal, havia certa ironia em seu convite. Essas cidades eram locais de santuários nos quais a comunidade buscava a bênção de **Yahweh** nos festivais. Amós, novamente, exibe a sua habilidade retórica: aqui, ele fala como um sacerdote que está, genuinamente, conclamando o povo a ir e se unir em adoração. Na realidade, a adoração deles torna o seu pecado ainda pior. Quanto mais adoram, mais grave fica. Ninguém oferece sacrifícios todos os dias ou dá o dízimo a cada três dias: Amós está, de modo sarcástico, encorajando o povo a ser, extremamente, compromissado em sua adoração.

O problema é que *Yahweh* está tentando atrair a atenção deles e fazê-los responder, mas eles estão ignorando as suas tentativas. Eles vão para adorar, mas não há um retorno genuíno para Deus. Ao se reunirem para a adoração, após vivenciarem as calamidades que Amós descreve, aqui, certamente, eles oraram com fervor a *Yahweh* pedindo para restaurá-los e abençoá-los, mas a questão é que eles não extraíram as conclusões certas das aflições que experimentaram. Nem sempre a seca, a falta de alimentos, as epidemias ou as derrotas significam que Deus está castigando uma comunidade por sua rebelião, mas, nessa ocasião específica, é isso o que ele está fazendo, e o povo não considera essa possibilidade. Eles são como os membros da igreja em Corinto que haviam passado por tribulações e não tinham questionado o motivo (veja 1Coríntios 11). Eles necessitavam refletir, seriamente, sobre quem é o Deus a quem não levavam a sério.

Os homens de uma comunidade, em geral, é que são objeto da crítica dos Profetas, pois eles detêm a autoridade formal na vida comunitária, mas, ocasionalmente, os Profetas se dirigem às esposas desses homens. Vacas de Basã são animais bem tratados e vistosos (pense em bois da raça Angus). As mulheres se assemelham a eles porque elas estão na posição de beneficiárias da desonestidade de seus respectivos maridos e, portanto, os encorajam. Quando seres humanos proferem juramentos, eles o fazem por algo superior a si mesmos; quando *Yahweh* jura, tudo o que ele pode fazer é orar por sua própria santidade. (Não conhecemos a localização de Harmom.)

AMÓS 5:1-27
QUANDO O EXERCÍCIO DE AUTORIDADE SE TORNA VENENOSO

1 Ouçam esta mensagem, que estou proferindo:
   um lamento sobre você, casa de Israel:
2 "Ela está caída, não irá se levantar, sra. Israel;
   abandonada em sua terra e não há ninguém que a
   ajude a se levantar."
3 Porque o Senhor *Yahweh* assim disse:
   "A cidade que sair como um milhar
   será deixada com cem.
   Aquele que sair como uma centena
   deixará dez para a casa de Israel."
4 Porque *Yahweh* assim disse à casa de Israel:
   "Busquem-me e vivam.
5 Não busquem Betel, não vão a Gilgal,
   não atravessem até Berseba.
   Porque Gilgal deve ir ao exílio
   e Betel será reduzida a nada.
6 Busquem *Yahweh* e vivam,
   para que ele não irrompa como fogo na casa de José,
   e consuma Betel,
   e não haja ninguém para extingui-lo.

7 Vocês, que transformam a autoridade em veneno
   e fazem a fidelidade permanecer no chão!
8 Ele é aquele que faz as Plêiades e o Órion,
   e torna a profunda escuridão em alvorada.
   Ele escurece o dia, o torna noite,
   aquele que convoca as águas do mar,
   as derrama sobre a face da terra —
   Yahweh é o seu nome —
9 aquele que traz destruição sobre o forte,
   para que a destruição venha sobre a fortaleza.

¹⁰ Eles repudiam o queixoso junto ao portão,
   detestam aquele que fala toda a verdade.
¹¹ Portanto, porque vocês tributam a pessoa pobre,
   cobram dela uma contribuição em grãos,
   constroem casas de pedra lavrada, mas não viverão nelas.
¹² Pois conheço os seus muitos atos de rebelião,
   as suas numerosas ofensas,
vocês, adversários do fiel, tomadores de suborno,
   que se desviam dos necessitados junto ao portão.
¹³ Por isso, a pessoa sensata mantém silêncio nessa hora,
   porque é um tempo mau.
¹⁴ Busquem o bem, não o mal, para que vivam;
   portanto, *Yahweh*, Deus dos Exércitos,
   estará com vocês, conforme dizem.
¹⁵ Repudiem o mal, entreguem-se ao bem,
   estabeleçam o julgamento junto ao portão.
Talvez *Yahweh*, Deus dos Exércitos,
   seja gracioso com o remanescente de José."

¹⁶ Portanto, *Yahweh*, Deus dos Exércitos, o Senhor,
   assim disse:
"Em todas as praças haverá lamentação,
   em todas as ruas eles dirão: 'Ai! Ai!'
Convocarão o lavrador para chorar,
   e para lamentar,
   as pessoas que sabem como lamentar.
¹⁷ Em todos os pomares haverá lamentação
   quando eu passar pelo meio deles'", *Yahweh* disse.
¹⁸ Ai de vocês, que anseiam pelo Dia de *Yahweh*!
Quão bom é, realmente, o Dia de *Yahweh* para vocês?
   Será de trevas, não de luz.
¹⁹ Como quando alguém foge de diante de um leão,
   e um urso o encontra,
ou ele chega em casa, apoia sua mão na parede,
   e é picado por uma serpente.

AMÓS 5:1-27 • QUANDO O EXERCÍCIO DE AUTORIDADE SE TORNA VENENOSO

²⁰ Não será, pois, o Dia de *Yahweh* de trevas, não de luz,
 de escuridão, sem nenhuma claridade?
²¹ Eu repudio, rejeito os seus festivais;
 não tenho prazer nas suas assembleias.
²² Mesmo que me ofereçam ofertas queimadas e as suas
  ofertas de cereal,
 eu não as aceitarei;
 a oferta de comunhão de animais bem nutridos,
 não darei atenção.
²³ Afastem de mim o som das suas canções;
 não ouvirei o som das suas liras.
²⁴ O exercício de autoridade deve fluir como água,
 a fidelidade como um riacho perene.
²⁵ Foram sacrifícios e ofertas que vocês apresentaram a mim,
 no deserto, por quarenta anos, casa de Israel?
²⁶ Vocês carregarão Sicute, o seu rei, e Quium,
 as suas imagens, a estrela do seu deus,
 que fizeram para si mesmos,
²⁷ e eu os exilarei para além de Damasco",
 Yahweh, cujo nome é Deus dos Exércitos, disse.

Acabei de ouvir um homem de Los Angeles, com quase cinquenta anos, contar a sua história. Ele passou a maior parte de sua vida trancafiado em uma prisão, porque, com dezessete anos, ele auxiliou dois assassinos a fugirem da cena do crime, e por jamais revelar a identidade deles — ele sabia que, caso os delatasse, a sua família seria vítima de uma terrível vingança. Um clérigo da sua cidade o conheceu e o inspirou a descobrir uma nova vida, mesmo atrás das grades e, após algum tempo, obter liberdade condicional. Antes do assassinato, Vance já havia estado em um centro de detenção juvenil, e lhe perguntamos o que poderia tê-lo ajudado, naquela situação, como um jovem adolescente. Como resposta, ele disse que alguém que caminhasse ao seu lado, após ele sair da detenção, poderia tê-lo ajudado. Mas não havia ninguém, pois poucos prisioneiros encontram alguém como aquele clérigo. Deixamos a maioria desses internos na companhia de criminosos experientes e expostos a serem tragados pela violência no interior das prisões.

É possível, portanto, transformar o exercício de **autoridade** em veneno, como afirma Amós, em sua devastadora sentença. A autoridade é designada a proteger a comunidade e os seus integrantes ao prover um meio de solucionar conflitos. Os anciãos se reúnem junto ao portão da cidade, lugar no qual eles acompanham uma disputa, analisam o caso e decidem sobre ele. Trata-se de uma grande teoria que parece ser mais vantajosa do que o sistema ocidental, mas é tão passível quanto este último, de ser subvertido pelo egoísmo humano.

No começo desta seção, Amós tenta usar outra manobra retórica, que assume a forma de um cântico de lamento sobre alguém que faleceu. A audiência se pergunta quem morreu, e compreende que a resposta é: "Vocês." Amós está lamentando a morte da comunidade. Ele quer que os seus membros percebam que ela é iminente e inevitável, a não ser que eles mudem. Ele, aqui, uma vez mais, fala como um sacerdote ao incentivar o povo a se voltar a *Yahweh* e buscar o que eles necessitam. Mas o que precisam fazer é, genuinamente, se voltarem a *Yahweh*. Apenas ir ao santuário não conta, pois os santuários estão entre os locais que irão desaparecer. A busca por *Yahweh* deve ser expressa pela busca do bem. Como de costume, há uma certa ambiguidade no uso das palavras "bem" e mal. Se a comunidade buscar o que é bom, ela experimentará o bem na forma de bênção; caso vá em busca do que é mal, experimentará o mal na forma de tribulação (mas mil vezes no primeiro caso, e três ou quatro, no segundo, a julgar pelo que Deus afirma em outras passagens).

A referência do profeta ao **Dia de *Yahweh*** é a primeira dessas citações, nas Escrituras, mas a ideia é, evidentemente, familiar. O "Dia do Senhor" é o dia no qual o propósito de *Yahweh* será cumprido e o povo experimentará a plenitude da bênção de *Yahweh*. Essa experiência, naturalmente, inclui derrotar os povos que os atacam — nos dias de Amós, **Efraim** está sob intensa pressão da **Assíria**, a superpotência do nordeste, e no Dia de *Yahweh*, a superpotência será destruída. A repetida referência aos festivais sugere que seriam ocasiões para ansiar pelo cumprimento de tais esperanças e de orar para Yahweh apresar esse dia.

Amós revolve essas ideias na cabeça deles. A natureza da vida de Efraim significa que o dia em que o propósito de *Yahweh* for cumprido e o mal derrotado também deverá ser o de destruição para Efraim, não de bênção. Os efraimitas não serão resgatados da superpotência; antes, eles próprios e as suas imagens serão levadas ao **exílio**. Eles pensam que a adoração é muito importante, mas Amós os recorda de que, no começo da história deles como povo de Yahweh, quando ainda estavam peregrinando no deserto, rumo à nova e estabelecida vida, em Canaã, não havia um santuário permanente, no qual os sacerdotes podiam apresentar ofertas e entoar louvores a *Yahweh*, desde a alvorada até o crepúsculo. O relacionamento entre *Yahweh* e o povo pode sobreviver à ausência de ofertas e cânticos, porém, não é capaz de viver sem o **fiel** exercício de autoridade, que deve prevalecer.

AMÓS **6:1-14**
ADVERTÊNCIA AOS PREGUIÇOSOS

1. Ai de vocês, que vivem tranquilos em Sião,
    que estão seguros na montanha de Samaria!
   Vocês, notáveis da primeira entre as nações,
    aos quais a casa de Israel recorre.

AMÓS 6:1-14 • ADVERTÊNCIA AOS PREGUIÇOSOS

² Passem a Calné e olhem,
 de lá, vão até a grande Hamate,
 desçam até Gate, na Filístia.
São estes melhores do que os seus reinos,
 ou o território deles melhores que o seu?
³ Vocês, que afastam o dia mau,
 e aproximam o domínio da violência.
⁴ Vocês, que se deitam em camas de marfim,
 e se espreguiçam em seus sofás,
consumindo cordeiros do rebanho,
 novilhos do meio do curral,
⁵ fazendo música ao som da lira, como Davi,
 que compuseram para si mesmos em instrumentos musicais,
⁶ que bebem vinho em grandes taças,
 ungem-se com os óleos mais finos,
 mas não adoecem com a ruína de José.
⁷ Por isso, agora, irão para o exílio, entre os primeiros a
 serem exilados,
 e a folia dos preguiçosos cessará.
⁸ O Senhor *Yahweh* jurou por si mesmo
 (declaração de *Yahweh*, Deus dos Exércitos):
"Eu detesto a majestade de Jacó,
 repudio as suas fortalezas.
Entregarei a cidade e tudo nela.
⁹ Se dez pessoas forem deixadas em uma casa, elas morrerão.
¹⁰ Se o parente de alguém o levantar
 (a pessoa que queima especiarias para ele),
tirar os seus ossos para fora da casa,
 e disser a quem estiver no interior da casa:
"Há alguém ainda com você", ele dirá: "Não",
 e este dirá: "Silêncio! Porque não devemos
 mencionar o nome de *Yahweh*".
¹¹ Pois, eis que *Yahweh* irá ordenar,
 e ele destruirá a grande casa em pedaços,
 e a pequena casa em pedacinhos.

AMÓS 6:1-14 • ADVERTÊNCIA AOS PREGUIÇOSOS

¹² Cavalos correm sobre um rochedo, ou
    alguém consegueará-lo com bois?
Porque vocês tornaram o governo em peçonha,
    E o fruto fiel em veneno,
¹³ vocês, que celebram em Lo-Debar,
    que dizem: "Não foi pela nossa força
    que conquistamos Carnaim?"
¹⁴ Porque aqui estou eu, prestes a levantar contra vocês
    (declaração de *Yahweh*,
Deus dos Exércitos).
    uma nação, e eles os afligirão,
    desde Lebo-Hamate até o vale da Arabá."

Em meu comentário sobre Daniel, mencionei que o prédio no qual eu resido está dando sinais de sua elevada idade. Desde que eu escrevi aquele capítulo, a situação se tornou mais dramática. Diante dos meus pés, uma parte da parede desmoronou, por causa da infiltração de umidade externa. Faz um ano desde que a minha esposa alertou que a umidade da chuva poderia se infiltrar por trincas no reboque da parede externa, porém, nenhuma providência foi tomada a respeito. Certa amiga nossa, que reside no andar superior, achava que não precisava se preocupar, mas se todos nós continuarmos de braços cruzados, um dia, ela se descobrirá sentada no andar inferior. Nesse meio tempo, em tardes de céu limpo, eu e o marido dela, às vezes, relaxamos em espreguiçadeiras, desfrutando dos raios de sol.

Desse modo, nos sentiríamos perfeitamente à vontade em Samaria, pois os **efraimitas** estavam agindo da mesma maneira (o versículo inicial deixa claro que os **judaítas** não estavam se comportando melhor, como profetas de Jerusalém, a exemplo de Isaías e de Miqueias, deixam claro). Estavam se comportando como se tudo estivesse às mil maravilhas, e desfrutando uma excelente vida. Isso incluía os notáveis aos quais a comunidade seguia em busca de liderança. Todos tinham a própria cabeça enterrada na areia; não era necessário ser inteligente para compreender as inscrições na parede (note a ligação com Daniel 5). A **Assíria** já havia conquistado e/ou assumido o controle de áreas ao norte e ao oeste. Não seria preciso possuir dons proféticos para enxergar que Efraim seria a próxima conquista. Esses desenvolvimentos eram inevitáveis, não apenas política, mas moralmente. Como poderia *Yahweh* evitar que Efraim tivesse um destino similar, considerando a condição de vida dos efraimitas? Amós, novamente, emprega a sua habilidade retórica, desta vez em sua singular descrição da excelência com que as pessoas viviam na capital, a qual contrastava com a falta de preocupação deles com a ruína de José (outra maneira de se referir a Efraim, pois este era filho de José). Eles marcam passo em desfrutar o melhor da vida e marcarão passo na jornada até o **exílio**.

A queda da cidade significará destruição total. A nota sobre não mencionar o nome de *Yahweh* pode implicar o reconhecimento de que *Yahweh* agiu em juízo, bem como, o desejo de que algum sobrevivente da catástrofe seja capaz de continuar escondido — não apenas das forças humanas, mas do juízo adicional de Deus.

No terceiro parágrafo, Amós convida o povo a imaginar algo incongruente, a fim de enfatizar quão incongruentes são as ações das pessoas no poder, e o senso de conquista por vitórias triviais. Amós não precisa ajustar o nome de um lugar chamado Lo-Debar para que ele signifique "Nada." Em contrapartida, a invasão vindoura afetará Efraim desde o seu extremo norte, até a sua fronteira sul. Os efraimitas lembrarão Nero tocando lira enquanto Roma está em chamas.

AMÓS 7:1-17
SOBRE COMPARECER DIANTE DO TRIBUNAL CELESTIAL

¹O Senhor *Yahweh* me mostrou isto: eis que ele estava formando um enxame de gafanhotos, no início do crescimento da safra da primavera — após a colheita do rei. ²Quando o enxame havia terminado de consumir a grama na terra, eu disse: "Senhor *Yahweh*, perdoa! Como poderá Jacó resistir, pois ele é muito pequeno!" ³*Yahweh* cedeu a esse respeito. "Isso não acontecerá", *Yahweh* disse."

⁴O Senhor *Yahweh* me mostrou isto: eis que ele estava convocando a contenda pelo fogo. Ele consumiu o grande abismo e estava consumindo as lavouras. ⁵Eu disse:

"Senhor *Yahweh*, poupa! Como poderá Jacó resistir, pois ele é muito pequeno!" ⁶*Yahweh* cedeu a esse respeito. "Isso também não acontecerá", o Senhor *Yahweh* disse.

⁷Ele me mostrou isto: eis que o Senhor estava junto a um muro construído a prumo, e em sua mão estava um prumo. ⁸*Yahweh* me disse: "O que você está vendo, Amós?". Eu disse: "Um prumo." O Senhor disse: "Aqui estou eu, e irei colocar um prumo no meio do meu povo, Israel. Eu não passarei, novamente, sobre ele. ⁹Os lugares altos de Isaque serão desolados, os santuários de Israel ficarão em ruínas. Levantar-me-ei contra a casa de Jeroboão com a espada."

¹⁰Amazias, sacerdote de Betel, mandou dizer a Jeroboão, rei de Israel: "Amós está tramando contra você dentro da casa de Israel. A terra não resistirá a todas as suas palavras. ¹¹Porque Amós assim disse: 'Jeroboão morrerá pela espada, Israel irá para o exílio, um exílio distante de seu solo'." ¹²Mas Amazias disse a Amós: "Vidente, vá, fuja por sua vida para a terra de Judá, coma o seu pão ali, profetize ali. ¹³Não profetize, novamente, em Betel, pois é o santuário do rei. É a casa do reino." ¹⁴Amós respondeu a Amazias: "Eu não sou profeta e nem filho de profeta. Antes, era um boiadeiro e um colhedor de figos de sicômoro.

> **¹⁵**Mas *Yahweh* me tirou de seguir o rebanho, e *Yahweh* me disse: 'Vá, profetize ao meu povo, Israel.' **¹⁶**Agora, ouça a mensagem de *Yahweh*. Você está dizendo: 'Você não deve profetizar contra Israel. Não deve pregar contra a casa de Israel.' **¹⁷**Portanto, *Yahweh* assim disse: 'A sua esposa se prostituirá na cidade. Os seus filhos e as suas filhas cairão pela espada. A sua terra será repartida com linha de medição. Você mesmo morrerá em solo impuro. Israel irá para o exílio, um exílio distante de seu solo.'"

Durante os vinte e cinco anos que passou na prisão, o homem que mencionei em meu comentário sobre Amós 5, compareceu diante de inúmeros conselhos de liberdade condicional, solicitando esse benefício, sem sucesso. Embora tivesse sido sentenciado antes da aprovação de uma lei que permitia condenar pessoas à prisão perpétua sem a possibilidade de concessão de liberdade condicional, ele viveu aqueles anos com a presunção de que: "Quando eu morrer, eles me mandarão para casa." Mas o sacerdote que veio a conhecê-lo e o viu mudar na prisão, com o passar do tempo, o ajudou a fazer uma nova solicitação do benefício e, contra todas as expectativas, ele foi concedido.

É possível pensar na oração do mesmo modo que um condenado pensa no comitê da liberdade condicional. Você segue os procedimentos para solicitar algo, mas presume que Deus e seu "comitê de liberdade condicional" decidiu, muito tempo atrás, o que iria acontecer. Na verdade, o seu apelo não irá fazer nenhuma diferença. Será a oração designada a nos mudar e não a Deus? Claro que o próprio Deus não muda, mas a Bíblia é clara em mostrar que Deus pode ter uma mudança de mente, especialmente sobre trazer juízo. O gabinete de Deus é, de fato, um comitê de liberdade condicional atuando com regras antigas, quando esse benefício era possível a qualquer prisioneiro. Assim, Deus permite que

AMÓS 7:1-17 • SOBRE COMPARECER DIANTE DO TRIBUNAL CELESTIAL

Amós veja um desastre assustador que sobreviria à terra na forma de uma praga de gafanhotos capaz de consumir todas as lavouras e deixar o povo sem comida. O fato de Deus dar essa revelação a Amós pressupõe que um profeta é alguém cuja posição está entre o gabinete divino e o povo. Ele representa o gabinete diante do povo, transmitindo-lhes as expectativas e decisões desse gabinete, mas, da mesma forma representa o povo junto ao gabinete, transmitindo apelos em benefício das pessoas. O profeta apela; Deus cede.

A segunda visão retrata um fogo devastador. A terceira, um muro, provavelmente, construído com o auxílio de um prumo, isto é, um peso de chumbo amarrado a uma corda para verificar se o muro está edificado na vertical. O hebraico, no entanto, pode usar o termo para expressar um peso de chumbo no sentido de um pesado fardo. *Yahweh* pretende impor um peso de tribulação sobre o povo, incluindo o extermínio da linhagem real de Jeroboão.

Amós relata, brevemente, uma quarta visão, mas a referência a Jeroboão conduz à adição, aqui, de um relato sobre como Amós se tornou um profeta. Ele, evidentemente, transmitiu essa advertência no santuário de Betel e, a exemplo de outros profetas, estaria pregando nos pátios do santuário, mas Amós estava entregando uma mensagem distinta dos demais profetas. Além disso, ele fazia isso em um santuário estatal, um lugar como a Catedral Nacional ou a Abadia de Westminster. Embora Betel tenha uma história que remonta à Jacó, em Gênesis, Betel e Dã eram dois santuários situados no extremo sul e no extremo norte de **Efraim**, estabelecidos pelo homônimo de Jeroboão, quando Efraim foi constituído como um Estado. Portanto, não se deve entregar uma mensagem como aquela em um santuário estatal! Muito menos alguém de **Judá**! Pode-se ter um pouco de consideração por Amazias, pois ele sabe que precisa reportar o que está acontecendo ali, mas, ao mesmo tempo, ele tenta persuadir Amós a fugir dali (não sabemos se Amós seguiu o conselho). Por outro lado, Amós não nutre nenhuma simpatia pelo sacerdote, pois acredita que alguém na posição de Amazias tem de fazer uma escolha, não tentar se equilibrar nos dois caminhos. Amazias irá pagar um preço terrível pela falha em responder à mensagem de Amós. Ele e a sua família serão tragados pela catástrofe vindoura.

Amazias trata Amós como se ele fosse igual a qualquer outro profeta, como se fosse um professor ou pastor; ser um profeta é o seu trabalho. Ele é sustentado pela comunidade em troca de seu ofício. Assim, Amazias encoraja Amós a retornar à sua terra natal para obter o seu sustento. Profecias do julgamento de *Yahweh* sobre Efraim não mais serão populares ali! Amós, contudo, não é essa espécie de profeta. Afirmar não ser filho de profeta significa que ele não vem da escola profética; ele não é um discípulo de outro profeta. Em tempo, não há nada de errado em ser um discípulo; Elizeu foi pupilo de Elias e ele mesmo teve discípulos. Amós, todavia, é um tipo distinto de profeta.

AMÓS 8:1–14
QUANTAS VEZES PODE-SE COMPARECER DIANTE DO TRIBUNAL CELESTIAL?

¹O Senhor *Yahweh* me mostrou isto: eis que havia um cesto de frutos maduros. ²Ele disse: "O que você está vendo, Amós?". Eu disse: "Um cesto de frutos maduros." *Yahweh* me disse: "O tempo de maturação chegou para o meu povo, Israel. Não mais passarei sobre ele (declaração do Senhor *Yahweh*). ³Os cantores do palácio gemerão naquele dia). Ele lançou muitos cadáveres em todos os lugares — silêncio!" (declaração do Senhor *Yahweh*).

⁴Ouçam isto, vocês que pisoteiam a pessoa necessitada, que eliminam as pessoas humildes da terra, ⁵dizendo: "Quando terminará a lua nova, para podermos vender trigo? E o sábado, para

podermos comercializar o cereal — tornando a medida pequena,
mas o siclo grande, falsificando as balanças para enganar,

⁶ comprando as pessoas pobres por prata,
   a pessoa necessitada por um par de sandálias,
e vendendo refugo como cereal?"
⁷ *Yahweh* jurou pela majestade de Jacó:
"Jamais esquecerei qualquer um dos seus feitos.
⁸ Acaso, não tremerá a terra por causa disso,
   e lamentarão todos os que vivem nela?
Não se levantará como o Nilo,
   se agitará e afundará como o Nilo do Egito?
⁹ "Naquele dia" (declaração do Senhor *Yahweh*),
   farei o sol se pôr ao meio-dia,
   farei a terra escurecer durante a luz do dia.
¹⁰ Tornarei os seus festivais em pranto,
   todos os seus cânticos em lamento.
Colocarei pano de saco em todos os corpos,
   tosquia em toda cabeça,
farei com que seja o luto por um filho único
   o seu fim, um dia verdadeiramente amargo."

¹¹ "Eis que estão chegando dias" (declaração do Senhor *Yahweh*),
   nos quais enviarei fome por toda a terra —
não fome de pão, nem sede de água,
   mas, antes, de ouvir as palavras de *Yahweh*.
¹² As pessoas vaguearão de um mar a outro,
   e peregrinarão de norte a leste,
em busca da mensagem de *Yahweh*,
   mas não a encontrarão.
¹³ Naquele dia, lindas garotas e jovens rapazes
   desmaiarão de sede.
¹⁴ Pessoas que juram pelo pecado de Samaria
   e dizem: 'Como o seu deus vive, Dã',
   e: 'Como o caminho até Berseba vive',
      cairão e não mais se levantarão.'"

No devido tempo, o prisioneiro ao qual me referi, solicitou, uma vez mais, o benefício da liberdade condicional, depois de o seu amigo sacerdote muito insistir para que ele assim fizesse. Ele não nutria nenhuma esperança de o seu pedido ser aprovado, e lhe seria mais fácil não pensar na possibilidade e aceitar a permanência na prisão até a sua morte. Caso não tivesse solicitado, o seu pedido não teria sido aprovado, mas, como ele solicitou, a liberdade condicional lhe foi concedida. Ainda assim, ele demorou a crer que o comitê respondera afirmativamente. Quando algum detento é beneficiado com a liberdade condicional, aparentemente, os presídios o colocam em confinamento solitário, por algum tempo, pois há o perigo de ele cometer suicídio ou mesmo de ser atacado pelos demais detentos.

Na terceira visão de Amós, **Yahweh** disse que não passaria sobre **Efraim** novamente, e Amós não fez outro apelo à misericórdia divina, a exemplo do que aquele prisioneiro fez, durante algum tempo. Essa dinâmica reaparece em sua quarta visão, que completa a sequência após a digressão descrevendo a reação de Amazias à sua mensagem e relatando como Amós se tornou um profeta. Há ocasiões nas quais as orações são respondidas, e outras nas quais não são. E a sequência dentro das quatro visões (duas nas quais Amós ora e obtém resposta, e duas em que ele não o faz) parece indicar que há momentos de orar e momentos de se calar.

No entanto, talvez as visões declarando que *Yahweh* não mais passará sobre o povo sejam designadas a tentar atravessar o espesso e duro crânio das pessoas, tentativas de fazê-las mudar e buscarem a restauração de Deus. Embora o ponto acerca das orações de Amós seja o de provocar uma mudança na mente de Deus, levando-o a ceder em sua ação de juízo, o ponto sobre reportar as orações ao povo, incluindo-as no livro de Amós, é mudar o próprio povo. O relato das duas primeiras visões busca levar as pessoas a enxergar que é possível para Deus ceder. A narrativa da terceira e da quarta visões, visa fazê-las entender que não é possível presumir que a possibilidade de Deus ceder persistirá aberta para sempre. Se uma criança solicitar algo a um de seus pais, e este tiver motivos para responder negativamente, essa recusa pode não ser suficiente para impedir que a criança peça de novo e, às vezes, o pai ou a mãe pode, então, ter motivos para mudar de ideia. Assim, o relacionamento dos filhos quanto aos seus pais constitui um modelo bíblico para a oração.

A parte mais relevante desse capítulo enfatiza, ainda mais, os erros em Efraim que demandam o juízo de *Yahweh*. Em passagens anteriores, *Yahweh* já deixou claro que não se importa com a assiduidade do povo na adoração. Ele, igualmente, não liga para o fato de as pessoas sentirem coceira nos pés, durante a adoração, por desejarem retomar os seus negócios, especialmente, porque os negócios que eles anseiam retomar baseiam-se em desonestidade.

O parágrafo final acrescenta uma nova reviravolta acerca da natureza do juízo divino. Amós já se referiu à maneira que os efraimitas, com efeito, mandaram os profetas se calarem e não mais profetizarem. Está certo, então, afirma Deus; não mais enviarei profetas. Vocês podem desejar ouvir uma mensagem de Deus, mas serão incapazes disso. Uma vez mais, essa é uma ameaça designada a ser dissipada se, pelo menos, eles começarem a ouvir a mensagem de *Yahweh*! Então, a ameaça não precisará ser implementada. As pessoas, entretanto, estão tão comprometidas com a sua lealdade ao "pecado" de Samaria (i.e., o deus estrangeiro que os samaritanos cultuam) que elas não o ouvirão. A referência à peregrinação até Berseba completa a equiparação dos santuários, situados nos extremos norte e sul de **Israel**, como um todo ("de Dã até Berseba").

AMÓS **9:1-15**
NÃO É POSSÍVEL ESCAPAR DE DEUS

¹ Vi o Senhor junto ao altar. Ele disse:
"Fira as colunas para que as soleiras tremam;
   quebre-as para que caiam na cabeça de todas as pessoas.
A última delas eu matarei com a espada;
   nenhuma delas escapará como fugitiva,
   nenhuma que fugir, escapará.
² Ainda que escavem até o Sheol,
   até lá, a minha mão os alcançará.
Se subirem aos céus,
   eu os trarei para baixo.
³ Mesmo que se escondam no cume do Carmelo,
   dali eu os buscarei e os tirarei.
Ainda que se ocultem de diante dos meus olhos,
   no fundo do mar,
enviarei a minha serpente,
   e, ali, ela os morderá.
⁴ Se forem ao cativeiro diante dos seus inimigos,
   ali, enviarei a minha espada e ela os matará.
Porei o meu olho sobre eles para o mal,
   não para o bem."

⁵ O Senhor *Yahweh* dos Exércitos —
   ele toca a terra e ela se derrete,
e todas as pessoas que vivem nela lamentam,
   e tudo nela se levanta como o Nilo,
   afunda como o Nilo do Egito.
⁶ Ele construiu os seus sótãos nos céus
   e fundou a sua estrutura sobre a terra,
aquele que convoca as águas do mar
   e as derrama sobre a face da terra — *Yahweh* é o seu nome.

⁷ "Vocês não são como os sudaneses para mim, israelitas?"
   (declaração de Yahweh).

"Não tirei Israel da terra do
   Egito — e os filisteus de Caftor, e a Síria de Quir?
⁸ Eis que os olhos do Senhor *Yahweh* estão sobre o reino
      ofensivo;
   eu o destruirei da face da terra.
Exceto que não destruirei totalmente a casa de Jacó"
   (declaração de *Yahweh*).
⁹ "Porque aqui estou eu, e irei ordenar,
      e abalarei a casa de Israel entre todas as nações,
   como alguém que agita uma peneira,
      e nem um grão cai sobre a terra.
¹⁰ Todos os ofensores em meu povo morrerão pela espada.
   As pessoas que disserem:
      'Não nos alcançará nem nos encontrará o mal.'"

¹¹ "Naquele dia, levantarei a tenda caída de Davi,
      e repararei as suas brechas,
   restaurarei as suas ruínas
      e a reconstruirei como nos dias de antigamente,
¹² de modo a entrarem de posse do remanescente de Edom,
      e de todas as nações que são chamadas pelo meu nome"
   (declaração de *Yahweh*, que irá fazer isso).
¹³ "Eis que vêm dias" (declaração de *Yahweh*)
"em que o lavrador encontrará o ceifeiro,
   o que pisa as uvas, com aquele que lança a semente.
As montanhas gotejarão vinho doce,
   todas as colinas fluirão.
¹⁴ Restaurarei a sorte do meu povo, Israel;
   eles reconstruirão cidades arruinadas e viverão [ali].
Plantarão vinhas e beberão do seu vinho,
   farão pomares e comerão os seus frutos.
¹⁵ Eu os plantarei em seu próprio solo e não mais
   serão desarraigados do seu solo, que eu lhes dei",
      Yahweh, o seu Deus, assim disse.

Mais de uma vez, participei de um período de oração no qual o tema das Escrituras era o salmo 139, que fala sobre a capacidade de Deus nos alcançar em todos os lugares e de conhecer tudo sobre nós. Esses temas podem ser encorajadores nessas ocasiões, embora seja perceptível que as pessoas, então, parem a leitura do salmo antes de chegar na parte mais sombria, próximo ao fim, que discorre sobre Deus matar os ímpios, e nos faz refletir se o fato de Deus saber tudo a nosso respeito e de não sermos capazes de nos ocultar dele, são, necessariamente, boas notícias.

Amós usa as mesmas sentenças como o salmista, em sua tentativa final de amedrontar os **efraimitas** e fazê-los dar meia-volta naquele caminho destrutivo que estão trilhando. Imagine poder cavar até atingir o **Sheol** (o local onde estão os mortos) ou subir aos céus, escalar até o topo do monte Carmelo (não a montanha mais alta em Efraim, porém a mais espetacular, pela maneira que se destaca do mar e das planícies em ambos os lados), ou de mergulhar até o fundo do oceano. Nem assim, é possível escapar do juízo de Deus. Amós tem mais uma visão a compartilhar, e nessa derradeira visão, não há mais nenhuma conversa sobre a possibilidade de Deus passar sobre o povo. Nessa visão, Amós vê o santuário derrubado.

Como **Yahweh** pode fazer isso com o seu próprio povo? A dura resposta é que se você não se comporta como povo de Deus, não deve esperar ser tratado como tal. Deus tirou os **israelitas** do **Egito**, mas também tirou os filisteus do outro lado do Mediterrâneo e os sírios de algum lugar na direção oposta (não sabemos, exatamente, a localização de "Caftor" ou de "Quir", às quais o capítulo se refere). Trata-se de uma reivindicação sobre a soberania divina na vida de povos outros que são mais inimigos do que amigos de Israel, e um pouco humilhante para Efraim. Seja qual for o reino que agir errado, ele se verá em tribulação, e Israel não é exceção.

Ou, talvez, isso seja, de fato, uma exceção. Os filisteus desapareceram, Israel, não. No caso dos israelitas, *Yahweh* se compromete a fazer um julgamento que envolve separar o joio do trigo. Ele estabelece um compromisso com Israel e não pode fugir dele, mas isso não implica que as pessoas em Israel possam se livrar das consequências de seus atos. Israel poderá continuar existindo; a maioria dos israelitas, não. Não se pode, meramente, presumir que tudo está bem, apenas por você pertencer a esse povo. As advertências de Amós aos efraimitas se cumprem quando Samaria cai diante dos **assírios**, em 722 a.C., e a sua população é levada ao cativeiro.

O livro de Amós termina com outra qualificação da ideia de que Deus poderia destruir, totalmente, Israel, algo que poderia estar implícito em algumas de suas profecias. O livro começa com **Sião**, e termina com Davi. Se Amós proferiu essas palavras na terra de Efraim, isso, uma vez mais, implicitamente, lembra os efraimitas de que não há futuro para eles, exceto pela associação com Sião como o lugar escolhido por *Yahweh*, e com Davi, como o rei que ele escolheu. Haverá um tempo no qual a linhagem de Davi será interrompida, e um tempo no qual as nações podem ter o seu caminho com **Judá**, e quando os **edomitas**, em particular, poderão tomar grande parte da terra dos judaítas. Mas esses eventos não significarão o fim da história. De tempos em tempos, o livro de Amós advertiu os seus leitores potenciais, em Judá, de que eles não devem se sentir superiores em relação a Efraim, pelo fato de Jerusalém ter escapado à invasão assíria, enquanto Efraim foi conquistado, considerando que Judá está envolvido no mesmo desprezo por *Yahweh*, demonstrado por Efraim. E, no devido tempo, Jerusalém também cairá. Mas, o fim do livro também lhes oferece encorajamento, pois esse não é o fim da história.

OBADIAS

OBADIAS
"QUEM PODERIA ME LEVAR PARA A TERRA?"

¹ Visão de Obadias.

O Senhor *Yahweh* assim disse sobre Edom.
Ouvimos um relato de *Yahweh*;
  um emissário foi enviado entre as nações:
"Levantem-se!
  Vamos nos levantar para a batalha contra ele!
² Eis que estou tornando você pequeno entre as nações;
  você será muito desprezado.
³ A arrogância da sua mente o tem enganado,
  você que habita nas fendas de um penhasco,
na sua elevada habitação;
  você está dizendo para si mesmo:
  'Quem poderá me fazer descer à terra?'
⁴ Ainda que você suba como uma águia,
  e coloque o seu ninho entre as estrelas,
  dali eu o derrubarei'" (declaração de Yahweh).
⁵ Se ladrões viessem até você, se saqueadores viessem de noite,
  (como você está arruinado)
  não roubariam apenas o que necessitassem?
Se apanhadores de uva viessem até você,
  não abandonariam cachos?
⁶ Como Esaú está sendo saqueado,
  os seus tesouros procurados!
⁷ Todas as pessoas com as quais está em aliança,
  o estão enviando para a fronteira.
As pessoas das quais você era um aliado
  o estão enganando, o estão sobrepujando.
As pessoas que comem do seu pão
  armam ciladas embaixo de você
  (mas, ele não entende).

⁸ "Naquele dia" (declaração de *Yahweh*)
"não eliminarei os sábios de Edom,
o entendimento do monte Esaú?
⁹ Os seus guerreiros serão abalados, Temã,
de maneira que as pessoas serão cortadas do monte
Esaú pelo massacre.
¹⁰ Por causa da violência a Jacó, o seu irmão,
a vergonha o cobrirá,
e você será cortado para sempre.
¹¹ Naquele dia, você ficou de lado,
naquele dia, estrangeiros capturaram os seus recursos,
e estranhos entraram por suas portas, e lançaram sortes
por Jerusalém.
Você, também, foi como um deles.
¹² Você não deveria ter olhado [daquela maneira] para o dia
do seu irmão,
o dia em que essa coisa estranha aconteceu a ele.
Não deveria ter se alegrado sobre os judaítas,
no dia em que pereceram.
Você não deveria ter falado com arrogância
no dia de aflição.
¹³ Não deveria ter entrado pela porta do meu povo,
no dia do seu desastre;
não deveria ter olhado [daquela maneira],
você também,
para o mal que ocorreu a ele,
no dia do seu desastre.
¹⁴ Não deveria ter parado na encruzilhada
para cortar os seus fugitivos;
não deveria ter entregado os seus sobreviventes
no dia de aflição.
¹⁵ Pois o Dia de *Yahweh* está próximo,
contra todas as nações.
Assim como fez, lhe será feito;
os seus atos voltarão sobre a sua cabeça.

¹⁶ Porque, como vocês [judaítas] beberam na minha sagrada
montanha, todas as nações beberão continuamente.
Elas beberão e engolirão,
e serão como se nunca tivessem sido.
¹⁷ Mas, no monte Sião, haverá um grupo de sobreviventes,
ele será santo.
A casa de Jacó desapropriará
o povo que a desapropriou.
¹⁸ A casa de Jacó se tornará um fogo,
a casa de José, uma chama,
a casa de Esaú, palha,
e queimarão entre eles, os consumirão.
A casa de Esaú não terá sobrevivente,
porque *Yahweh* falou.

¹⁹ Os de Neguebe possuirão o monte Esaú;
os da planície [possuirão] os filisteus.
Eles possuirão a terra efraimita
(i.e., a terra de Samaria),
e Benjamim [possuirá] Gileade.
²⁰ Essa comunidade exilada de forças pertencentes
aos israelitas
[possuirá] o que [pertence] aos cananeus até Sarepta.
A comunidade exilada de Jerusalém, que está em Sefarade,
possuirá as cidades do Neguebe.
²¹ Os libertadores subirão ao monte Sião,
para governar o monte Esaú,
e o reinado pertencerá a *Yahweh*."

O noticiário reportou, na semana passada, que o número de refugiados, em todo o mundo, tem aumentado firmemente e a situação deles piorado. Nenhum país deseja aceitar em definitivo os refugiados que estão, agora, em seus territórios — nem os governos anfitriões, nem a sua população. Mas três quartos dos grupos de refugiados, registrados pelas Nações Unidas, já estão vivendo no exílio por mais de cinco anos. Os netos dos palestinos que fugiram do que veio a ser o Estado de Israel, mais de sessenta anos atrás, ainda têm em mãos as chaves dos lares originais de seus avós. As pessoas anseiam retornar para casa e desejam a eliminação daqueles que, hoje, ocupam os seus lares originais e cultivam as suas terras.

Ironicamente, Obadias pressupõe essa experiência por parte dos próprios ancestrais de **Israel**. Essa profecia, presumidamente, não foi a única proferida por Obadias, mas, ao que parece, a comunidade considerou realmente importante somente essa. Podemos, apenas, conjecturar sobre os motivos dessa decisão. O livro pressupõe um tempo muito mais tardio do que os dias de Amós, que ele segue; a queda de Jerusalém e o **exílio** de **Judá** já aconteceram. Mas, em tema, ele se conecta com o fim de Amós, por sua referência a **Edom**, o vizinho de Israel, a sudeste. Israel tinha ciência de sua ligação familiar com Edom; Israel remontava a sua ancestralidade tanto a Jacó quanto a Edom, irmão mais velho de Jacó — eis o motivo das referências da profecia a Esaú. Temã, igualmente, era outro nome para Edom. A referência inaugural, em Obadias, acerca do que ele ouviu pode estar ligada com a substancial sobreposição entre Obadias e Jeremias 49 — o profeta está pregando um sermão sobre um texto anterior, aplicando uma palavra prévia de *Yahweh* a um dia posterior.

Os profetas citam, muitas vezes, o tratamento equivocado de Edom a Judá. Não temos a versão dos fatos da perspectiva de Edom, mas é plausível imaginar os **babilônios** com o apoio dos edomitas em seu ataque sobre Jerusalém e/ou imaginar Edom vendo nisso uma chance de obter vantagens para si. Embora o Antigo Testamento se refira a *Yahweh* usando Amom e Moabe para castigar Judá, isso não torna a ação de Edom menos "culpável." Certamente, o exílio e as décadas seguintes viram a ocupação gradual dos edomitas sobre o território sul de Judá. A promessa de *Yahweh*, por meio de Obadias, é de que Edom não seguirá impune; a sua ocupação da terra judaíta não continuará para sempre. A exemplo do que Maria expressou (Lucas 1), elevar as pessoas que foram humilhadas tem, como o outro lado da moeda, derrubar aqueles no poder. Obadias atrai a atenção para dois recursos de Edom nos quais, os edomitas, realmente, não serão capazes de confiar: a sua localização nas montanhas e o seu conhecimento. Edom tinha uma reputação de erudição que encontraria expressão na experiência prática.

A maneira que Edom mostrou ser um espinho para Judá, após o exílio, pode ser suficiente para explicar o foco sobre Edom aqui, bem como em outras passagens nos Profetas. Mais tarde, contudo, Edom veio a ser uma referência para uma nação que se opõe ao propósito de *Yahweh*, do mesmo modo que Roma (tal qual a Babilônia, no Novo Testamento). A transição para falar sobre "as nações", próximo ao fim da profecia, sugere uma compreensão similar, aqui (a bebida à qual Obadias se refere é um cálice de veneno). De modo similar, Obadias generaliza as promessas com respeito a Judá. No período pós-exílico, Judá é um povo pequeno e triste, sob pressão de todos os lados. A noção mais ampla de Israel poderia indicar a ausência de um futuro. *Yahweh*, todavia, promete haver um futuro. Os israelitas recuperarão a sua terra, não apenas de Edom, mas dos filisteus, no lado ocidental, e dos "cananeus" ou fenícios, na região noroeste. Sefarade, talvez, seja referência a uma comunidade judaica na Turquia. Depois do exílio, **Efraim** ou Samaria era uma área cinzenta — as pessoas, ali, podiam reivindicar ser adoradores de *Yahweh*, mas os judaítas não tinham certeza se podiam confiar nelas, religiosa ou politicamente. O restaurado Israel também as abraçará.

As palavras finais, no entanto, se referem ao reino de *Yahweh* no mundo. Não Edom, nem Judá ou Israel, e nem mesmo um rei davídico, mas *Yahweh*.

JONAS

JONAS 1:1—2:10
COMO ORAR NO INTERIOR DE UM PEIXE

¹A mensagem de *Yahweh* veio a Jonas, filho de Amitai: ²"Parta, vá para a grande cidade de Nínive e proclame contra ela, porque o mal dela subiu até a minha presença." ³Mas Jonas fugiu da presença de Yahweh e partiu para Társis. Ele desceu até Jope e encontrou um navio indo para Társis, pagou a sua passagem, e embarcou para ir com eles a Társis, longe de *Yahweh*. ⁴Mas *Yahweh* lançou um grande vento ao mar, e houve uma tempestade tão grande que o navio ameaçava quebrar-se. ⁵Os marinheiros ficaram com medo e clamaram cada um ao seu deus. Eles jogaram as coisas do navio ao mar para aliviar o peso, enquanto Jonas desceu às partes mais internas do barco, se deitou e dormiu. ⁶O capitão foi vê-lo e lhe disse: "O que você está fazendo, dormindo? Suba e clame ao seu deus. Talvez o seu deus nos dê atenção e não pereçamos."

⁷As pessoas disseram umas às outras: "Venham, lancemos sortes para sabermos por que este mal veio sobre nós." Eles lançaram sortes, e a sorte caiu sobre Jonas. ⁸Eles lhe disseram: "Você irá nos contar por causa de quem esse mal veio sobre nós? Qual é o seu trabalho? De onde você vem? Qual é a sua terra? De que povo você vem?". ⁹Ele lhes disse: "Eu sou hebreu. Reverencio *Yahweh*, o Deus dos céus, que fez o mar e a terra seca." ¹⁰Os homens ficaram grandemente assustados, e lhe disseram: "O que foi que você fez?" .Então, souberam que estava fugindo da presença de *Yahweh*, porque ele lhes contou. ¹¹Eles lhe disseram: "O que devemos fazer com você para que o mar se acalme? (quando o mar estava ficando mais tempestuoso).

JONAS 1:1—2:10 • COMO ORAR NO INTERIOR DE UM PEIXE

¹²Ele lhes disse: "Peguem-me e lancem-me ao mar, e o mar se aquietará, porque reconheço que foi por minha causa que essa grande tempestade veio sobre vocês." ¹³Os homens remaram para voltar à terra seca, mas não conseguiram, pois o mar estava ficando mais tempestuoso sobre eles. ¹⁴Eles clamaram a *Yahweh*: "Ó *Yahweh*, que não pereçamos por causa da vida deste homem. Não coloque sangue inocente sobre nós. Porque tu, *Yahweh* como desejaste, tu agiste." ¹⁵Eles pegaram Jonas e o lançaram ao mar; e o mar cessou o seu furor. ¹⁶Os homens reverenciaram *Yahweh* grandemente, ofereceram um sacrifício a *Yahweh* e fizeram votos.

¹⁷*Yahweh* providenciou um grande peixe para engolir Jonas, e Jonas ficou no interior do peixe três dias e três noites.

CAPÍTULO 2

¹Jonas orou a *Yahweh*, o seu Deus, do interior do peixe:

² "Clamei, em minha aflição,
    a *Yahweh*, e ele respondeu.
  Quando, do ventre do Sheol, clamei por socorro,
    tu ouviste a minha voz.
³ Lançaste-me nas profundezas,
    no coração dos mares.
  As águas me cercaram;
    todas as suas vagas e ondas passaram sobre mim.
⁴ Eu disse: 'Fui expulso
    de diante dos seus olhos.'
  Contudo, olharei, novamente,
    para o teu sagrado palácio.
⁵ As águas me subjugaram, até o pescoço,
    as profundezas me cercaram.
  Junco enrolou-se na minha cabeça
⁶   nas raízes das montanhas.
  Desci até a terra,
    suas trancas estavam sobre mim para sempre.

Mas trouxeste a minha vida de volta do Poço,
Yahweh, meu Deus.
⁷ Quando a minha vida estava indo embora de mim,
lembrei-me de *Yahweh*.
Minha súplica chegou a ti,
ao teu sagrado palácio.
⁸ As pessoas que dão atenção a vaidades vazias,
abandonam o seu compromisso.
⁹ Mas eu, com a voz da gratidão, sacrificarei a ti;
o que jurei, eu cumprirei —
a libertação pertence a *Yahweh*."'

¹⁰ *Yahweh* falou ao peixe,
e este vomitou Jonas em terra seca.

Na noite passada, dei a última aula do período, e para três alunos, a aula significou o término do tempo deles no seminário. Dois deles ainda não sabiam o que iriam fazer a seguir, o que é motivo suficiente para gerar certa ansiedade. Será que irei perder o chamado de Deus? O maior desafio, no entanto, é a possibilidade de, deliberadamente, fugir do chamado divino. O reitor de uma das igrejas mais prósperas do norte da Inglaterra costumava reconhecer que jamais deveria ter ido para lá. Ele sabia que Deus o queria trabalhando no campo missionário exterior, mas ele resistiu ao chamado. Ao agirmos assim, claro que Deus, com frequência, revira os olhos e nos chama para servir em outro lugar e abençoa o nosso trabalho, como ocorreu na vida desse reitor.

Gosto de retratar Deus revirando os olhos diante da atitude de Jonas, ao embarcar em um navio cujo destino ficava na direção contrária daquela indicada por Deus. No caso de Jonas, Deus não lhe dá um chamado diferente e envia outra pessoa a Nínive. Às vezes, pode-se fugir ao chamado divino;

em outras, não. Por que Jonas resistiu? A segunda metade da narrativa esclarecerá o motivo. Pregar o juízo em Nínive, a capital da **Assíria**, pode resultar no arrependimento de sua população; no seu íntimo, Jonas sabe que o motivo de enviá-lo para pregar o juízo é o desejo divino de encontrar uma desculpa para cancelar o julgamento. Jonas não quer que o juízo sobre aquele grande opressor seja cancelado. Do mesmo modo que Obadias, apropriadamente, vem depois de Amós, Jonas segue o livro de Obadias. Obadias testemunha a severidade de Deus, enquanto Jonas expressa o desejo de Deus em exercer misericórdia. Jonas deseja ser como Obadias; a sua história adverte Israel a não se apegar, excessivamente, ao tema de Obadias. Em sua história, Jonas segue mostrando a sua falta de percepção da verdade sobre Deus. Os marinheiros pagãos entendem essa verdade mais do que ele, ainda que também tenham algumas ideias primitivas.

Jonas era um profeta a quem ***Yahweh*** tinha dado promessas sobre **Efraim** recuperar o território que perdera (veja 2Rs 14:25). Ele viveu nas décadas anteriores aos dias de Amós e de Oseias e, portanto, é o primeiro profeta a ter um livro com o seu nome, mas a sua obra difere da dos outros por ser um relato sobre a sua vida, não uma coletânea de suas profecias. Presumo que seja "apenas mais uma narrativa", a exemplo das parábolas de Jesus, mas o motivo para essa presunção não é a impossibilidade de sobreviver por três dias no interior de um peixe (o tipo de lógica à qual o próprio Jonas teria cedido). Claro que "*Yahweh*, o Deus dos céus, que fez o mar e a terra seca" poderia preservar alguém dentro de um peixe. O motivo é mais pela natureza espirituosa da história. Ela faz lembrar muitas parábolas contadas por Jesus. A razão para contar essa história sobre Jonas é que ele, como um profeta que revelou uma promessa tão positiva a Efraim, seria a última pessoa a se entusiasmar com a possibilidade de Nínive escapar ao julgamento divino.

Os leitores podem ficar tão focados no relato sobre o grande peixe a ponto de perderem a importância da oração feita pelo profeta no interior dele. Como imaginar Jonas orando naquele lugar? Pode-se imaginá-lo clamando: "Socorro, socorro!" e "Perdão, perdão!" Jonas, todavia, não expressa isso. Ele diz: "Obrigado, obrigado!" O peixe é o seu meio de salvação, a providência de Deus para tirá-lo das profundezas do Mediterrâneo e levá-lo à terra firme. Assim, ele não precisa suplicar por socorro. A sua oração é de gratidão, como aquelas presentes nos Salmos — se fosse inserida ali, não pareceria fora de lugar. Para Jonas, o perigo das águas profundas era muito literal, mas, em sua oração, essa conversa se tornou uma metáfora, como é nos Salmos. Semelhante a um salmo de ação de graças, o seu agradecimento lembra o perigo no qual ele estava, e expressa como a morte parecia inevitável — como se já estivesse no **Sheol**. Ele evoca a sua desesperança e a maneira que orou, e sabe que a sua oração alcançou *Yahweh* em sua habitação celestial. Ele recorda a resposta de Deus e fala da confiança que, agora, sente de ser capaz de ir ao templo terreno e encontrar-se com Deus novamente. Nos Salmos, as pessoas, com frequência, dão graças a Deus pela libertação, mesmo quando ela ainda é uma promessa não cumprida; esta é a maneira apropriada com a qual Jonas dá graças.

Mas há ironia na oração? Será que a sua falha em pedir perdão sugere que ele ainda tem muito a aprender?

JONAS 3:1—4:11
ENTÃO, O QUE VOCÊ ACHA?

¹A mensagem de *Yahweh* veio a Jonas, uma segunda vez: ²"Parta, vá para a grande cidade de Nínive e proclame a ela a declaração que irei lhe contar." ³Jonas partiu e foi até Nínive,

de acordo com a mensagem de *Yahweh*. Ora, Nínive era uma cidade extraordinariamente grande, uma caminhada de três dias para atravessá-la. **⁴**Jonas começou a ir pela cidade, um dia de caminhada. Ele proclamou: "Quarenta dias mais, e Nínive será destruída!". **⁵**Os ninivitas creram em Deus. Eles proclamaram um jejum e vestiram pano de saco, do mais elevado ao mais humilde. **⁶**A mensagem chegou ao rei de Nínive, e ele se levantou de seu trono, retirou o seu manto real, cobriu-se com pano de saco e sentou-se sobre cinzas. **⁷**Ele fez as pessoas clamarem, em Nínive: "Por decreto do rei e de seus nobres: 'Ser humano e animal (rebanho e manada) não devem provar nada. Não devem pastar; não devem beber água. **⁸**Devem cobrir-se de pano de saco, ser humano e animal, e clamar a Deus com todas as forças. Devem se arrepender, cada um, do seu mau caminho e da violência que está em suas mãos. **⁹**'Quem sabe, Deus pode voltar e ceder, e desviar a sua ira, e possamos não perecer.'"

¹⁰Deus viu as ações deles, que eles deixaram o seu caminho mau, e Deus cedeu do mal que falou que iria fazer a eles. Ele não o fez.

CAPÍTULO 4

¹Mas, isso pareceu mal a Jonas, um grande mal, e ele ficou furioso. **²**Ele orou a *Yahweh*: "Ah! *Yahweh*! Não foi isso o que eu disse, quando estava em minha terra? Por causa disso, fugi previamente para Társis, pois sabia que és um Deus gracioso, compassivo e longânimo, grande em benignidade, e que se arrepende do mal. **³**Agora, *Yahweh*, tira a minha vida, porque a minha morte será melhor do que o meu viver." **⁴***Yahweh* disse: "Foi bom você sentir essa fúria?"

⁵Jonas havia saído da cidade e assentado a leste da cidade. Ali, fez uma tenda para si, sentou-se debaixo dela, em uma sombra, até poder ver o que aconteceria com a cidade. **⁶***Yahweh* Deus providenciou uma planta e ela cresceu sobre Jonas, de modo a haver uma sombra sobre a sua cabeça e livrá-lo do que lhe fazia mal. Jonas sentiu uma grande alegria por causa da planta.

> ⁷Mas Deus enviou uma lagarta, quando surgiu a alvorada, no dia seguinte, e ela atacou a planta, que murchou; ⁸e, quando o sol nasceu, Deus providenciou um escaldante vento oriental, e o sol atingiu a cabeça de Jonas. Ele quase desmaiou e pediu por sua vida, para que morresse. Ele disse: "Minha morte será melhor do que o meu viver.". ⁹Deus disse a Jonas: "Foi bom você sentir fúria por causa da planta?". Ele disse: "Foi bom ter sentido fúria, ao ponto de morrer." ¹⁰*Yahweh* disse: "Você teve pena da planta, pela qual não trabalhou e não fez crescer, que veio a existir numa noite e pereceu numa noite. ¹¹Não deveria eu ter pena da grande cidade de Nínive, na qual há mais de cento e vinte mil seres humanos que não sabem diferenciar a mão direita da esquerda, e muito animais?"

Poucas pessoas que beberão cerveja verde, no próximo domingo, dia de São Patrício, sabem quem ele foi. Embora tenha se tornado o santo padroeiro da Irlanda, ele nasceu na Escócia, no ano de 387. Ainda adolescente, no entanto, foi capturado por invasores irlandeses e levado como escravo. Eventualmente, ele logrou escapar e foi para a Grã-Bretanha, onde foi ordenado, mas, então, teve uma visão na qual ele recebia cartas da Irlanda, implorando para ele "ir e caminhar entre nós, uma vez mais." Assim, ele partiu para o país de origem de seus sequestradores. A mente fica perplexa só de pensar em sua obra, ao se tornar a pessoa a quem se credita o mérito de tornar Cristo conhecido naquele país.

Da mesma forma, é difícil imaginar Jonas marchando até Nínive e alcançar o que ele alcançou. Poderia parecer, inicialmente, que ele havia aprendido a lição ao tentar fugir da missão dada por *Yahweh*, mas ficará cada vez mais claro que o profeta não aprendeu nada. Qualquer indisposição que ele ainda sinta por *Yahweh* forçar a sua ida até a capital da

Assíria não faz diferença em sua eficácia. Quando você é o porta-voz de Deus, não importa o que há em seu coração. Isso tem importância somente para você e o seu relacionamento com Deus, mas não afeta o que Deus pode fazer por seu intermédio, que independe do que existe em seu coração. Esse é um dos motivos pelos quais não se deve presumir que o sucesso ministerial de um pastor está intimamente ligado à sua relação com Deus, nem supor que um pastor malsucedido tenha perdido o contato com Deus.

Mesmo os animais estão envolvidos na resposta de Nínive, pois fazem parte daquela comunidade. Se a cidade for destruída, eles também pagarão o preço. Assim, Jonas testemunha uma resposta pela qual a maioria dos profetas em **Efraim** ou **Judá** daria um de seus olhos, o que, talvez, seja um dos pontos da história ("Vocês, **israelitas**, não aprenderão com os ninivitas?") O que eles precisavam fazer era dar as costas ao estilo de vida que tinham até então. "Voltar" ou "virar" é uma palavra, normalmente, traduzida por "arrepender", mas arrependimento também implica uma mudança de atitude e um sentimento de tristeza, e as observâncias exteriores dos ninivitas mostram que eles se arrependeram também nesse sentido. Eles próprios nutrem uma pequena esperança de que Deus possa estar preparado para "virar" ou se arrepender, desistir da ideia de juízo e agir em misericórdia; de que Deus possa "ceder", outra palavra, normalmente, traduzida por "arrepender", mas que não indica uma mudança de atitude.

Jonas sabe que essa esperança é justificada e, quando Deus cede, ele se dirige a Deus de um modo que provoca um sorriso. "Eu sabia que você iria fazer isso. Eis porque eu não queria vir para cá." Ele dirige a Deus as mesmas palavras que Deus proferiu no Sinai sobre ser gracioso, compassivo, longânimo e grande em compromisso (veja Êxodo 34). São palavras já mencionadas e aplicadas a Israel por Joel, que adicionou a possibilidade de Deus agir da mesma maneira em relação a Israel. Jonas não fez objeções quanto a essa aplicação. Mas para os assírios?

Nesse ínterim, Yahweh providencia uma planta para fazer sombra sobre Jonas (não sabemos que espécie de planta era), mas, então, envia uma praga e a planta morre tão subitamente quanto cresceu. Esse ato ofende Jonas, não apenas por ter perdido a sua sombra, mas por sentir pena da planta. "O quê?", exclama Deus. "Você fica triste por causa de uma planta? E quanto às pessoas em Nínive? E quanto aos animais ali (que, claro, seriam atingidos pela destruição da cidade)?"

O livro termina com essa indagação e não revela como Jonas respondeu, mas deixa para nós, leitores, respondermos, pois é a nossa resposta, não a de Jonas, que importa.

MIQUEIAS

MIQUEIAS 1:1—2:5
O DESASTRE ALCANÇA OS PRÓPRIOS PORTÕES

¹Mensagem de *Yahweh* que veio a Miqueias, o morastita, nos dias de Jotão, Acaz e Ezequias, reis de Judá, que ele viu acerca de Samaria e de Jerusalém.

² Ouçam, povos, todos vocês, prestem atenção,
    terra, e todos os que nela vivem,
  para que o Senhor *Yahweh* seja uma testemunha contra vocês,
    o Senhor, do seu sagrado palácio.
³ Porque, eis que *Yahweh* irá sair do seu lugar,
    descer e pisar sobre as alturas da terra.
⁴ As montanhas se derreterão debaixo dele, os vales se dividirão,
    como cera diante do fogo,
    como água encosta abaixo.

MIQUEIAS 1:1—2:5 • O DESASTRE ALCANÇA OS PRÓPRIOS PORTÕES

⁵ Tudo isso por causa da rebelião de Jacó,
  pelas ofensas da casa de Israel.
Qual é a rebelião de Jacó — não é Samaria?
  E qual é o grande lugar alto de Judá — não é Jerusalém?
⁶ Farei de Samaria uma ruína em campo aberto,
  lugar para o plantio de uma vinha.
Impulsionarei as suas pedras para dentro da ravina,
  irei expor as suas fundações.
⁷ Todas as suas imagens serão despedaçadas,
  todos os seus ganhos serão queimados no fogo;
  todos os seus ídolos tornarei em desolação.
Porque ela [os] coletou dos ganhos de uma prostituta,
  e retornarão aos ganhos de uma prostituta.

⁸ Por causa disso, lamentarei e gemerei,
  andarei descalço, nu.
Lamentarei como os chacais,
  prantearei como as avestruzes.
⁹ Porque a sua ferida é incurável,
  porque já chegou a Judá.
Alcançou até mesmo o portão do meu povo,
  direto a Jerusalém.
¹⁰ Não revelem isso em Gate, não chorem de modo algum;
  em Bete-Le-Afra revolvam-se no pó.
¹¹ Passem, vocês residentes de Safir, nus de vergonha;
  os residentes de Zaanã não saíram.
Bete-Ezel está em lamentação;
  o seu apoio lhe será tirado.
¹² Porque os residentes de Marote
  estão doentes por algum bem.
Porque o mal desceu de *Yahweh*
  até o portão de Jerusalém.
¹³ Atrelem a carruagem ao corcel,
  residentes de Láquis.
Vocês foram o arquétipo de ofensa para a sra. Sião,
  pois as rebeliões de Israel foram encontradas em vocês.

¹⁴ Portanto, vocês darão presentes de despedida
para Moresete-Gate.
As casas de Aczibe serão um desapontamento
para os reis de Israel.
¹⁵ Ainda trarei um despojador para vocês,
residentes de Maressa.
O esplendor de Israel
chegará a Adulão.
¹⁶ Raspem a sua cabeça, cortem os seus cabelos,
pelos filhos nos quais vocês se deleitavam.
Ampliem a raspagem de sua cabeça como a águia,
pois eles foram exilados de vocês.

CAPÍTULO 2

¹ Ai de vocês, pessoas que planejam perversidade,
fazer o mal, em seu leito!
À luz da manhã elas o fazem,
porque está no poder de suas mãos.
² Elas cobiçam campos e os roubam —
casas, e as tomam.
Defraudam um homem de sua casa,
uma pessoa, de sua própria posse.
³ Portanto, *Yahweh* assim disse:
"Aqui estou eu, planejando o mal contra esta
família, do qual não livrarão o pescoço.
Não andarão altivos,
porque será um tempo de mal.
⁴ Naquele dia, alguém erguerá um poema
contra vocês, ele lamentará e pranteará, gemendo (ele disse):
"Estamos destruídos, destruídos,
ele suplantou a alocação do meu povo.
Ai! Ele a remove de mim,
para um traidor ele distribui os nossos campos."
⁵ Portanto, não haverá ninguém lançando o cordão por
sorte, para você, na congregação de *Yahweh*.

MIQUEIAS 1:1–2:5 • O DESASTRE ALCANÇA OS PRÓPRIOS PORTÕES

Cinco anos atrás, a minha enteada e o seu marido se viram em meio a um golpe político em Chade, em plena África, onde estavam trabalhando em benefício dos refugiados de Darfur. Eles passaram a noite escondidos no porão do hotel, na capital, N'Djamena, de onde, graças às bizarrices da tecnologia, eles conseguiram ligar para a minha esposa (como ela é agora) e falaram que não sabiam se estariam vivos no dia seguinte, por isso precisavam ligar para se despedirem. Na ocasião, tropas francesas intervieram no golpe e eles lograram viver para contar a história.

Nos dias de Miqueias, Jerusalém está prestes a passar por essa experiência. O profeta fala de um desastre que atingirá os próprios portões de Jerusalém; Miqueias estava mais certo do que podia imaginar. A introdução do livro o identifica nos dias de Jotão, de Acaz e de Ezequias, de modo que ele é contemporâneo de Isaías. Durante o reinado de Ezequias, o exército da **Assíria**, sob a liderança de Senaqueribe, invadiu **Judá** e devastou a nação. Lugares como Láquis, a segunda maior cidade judaíta, foi totalmente destruída. As tropas assírias seguiram em marcha na direção de Jerusalém, mas jamais lograram capturá-la. Segundo Reis 18—19 conta a história, além dos próprios registros de Senaqueribe, sobre como ele trancou Ezequias, em Jerusalém, "como um pássaro na gaiola"; mas ele não conquistou a cidade.

Os locais listados por Miqueias, no terceiro parágrafo, estão nas planícies em direção ao Mediterrâneo, que foram devastados pelo exército de Senaqueribe. Miqueias escolhe cidades cujos nomes podem ser vistos como presságios ao próprio destino. Bete-Le-Afra poderia quase significar "casa do pó", enquanto Aczibe é, praticamente, idêntico a um termo cujo significado é "desapontamento" ou "decepção". Maressa soa como se tivesse alguma relação com o ato de tomar posse.

MIQUEIAS 1:1—2:5 • O DESASTRE ALCANÇA OS PRÓPRIOS PORTÕES

O próprio nome, Láquis, é muito próximo da palavra para "corcel." Era uma cidade extremamente fortificada que pode representar a confiança na própria autossuficiência quanto à sua defesa, tornando-se, assim, um símbolo da rebelião de **Israel** contra *Yahweh*. Miqueias sugere a ela uma irônica exortação para preparar os seus cavalos e carruagens, pois precisará deles para fugir.

Miqueias veio de um pequeno povoado, próximo a Láquis, mas, a exemplo de Amós, deixou o seu pequeno vilarejo e cumpriu o seu ministério profético na cidade. Amós ministra em Samaria e foca o olhar em **Efraim**, mas incorpora soslaios na direção de Judá, ao passo que Miqueias atua em Jerusalém e foca o olhar em Judá, porém com olhares ocasionais na direção de Efraim. Embora as mensagens de Amós tenham se tornado conhecidas em Jerusalém (após a queda de Samaria, elas foram preservadas e refletidas ali), as mensagens de Miqueias nunca chegaram a Samaria, até onde sabemos. As suas advertências acerca de Efraim eram designadas a serem ouvidas por Judá, para enfraquecer qualquer tendência do povo judaíta em se autoconsiderar superior a Efraim, ou de temer os efraimitas (como Isaías deixa claro), ou de pensar que com a queda de Samaria, eles estariam seguros. A conversa de Miqueias sobre os ganhos da prostituta mostra como a sua mensagem constitui um paralelo à mensagem de Oseias, pregada em Samaria. Orar a outros deuses é uma espécie de adultério religioso, exceto pelo fato de envolver pagamento pelo que se obtém e o financiamento da confecção de imagens — as quais serão todas destruídas quando a cidade cair.

Brevemente, o segundo e o terceiro parágrafos apresentam motivos para o juízo de *Yahweh*: a infidelidade religiosa e a confiança em suas defesas pessoais. O parágrafo final foca as questões da comunidade. Pessoas com recursos e poder, na comunidade, tramam como podem ampliar os seus recursos materiais e o seu poder. A punição será adequada ao crime. *Yahweh* cuidará para que percam a posse da terra. O "traidor" será a pessoa a quem tentaram enganar e expulsar de sua terra. E eles mesmos jamais terão a oportunidade de participar da distribuição da terra.

MIQUEIAS **2:6—3:12**
PAPAI, NÃO FAÇA UM SERMÃO

⁶ "Não preguem", eles pregam —
eles não pregam sobre essas coisas.
As censuras não se afastarão —
⁷ isso deveria ser dito, casa de Jacó?
"A têmpera de *Yahweh* se tornou curta,
essas coisas são os seus atos?
Não são as minhas palavras boas
com alguém que anda retamente?
⁸ Agora mesmo o meu povo se levanta como um inimigo;
vocês tiram o manto de diante da capa
das pessoas que passam com confiança,
retornando da batalha.
⁹ As mulheres entre o meu povo —
vocês as expulsam de suas casas agradáveis.
De seus infantes,
retiram a minha glória para sempre.
¹⁰ Levantem-se! Vão!
Porque este será o [seu] lugar de repouso,
por conta da contaminação que destruirá,
com uma grave destruição.
¹¹ Se alguém viesse,
com o vento enganador da falsidade, dizendo:
"Pregarei a vocês acerca de vinho e licor",
ele seria o pregador desse povo.
¹² Pretendo, definitivamente, reunir Jacó, todos vocês,
pretendo, definitivamente, juntar o remanescente
de Israel.

Eu os colocarei juntos como ovelhas em um aprisco:
  como um rebanho no meio de sua pastagem,
  ele será barulhento com pessoas.
13 Aquele que abre caminho na frente deles está subindo;
  Eles irromperão, passarão pelo portão, saindo por ele.
O seu Rei passa adiante deles,
  Yahweh à frente deles.

CAPÍTULO 3

1 Eu disse: "Vocês ouvirão, cabeças de Jacó,
  governantes da casa de Israel:
  não são vocês que devem saber como exercer o governo?"
2 Mas, são pessoas que repudiam o bem e se entregam ao mal,
  que rasgam a pele do meu povo, a carne deles dos
    seus ossos,
3 que comem a carne do meu povo e arrancam a sua pele,
  e quebram os seus ossos,
e os cortam como para a panela,
  como carne dentro de um tacho.
4 Então, clamarão a *Yahweh*,
  mas ele não lhes responderá.
Ele ocultará deles o seu rosto, naquele tempo,
  pois cometeram atos maus.

5 *Yahweh* assim disse
  contra os profetas que fazem o meu povo se desviar:
"Eles mastigam com os seus dentes
  e proclamam que as coisas serão boas,
mas para alguém que não põe nada em sua boca
  declaram uma batalha sagrada contra ele.
6 Portanto, haverá uma noite para vocês, sem visão,
  escuridão para vocês, sem adivinhação.
O sol se porá para os profetas,
  o dia escurecerá para eles.
7 Os videntes serão envergonhados,
  os adivinhos desonrados.

> Todos eles cobrirão a própria boca,
> porque não há resposta de Deus.
> [8] Mas, quanto a mim, estou cheio de poder, com o vento
> de *Yahweh*,
> e poderosa autoridade,
> para declarar a Jacó a sua rebelião,
> a Israel a sua ofensa.
> [9] Vocês ouvirão isto, cabeças da casa de Jacó,
> governantes da casa de Israel,
> vocês, que desprezam a autoridade
> e tornam tortuoso o que é reto,
> [10] que constroem Sião com derramamento de sangue,
> Jerusalém com crimes.
> [11] Os seus cabeças exercem autoridade por suborno,
> os seus sacerdotes ensinam por comissão.
> Os seus profetas adivinham por dinheiro,
> mas se apoiam em *Yahweh*:
> "Não está *Yahweh* em nosso meio?
> O mal não virá sobre nós."
> [12] Portanto, por causa de vocês,
> Sião será um campo que é arado.
> Jerusalém se tornará em ruínas,
> o monte da casa um grande lugar alto em uma floresta.

Numa dessas semanas, durante o culto na igreja, a congregação aplaudiu, efusivamente, ao fim do sermão. Mesmo ao longo dos quinze anos que vivo nos Estados Unidos, o aplauso na igreja é um dos aspectos da prática cristã com o qual ainda não me acostumei. Não quero dizer que seja inerentemente errado; trata-se, somente, de uma diferença cultural. Mas, senti-me desconfortável com o aplauso ao término daquele sermão. Tive receio de que o pregador tivesse tocado exatamente o ponto sensível na congregação, de que houvesse confirmado algo que eles pensavam, que os tenha feito se sentirem confortáveis, até mesmo se sentirem presunçosos quanto à própria justiça. Diz-se que o trabalho do pregador é confortar os perturbados e perturbar os confortáveis.

Miqueias estava pregando de modo desconfortante, e isso lhe angariou problemas com outros profetas-pregadores, que não falavam da maneira que ele pregava. Eles o aconselharam a não mais fazer isso. Ele está mesmo falando sério quando diz que Deus irá trazer todos aqueles eventos destrutivos acerca dos quais profetiza, ou que a comunidade já está vivenciando? Sim, ele está, e eles estão apenas se enganando ao imaginarem que o pior já passou, e esses pregadores deveriam dar ao povo aquelas vãs esperanças que estão vendo. Pessoas retas é que podem esperar ouvir boas palavras de Deus. Miqueias lança o seu desafio à própria comunidade, pois ela é responsável por avaliar as palavras dos seus pregadores e chegar a um juízo sobre quem está, de fato, proferindo a palavra de Deus.

A nação é o pior inimigo de si mesma — ou melhor, está internamente dividida, e as pessoas com poder e dinheiro estão se comportando como inimigos do povo sem poder e dinheiro. A contaminação resultante desse maléfico procedimento significará a perda do lugar de repouso que **Yahweh** lhes deu na terra. O ajuntamento dos membros de seu rebanho, por parte de *Yahweh*, soa como boas novas, mas são más notícias — pois, o seu Rei irá quebrar as suas defesas na direção contrária, e expulsá-los para fora de sua cidade.

Claro que o problema é que os pregadores são pagos, de uma maneira ou de outra. Recebem um salário, ou são pagos por proferirem um determinado sermão, ou, talvez, sua recompensa seja apenas na forma de apreciação. Desse modo, eles obtêm algo para comer, como observa o último parágrafo. Não há pagamento por ser confrontador ou por anunciar más notícias. Por outro lado, mostram-se bem-dispostos em contar aos que não colocam comida em sua boca, que Deus está contra eles. Virá o dia, no entanto, em que *Yahweh* agirá conforme profetizado por Miqueias e, então, os profetas não terão mais nada a dizer ao seu povo. Serão incapazes de interpretar os eventos que ocorrerão.

Eles, sem dúvida, falavam com poder e autoridade, e, pelo menos, com o verniz externo de pessoas que estavam possuídas pelo espírito de *Yahweh*. Mas, há uma irônica ligação com o comentário de Miqueias, no primeiro parágrafo, acerca de pregadores que proclamam uma mensagem que é apenas vento. A palavra hebraica para "vento" e "espírito" é a mesma (*ruah*). Esses profetas alegam falar com o espírito quando, na verdade, as suas palavras são apenas vento. Miqueias, realmente, fala no poder do vento – o vento ou o espírito de *Yahweh*. Não há nenhuma distinção na forma externa de suas palavras ou de seu comportamento. É impossível afirmar quem é um verdadeiro profeta apenas julgando o exterior. É preciso avaliar a correlação entre as suas palavras e a situação em que ele fala. Os fatos acerca da vida em Jerusalém demandam alguém que a confronte como uma cidade rebelde. Alguém que falha em agir assim não é um verdadeiro profeta.

A indisposição em reconhecer esse fato e a insistência em aplaudir pregadores que apenas oferecem palavras com as quais as pessoas podem concordar torna o destino da cidade ainda mais certo. Miqueias, pelo menos, logrou se salvar mesmo com a pregação de seu sermão negativo, como sabemos da narrativa em Jeremias 26; alguns queriam matar Jeremias por sua pregação negativa, porém, outros lembraram das palavras de Miqueias sobre **Sião** se tornar um campo arado e que ele havia se livrado de qualquer punição, motivo pelo qual a vida do profeta Jeremias também foi preservada.

MIQUEIAS 4:1—5:9
A NOVA JERUSALÉM

1 Mas, ao fim daqueles dias,
 a montanha da casa de *Yahweh*
estará segura na cabeça das montanhas,
 elevada acima das colinas.
As pessoas afluirão a ela;
2 muitas nações irão e dirão:
"Venham, subamos à montanha de *Yahweh*,
 para a casa do Deus de Jacó,
para que ele nos ensine em seus caminhos e
 possamos andar em suas veredas."
Porque o ensino sairá de Sião,
 a palavra de *Yahweh*, de Jerusalém,
3 Ele decidirá entre muitos povos
 e emitirá reprovações por fortes nações, mesmo
  distantes.
Transformarão as suas espadas em enxadas,
 as suas lanças em ganchos de poda.
Nação não levantará a espada contra nação,
 e não mais aprenderão a guerra.
4 Sentar-se-á cada pessoa
 debaixo de sua videira e debaixo de sua figueira,
com ninguém a perturbar —
 pois a boca de *Yahweh* dos Exércitos falou.
5 Porque todos os povos andam,
 cada qual no nome do seu deus,
mas, nós andaremos
 no nome de *Yahweh*, o nosso Deus, para todo o
  sempre.

6 "Naquele dia" (declaração de *Yahweh*),
 "eu ajuntarei os coxos,
reunirei os excluídos,
 aqueles a quem afligi.

⁷ Farei dos coxos um remanescente,
    dos proscritos, uma forte nação.
  Yahweh reinará sobre eles no monte Sião,
    desde agora e para sempre.
⁸ E você, torre de vigia do rebanho,
    cidadela, sra. Sião,
  para você o antigo domínio chegará e virá,
    o reinado da sra. Jerusalém.
⁹ Agora, por que você emite um grito,
    não há um Rei em você?
  O seu conselheiro morreu,
    para que a contração a tenha agarrado como uma
      mulher dando à luz?
¹⁰ Contorça-se e grite, sra. Sião,
    como uma mulher dando à luz!
  Porque, agora, você sairá da cidade
    e habitará em campo aberto.
  Você irá até a Babilônia,
    mas, ali, será salva.
  Ali, *Yahweh* a restaurará
    da mão dos seus inimigos.

¹¹ Mas, agora, muitas nações
    estão reunidas contra você.
  Elas estão dizendo: 'Será profanado,
    nossos olhos contemplarão Sião.'
¹² Mas, eles não conhecem as intenções de *Yahweh*,
    não compreendem o seu plano.
  Porque ele os reuniu, como feixes na eira.
¹³ Levante-se, debulhe, sra. Sião,
    porque farei o seu chifre de ferro,
    os seus cascos de bronze.
  Você esmagará muitos povos,
    devotará o ganho desonesto deles a *Yahweh*,
    os seus recursos ao Senhor de toda a terra.

CAPÍTULO 5

¹ Agora, forme uma tropa. Sra. Tropa —
    alguém colocou um cerco sobre nós.
Eles ferem o líder de Israel
    no rosto, com uma vara.
² Mas, você, Belém, em Efrata,
    sendo pequena entre os clãs de Judá,
de ti emergirá para mim alguém que será
    um governante em Israel,
    cujas origens são de antigamente, de dias antigos.
³ Portanto, ele os entregará até o tempo
    em que aquela que estiver em trabalho de parto dê à luz,
e o resto dos seus parentes
    retorne aos israelitas.
⁴ Ele permanecerá e pastoreará com a força de *Yahweh*,
    na majestade do nome de *Yahweh*, o seu Deus.
Eles viverão, porque, agora, ele será grande,
    até os confins da terra,
⁵ e isso significará que as coisas estão bem.
A Assíria, se ela vier à nossa terra,
    se ela pisar sobre as nossas fortalezas,
estabeleceremos contra ela sete pastores,
    oito pessoas como generais.
⁶ Eles pastorearão a terra da Assíria com a espada,
    a terra de Ninrode com os seus portões.
Ele nos resgatará da Assíria, se ela vier à nossa terra,
    se ela pisar em nosso território.
⁷ O remanescente de Jacó estará
    no meio de muitos povos,
como orvalho de *Yahweh*,
    como regadores sobre a grama,
que não espera pelas pessoas,
    nem depende dos seres humanos.
⁸ O remanescente de Jacó estará entre as nações,
    no meio de muitos povos,

> como um leão entre os animais na floresta,
>   como um puma entre os rebanhos de ovelhas
> que, quando passa, pisa e maltrata,
>   sem ninguém para resgatar.
> ⁹ A sua mão se levantará sobre os seus adversários,
>   e todos os seus inimigos serão eliminados."'

Na primeira vez em que pus os pés na igreja à qual pertenci por quase vinte anos, três coisas me fizeram entender que eu gostaria de me unir àquela congregação. Ela possuía uma comunhão convidativa, era daltônica em sua recepção (a maioria dos membros é negro, eu sou branco). Ainda, a igreja usava a liturgia episcopal e, portanto, afirmava a nossa ligação com a tradição cristã ao longo dos séculos. Além disso, manifestava uma espiritualidade aconchegante; era evidente que aquela comunidade tinha uma relação viva com Cristo. Trata-se de uma congregação pequena, mas são esses aspectos que persistem, e se desejamos atrair outras pessoas, essas serão as características que mais as atrairão.

O Antigo Testamento pensa mais em termos de pessoas serem atraídas a **Israel**, de serem levadas a reconhecer que o verdadeiro Deus está ativo ali, do que em termos de Israel convencer as pessoas de que elas deveriam reconhecer esse Deus. Essa maneira de pensar está expressa na visão de Miqueias acerca das nações indo, como rebanhos, a Jerusalém. A profecia também aparece em Isaías 2; talvez seja original lá, ou, aqui, ou, talvez, o texto não estivesse associado com nenhum profeta, em específico, e foi inserido nas coletâneas dos dois profetas. É possível que Deus se agradasse com aquele desenvolvimento por sua importância.

A sua sentença inicial é, normalmente, traduzida por "no fim dos dias" ou "nos últimos dias", o que pode dar a impressão de que se refira a um tempo muito distante daquele de Miqueias, mas a expressão, em vez disso, sugere algo que irá ocorrer no fim do período acerca do qual o profeta está citando. Os capítulos anteriores foram deprimentes, e terminaram com a descrição de **Sião** como um campo arado. Mas, a exemplo dos capítulos iniciais de Isaías, o livro de Miqueias alterna advertências com promessas. Talvez haja um elemento que atue como uma vara e uma cenoura nessa combinação — a resposta das pessoas é que decide a espécie de experiência futura que elas terão. A maioria dos leitores do livro de Miqueias, no entanto, estaria vivendo após o desastre que cumpriria as suas advertências, e a promessa os encorajaria com a segurança de que Deus ainda está para realizar o que a visão retrata. Israel, em geral, viveu sob a sombra do mundo das nações que o cercava, um mundo dividido, ameaçador e deprimente. A nação israelita não estava em uma posição de fazer diferença nesse mundo. A profecia, no entanto, faz promessas assombrosas; Deus é aquele que faz diferença. Ele logrará esse objetivo ao atrair o mundo para Jerusalém. A única coisa que Israel precisa fazer é andar no nome do seu Deus. Claro que há uma ironia aqui, porque essa obrigação foi a mesma que Israel achou difícil de cumprir. Para o povo de Deus, no século XXI, ela oferece a mesma esperança que ofereceu a Israel, e, igualmente, o mesmo desafio.

As três profecias "Agora" seguintes, nos colocam de volta bem no meio das pressões sobre a cidade. Primeiro, mesmo em meio a uma crise que ameaça a própria vida, **Judá** é desafiado a não perder a esperança, pois ela reside na presença de Deus em seu meio. Ele é o Rei e Conselheiro que importa; mesmo se a crise resultar em **exílio** (como, de fato, resultou), esse não será o fim da história. Segundo, se as nações pensam que terão o seu caminho com Jerusalém, elas terão de refletir uma vez mais (elas terão de escolher entre ir a Sião para serem ensinadas por *Yahweh* e resolver as suas disputas, ou que Judá imponha uma "solução" sobre elas). Terceiro, há o desafio (talvez irônico) para a sra. Sião, agora, se tornar a sra. Tropa (i.e., tornar-se um exército) à luz do ataque à cidade e ao seu governante. Miqueias está, novamente, valendo-se de sua habilidade com as palavras, uma vez que o desafio pode, facilmente, ser entendido como "Corte-se [como um sinal de lamento], sra. Corte." Seja como for, a esperança, aqui, reside no fato de que Deus ainda não terminou com a linhagem de Davi, o filho mais famoso de Belém; em um contexto distinto, sete ou oito séculos mais tarde, Mateus descobre a promessa de Miqueias, estranhamente, iluminando o nascimento de Jesus em Belém. A promessa de Deus a Davi é retroativa, e Deus não irá abandoná-la. Se *Yahweh* desiste de Judá, temporariamente, por causa de sua transgressão, esse abandono não durará para sempre. Virá o dia no qual a sra. Sião (a mulher grávida na primeira profecia "Agora") dará à luz um novo Davi, e os parentes de Judá retornarão à terra deles. Os **assírios**, que promoveram tal devastação em **Efraim**, não precisam fazer o mesmo a Judá.

Com efeito, os versículos finais apresentam possibilidades alternativas diante de nações como a Assíria. O desejo de *Yahweh* é que Israel, mesmo que, agora, ainda esteja em número reduzido em comparação com o que era outrora, seja como orvalho ou chuva sobre as nações — um instrumento de bênção. Mas, alternativamente, pode ser um meio de destruição, como um animal selvagem. As nações devem fazer a sua escolha.

MIQUEIAS 5:10 — 6:16
FIDELIDADE E SINGELEZA

¹⁰ "Naquele dia" (declaração de *Yahweh*),
  "eliminarei os seus cavalos de seu meio
  e destruirei as suas carruagens.

¹¹ Destruirei as cidades em sua terra,
   demolirei todas as suas fortalezas.
¹² Aniquilarei todos os feitiços de sua mão,
   e você não terá adivinhadores.
¹³ Destruirei as suas imagens
   e as suas colunas de seu meio.
   Você não mais se curvará
   diante de algo feito por suas mãos.
¹⁴ Desarraigarei os seus postes do seu meio
   e destruirei as suas cidades.
¹⁵ Mas efetuarei reparação, em ira e fúria,
   sobre as nações que não ouviram."

CAPÍTULO 6

¹ Ouçam o que *Yahweh* disse:
   "Levante-se, contenda com as montanhas;
   as colinas devem ouvir a sua voz.
² Ouçam a contenda de *Yahweh*, ó montanhas,
   fundações duradouras da terra.
   Porque *Yahweh* tem uma contenda com o seu povo,
   ele tem uma disputa com Israel.
³ Meu povo, o que eu fiz a você?
   Como eu os fatiguei? — testifiquem contra mim.
⁴ Pois eu os tirei da terra do Egito,
   os redimi da casa de servos.
   Enviei adiante de vocês
      Moisés, Arão e Miriã.
⁵ Meu povo, lembre-se
      do que Balaque, rei de Moabe, planejou, e do que
         Balaão, filho de Peor, lhe respondeu, desde Acácias
         até Gilgal,
   para o bem do reconhecimento dos atos fiéis de *Yahweh*."

⁶ Com que meios deveria me aproximar de *Yahweh*,
   curvar-me diante do Deus Altíssimo?

Devo aproximar-me dele por meio de ofertas queimadas,
   novilhos de um ano?
⁷ *Yahweh* se agradaria de milhares de carneiros,
   de miríades de ribeiros de azeite?
Deveria entregar o meu primogênito por minha rebelião,
   o fruto do meu corpo por minhas próprias ofensas?
⁸ Ele contou a você, povo, o que é bom,
   o que *Yahweh* busca de você:
antes, que implemente decisões
   e se entregue ao compromisso,
e que seja singelo em como você anda com
   o seu Deus.

⁹ A voz de *Yahweh* clama à cidade
   (o temor ao seu nome é bom senso):
"Ouçam assembleia —
   e quem a designou?
¹⁰ Devo esquecer a casa infiel,
   os armazéns infiéis,
   a maldita medida falsificada?
¹¹ Devo ser inocente com balanças infiéis,
   com um saco de pesos falsos —
¹² cujas pessoas ricas estão cheias de violência,
   cujos residentes falam falsidades,
   e a língua em sua boca é enganosa?
¹³ Assim, eu mesmo os estou deixando enfermos,
   disciplinando vocês,
   desolando-os por suas ofensas.
¹⁴ Vocês comerão, mas não ficarão satisfeitos,
   e terão um vazio interior.
Ajuntarão, mas não preservarão,
   e o que preservarem,
   entregarei à espada.
¹⁵ Vocês semearão, mas não colherão;
   pisarão azeitonas, mas não se ungirão com o azeite,
   e uvas, mas não beberão o vinho.

> **¹⁶** Vocês mantiveram as leis de Onri,
>   cada prática da casa de Acabe,
>   andaram por suas políticas,
>   por isso, estou fazendo de vocês uma desolação,
>   dos seus residentes, motivo de assobios;
>   vocês carregarão o insulto do meu povo."

Estamos nos preparando para a Semana Santa e a Páscoa, na igreja. Assim, na quinta-feira, iremos cortar folhas de palmeiras (viver na Califórnia é muito diferente do que viver na Inglaterra). No sábado, iremos fazer cruzes com essas folhas, e realizaremos uma parada pelas redondezas com essas cruzes. Disseram-me que as crianças da escola dominical estão animadas para o culto de lava-pés na quinta-feira santa, eu também estou planejando a celebração da Páscoa. Será muito mais simples do que a vigília da Páscoa, que realizamos na Inglaterra, mas haverá certa iluminação de uma vela de Páscoa, bem como algumas palavras especiais e uma pequena procissão.

Se não tivermos cuidado, cairemos na mesma falha de **Judá**, criticada por Miqueias. Os judaítas apresentavam ofertas queimadas de novilhos de um ano de idade. Miqueias pôde imaginá-los trazendo milhares de carneiros, usando rios de azeite para unção, até mesmo sacrificando os seus filhos, na busca de obter expiação por seus malfeitos (houve ocasiões nas quais os judaítas lançaram mão de sacrifícios infantis). É difícil para os que vivem no Ocidente imaginar pessoas fazendo essas ofertas, porque temos diferentes formas de adoração que custam muito dinheiro na forma de edifícios grandiosos e nos salários pagos, bem como consomem muito tempo em planejamento e ensaio.

"Vocês complicam tudo", Deus diz. "Estou interessado no que é simples." Ele especifica duas coisas: "Primeiro, gostaria que vocês tomassem **decisões** de uma forma que expressasse a sua **entrega** ao compromisso." Deus quer ver a **autoridade** exercida, mas exercida de uma forma que personifique o compromisso das pessoas umas com as outras. O exercício de autoridade, normalmente, funciona em benefício daqueles que a exercem. No mínimo, eles vivem nas melhores casas e possuem planos de saúde mais abrangentes; podem ser tentados a ver, mais diretamente, como as decisões tomadas podem, de alguma forma, melhorar a posição deles.

Outra característica que Deus busca é a humildade na maneira que as pessoas andam com ele. Enquanto a primeira prioridade diz respeito aos relacionamentos dentro da comunidade, a segunda visa a relação com o próprio Deus (por isso, Jesus resumiu a **Torá** em termos do compromisso com Deus e com o próximo). Enquanto a primeira prioridade reúne temas comuns nos Profetas, a ordem sobre a singeleza diante de Deus usa uma palavra pouco comum, mas contextos relacionados sugerem que significa recato, o oposto de arrogância ou presunção. Os judaítas presumiam que eles soubessem o que era mais importante em uma adoração adequada, do mesmo modo que supunham o que era mais sábio em termos políticos. Talvez pedissem a orientação de Deus, no início da reunião do gabinete, mas, então, passavam a confiar na própria inteligência. O que mais se pode fazer? Mas, logo, usamos a nossa inteligência e a nossa criatividade de modo a impor os resultados do nosso pensamento sobre Deus.

A seção começa nesse ponto. Judá busca salvaguardar o seu futuro ao desenvolver suas defesas, os seus recursos militares, a sua inteligência (adivinhadores e encantadores), além dos seus recursos espirituais (imagens e colunas). Nenhuma dessas ações conta como deferência a *Yahweh*. As pessoas não aplicarão a sua mente para entender como as coisas eram quando enfrentaram crises no passado? Não têm ouvido as suas próprias histórias acerca dos atos de **fidelidade** de *Yahweh* que os tiraram do **Egito**, e os conduziram pelo deserto até a terra prometida?

A seção termina com uma crítica acerca da expectativa de *Yahweh* de que a vida da comunidade seja caracterizada por um exercício de poder que personifique a fidelidade mútua. Tudo o que o povo tem de fazer é observar o que acontece no mercado central para enxergar a falha aqui, Miqueias declara. Considere o que os comerciantes fazem e permanecem impunes, porque há o conluio das autoridades (mesmo porque os próprios comerciantes são as autoridades). Em uma crítica contundente, Miqueias declara que o estilo de vida de Judá corresponde ao de **Efraim**, nos dias de Onri e de seu notório filho, Acabe. É como se Judá se colocasse, deliberadamente, na direção da desolação, a exemplo do que fez Efraim. Assim, as pessoas não são apenas infiéis, mas, igualmente, estúpidas. *Yahweh* está brandindo a vara contra eles, mas eles não darão ouvidos à sua mensagem. Antes, não medirão esforços para assegurar o próprio futuro, mas nenhum de seus planos funcionará. Esses líderes terminarão insultados pelo povo de *Yahweh*, como a causa da desolação que lhes sobrevirá.

MIQUEIAS 7:1-20
LAMENTO, ORAÇÃO, EXPECTATIVA E ADORAÇÃO PELA CIDADE

1. Ai de mim! Porque me tornei
    como frutas de verão colhidas,
    como respigas da vindima.
   Não há cacho para comer,
    ou figo novo que o meu corpo podia desejar.
2. A pessoa comprometida desapareceu da terra,
    não há ninguém reto entre o povo.

MIQUEIAS 7:1-20 • LAMENTO, ORAÇÃO, EXPECTATIVA E ADORAÇÃO PELA CIDADE

Todos eles estão à espreita por sangue;
cada pessoa caça o seu irmão com uma rede.
³ As duas mãos estão prontas para fazer o mal:
o pedido do oficial, a recompensa do líder.
O homem importante fala para satisfazer o seu desejo.
E eles, juntos, tramam.
⁴ O melhor deles é como um espinheiro,
o mais reto, pior do que uma cerca de espinhos.
O dia que os seus vigias descreveram,
o dia da sua designação irá chegar;
agora, a confusão que descreveram irá acontecer.
⁵ Você, povo, não acredite no seu vizinho,
não confie em um amigo.
Daquele que dorme em seu abraço,
guarda o abrir de sua boca.
⁶ Porque o filho despreza o pai,
a filha se levanta contra a sua mãe,
a nora contra a sua sogra;
os inimigos de uma pessoa estão em sua casa.
⁷ Mas eu olharei para *Yahweh*,
aguardarei por meu Deus, que me salva;
o meu Deus me ouvirá.

⁸ Não celebre por mim, inimiga minha;
ainda que tenha caído, eu me levantarei.
Ainda que esteja sentado na escuridão,
Yahweh será a minha luz.
⁹ Eu carregarei a ira de *Yahweh*,
se tiver pecado contra ele,
até que contenda por mim
e tome decisão por mim.
Ele me trará para a luz,
e olharei para a sua fidelidade;
¹⁰ A minha inimiga verá,
e a vergonha a cobrirá,

a mesma que me diz:
"Onde está ele, *Yahweh*, o seu Deus?"
Os meus olhos olharão para ela;
agora, ela será pisoteada como a lama nas ruas.
¹¹ Um dia para reconstruir os seus muros —
aquele será um dia no qual a sua fronteira se moverá
para longe.
¹² Naquele dia, virão para vocês [pessoas],
desde a Assíria até as cidades do Egito,
desde o Egito até o Rio,
de mar a mar, de montanha a montanha.
¹³ Mas a terra se tornará em desolação por causa
de seus habitantes,
como fruto dos seus feitos.

¹⁴ Pastoreia o teu povo com a tua vara,
o teu próprio rebanho,
habitando à parte em uma floresta,
no meio de uma terra fértil.
Que possam pastar em Basã e em Gileade,
como nos dias de antigamente,
¹⁵ como nos dias em que saíram da terra do Egito.

"Quando mostrar as minhas maravilhas, ¹⁶as nações verão
e se envergonharão com toda a sua força.
Colocarão a mão sobre a própria boca,
os seus ouvidos ficarão surdos.
¹⁷ Lamberão o pó como uma serpente,
como as coisas que rastejam sobre a terra.
Que saiam tremendo de suas fortalezas
para *Yahweh*, o nosso Deus,
que estejam em temor e tremor de ti.
¹⁸ Quem é um Deus como tu, que carrega a transgressão
e passa sobre a rebelião dos remanescentes de sua
própria possessão?

MIQUEIAS 7:1-20 • LAMENTO, ORAÇÃO, EXPECTATIVA E ADORAÇÃO PELA CIDADE

> Ele não se apega à sua ira para sempre,
> porque se deleita no compromisso;
> ¹⁹ ele, novamente, terá compaixão por nós
> e pisará sobre os nossos atos rebeldes;
> lançará todas as nossas ofensas nas profundezas do mar.
> ²⁰ Mostrarás veracidade a Jacó,
> compromisso a Abraão,
> conforme juraste aos nossos antepassados,
> desde os dias de antigamente.

Cerca de um quilômetro e meio, ao norte de nossa casa, e quase um quilômetro a oeste da nossa igreja, dois jovens com pouco mais de vinte anos e um menino de quatro anos foram vítimas de um tiroteio, felizmente, não fatal, que parece estar ligado a um conflito entre gangues. O povo local questiona se há alguma conexão com um tiroteio, dessa vez fatal, que vitimou outro homem, dois meses atrás, bem como de outro homem que estava no lugar errado e na hora errada, três semanas antes, no dia de Natal. Não surpreende que os membros mais velhos da nossa igreja estejam com medo de sair à noite (embora a maioria desses tiroteios tenha ocorrido em plena luz do dia). Nesse ínterim, um noticiário local comentou sobre o fato de que, em uma eleição recente, o vencedor nesta região era o candidato que possuía mais recursos financeiros para gastar em sua campanha.

É fácil ficar deprimido com essa situação. A seção final de Miqueias começa aqui, embora ela inicie com uma imagem de outras passagens. O profeta se sente como uma pessoa pobre, saindo para os campos em tempos de colheita, que descobre que não há nada para ela recolher. Assim, o profeta percorre a cidade, buscando identificar pessoas comprometidas ou retas, e não as acha em lugar nenhum. As pessoas, sem exceção, estão apenas interessadas em pisar umas nas outras. Uma vez mais, Miqueias acusa aqueles com responsabilidade na cidade, que podem usar a sua posição para obter benefícios próprios, mas o profeta também observa que se ele olhar para as relações comunitárias e familiares, a situação parecerá, igualmente, desencorajadora e deprimente.

No meio do parágrafo inicial, no entanto, tornar-se claro que ele não está meramente lamentando aquela situação com alguém, em específico, mas com o próprio Deus, pois ele é que tem advertido a cidade, por meio de seus vigias (os profetas) e quem irá trazer o dia designado por ele. O profeta segue mantendo Deus no quadro, ao afirmar que busca a proteção de Deus. Ele precisa desse cuidado de Deus por estar sob perigo pessoal. Aquele que fala a verdade, como ele faz, pode esperar que as pessoas que são alvos de suas críticas tentem fazer dele mais uma de suas vítimas.

No segundo parágrafo, o profeta coloca palavras na própria boca da cidade. No devido tempo, ela será destruída em cumprimento aos avisos que ela tem ignorado. Mas os seus residentes podem orar para que aquela queda não seja o fim de sua história, e que as pessoas que são instrumentos da ação de Deus contra a cidade — que agem assim visando o próprio benefício, não por se verem como executores divinos — receberão a sua devida punição. As palavras da profecia, colocadas nos lábios da cidade, incluem o reconhecimento de suas transgressões (com efeito, reconhecem que Miqueias estava certo). Elas não expressam, meramente, uma determinada obstinação de sobreviver à calamidade, mas uma afirmação da expectativa em Deus. Portanto, eles encontram uma resposta de Deus que confirma as suas expectativas. Haverá um dia de destruição, mas também haverá um dia de reconstrução, bem como um dia no qual as pessoas daquela cidade, dispersas por todo o mundo, serão livres para retornar, quando as próprias nações receberem a sua recompensa.

A cidade, novamente, fala, clamado a *Yahweh* para fazer mais. Nos dias de Miqueias, e ainda mais em tempos posteriores, **Judá** era um pequeno e triste território ao redor de Jerusalém. Em seu favor, a profecia pede a Deus para restaurar suas amplas pastagens, usando o cajado do pastor para proteger o seu povo daqueles que se opõem a essa restauração, para agir da maneira que saiu do **Egito**, levando o povo com ele. Uma vez mais, Deus responde, prometendo mostrar, de novo, aqueles prodígios e novamente confundir as nações.

A cidade tem a última palavra. Talvez isso visualize as nações saindo tremendo de suas fortalezas, em um temor negativo de Deus, ou em uma submissão positiva a ele. A anterior se encaixaria no contexto imediato; a posterior, se adequaria à visão anterior de Miqueias acerca das nações indo a Jerusalém. É possível que as nações decidam.

Caso venham em uma submissão positiva, elas se tornarão beneficiárias da misericórdia de Deus, que domina as linhas finais do livro, do mesmo modo que a profecia, e a sua oração com adoração.

NAUM

NAUM 1:1—2:9
O IMPÉRIO ESCREVE DE VOLTA

1. Pronunciamento sobre Nínive, o livro da visão de Naum, o elcosita.

2. *Yahweh* é um Deus passional e que demanda reparação;
    Yahweh demanda reparação e é um mestre da fúria.
    Yahweh demanda reparação sobre os seus adversários,
    a mantém para os seus inimigos.

³ *Yahweh* é longânimo, mas grande em força,
   e, certamente, não trata as pessoas como inocentes.
Yahweh — seu caminho está no redemoinho e na
   tempestade,
   a nuvem é a poeira debaixo de seus pés.
⁴ Ele sopra o mar e o faz definhar,
   faz secar todos os rios.
Basã e o Carmelo se desvanecem,
   o botão do Líbano murcha.
⁵ As montanhas estremecem diante dele,
   as colinas se derretem.
A terra se agita diante dele,
   o mundo e todas as pessoas que nele vivem.
⁶ Diante de sua fúria, quem pode resistir,
   e quem pode se levantar diante de sua ira ardente?
O seu furor se derrama como fogo,
   e as rochas se despedaçam por sua causa.
⁷ *Yahweh* é bom, fortaleza no dia da aflição,
   e conhece os que se refugiam nele.
⁸ Com uma inundação arrebatadora ele dá fim ao
   lugar de alguém,
   persegue os seus inimigos até na escuridão.
⁹ O que vocês planejam contra *Yahweh*? — ele dá um fim;
   a tribulação não surge duas vezes.
¹⁰ Porque estão emaranhados entre espinhos,
   e bêbados com a sua bebida,
   são consumidos como palha que está totalmente seca.

¹¹ De você saiu aquele
   que planeja o mal contra *Yahweh*,
   aquele que aconselha maldades.
¹² *Yahweh* assim disse:
   "Apesar de prosperarem e serem muitos,
mesmo assim eles serão tosquiados e morrerão;
   embora eu tenha afligido vocês, não mais os afligirei.

¹³ Assim, agora, quebrarei o jugo que está sobre vocês,
   romperei os seus grilhões."

¹⁴ *Yahweh* ordenou contra você:
   "De seu nome, nada mais será semeado.
   Da casa do seu deus eliminarei
     a imagem esculpida e a fundida.
   Farei o seu túmulo,
     porque você é insignificante.
¹⁵ Eis sobre as montanhas os pés de um arauto,
     proclamando boa sorte:
   celebre a sua peregrinação, Judá,
     cumpra os seus votos.
   Pois a maldade não mais passará por você,
     ela será totalmente eliminada.

CAPÍTULO 2

¹ Um destruidor sobe contra você —
    proteja os postos de guarda.
  Vigie a estrada, cinja os seus lombos,
    reúna todas as suas forças.
² Porque *Yahweh* está restaurando a majestade de Jacó,
    como a majestade de Israel.
  Pois desperdiçadores os desperdiçaram,
    devastaram os seus ramos.
³ O escudo dos seus guerreiros está tingido de vermelho,
    os soldados se revestiram de escarlate.
  A carruagem está com fogo flamejante no dia em que é
      preparada,
    os zimbros são agitados.
⁴ Nas ruas, as carruagens correm,
    elas se apressam nas praças,
  a aparição delas é como tochas,
    aceleram como relâmpagos.
⁵ Ele reúne os seus nobres, eles caem enquanto vão;
    se apressam à sua muralha,
    o abrigo contra o cerco é preparado.

⁶ As comportas dos rios são abertas, o palácio se derrete;
⁷   está decretado, está exilada, está tomada.
  As suas servas lamentam como a voz de pombas,
    batendo no próprio peito.
⁸ Nínive era como um poço de água antigo, mas eles estão
    fugindo;
  "Parem! Parem!" Mas ninguém consegue fazê-los voltar.
⁹ Saqueiem a prata! Saqueiem o ouro!
    Não há limite para as coisas preparadas,
  o esplendor de todas as coisas que as pessoas têm
    em alta estima.

Anos atrás, Salman Rushdie, romancista britânico de origem muçulmana indiana, publicou um artigo no *Times*, de Londres, sobre escritores no antigo Império Britânico colonial. Parodiando o título do filme de ficção científica, *O Império contra-ataca*, o artigo foi intitulado "O Império escreve de volta". Esses escritores afirmam, defendem e demonstram a viabilidade da independência e a importância do trabalho emergente de suas culturas, outrora coloniais, bem como a resistência à estrutura de pensamento imposta sobre eles em seu passado imperial. Eles declaram a independência de seus respectivos países, não apenas em termos político-governamentais, mas de pensamento e de autocompreensão.

Nos dias de Naum, **Judá** é, na prática, uma colônia da **Assíria**. Não há um grupo de assírios residentes em Jerusalém, administrando diretamente os negócios ali, mas a Assíria controla as suas relações com os demais povos a partir de Nínive, a sua capital, e cobra impostos pelo privilégio de a nação-colônia fazer parte do Império Assírio. A posição de Judá é, portanto, similar à do Quênia ou da Malásia, quando estes países buscavam a sua independência da Grã-Bretanha, nos anos de 1950.

NAUM 1:1–2:9 • O IMPÉRIO ESCREVE DE VOLTA

Neste volume, até aqui, o centro de gravidade residiu no século VIII a.C., o apogeu do poder da Assíria, a época de Oseias, Amós, Jonas e Miqueias (e de Isaías, filho de Amoz). Em Naum, Habacuque e Sofonias (e Jeremias), o foco passa a ser no século VII a.C., os anos de declínio do Império Assírio; com a posterior queda diante da **Babilônia**. O trabalho de Naum é declarar que a queda da Assíria irá, de fato, ocorrer. Ele provou estar certo, motivo pelo qual, provavelmente, esta pequena coletânea de suas profecias foi incluída nas Escrituras. O termo "elcosita" indica a origem de Naum, embora a localização da cidade de Elcos seja desconhecida.

Profetas como Naum não encorajam Judá a tentar resistir, de algum modo, ao domínio assírio, embora não seja por acharem que a violência seja errada, mas porque a tarefa do povo de Deus é confiar nele e deixá-lo definir o futuro deles. O que eles têm em comum com os escritores coloniais modernos é a paixão com que tentam desencorajar seu povo de, simplesmente, aceitar esse destino como inevitável. Desejam insuflar a esperança nas pessoas, e esse é o objetivo de Naum.

Os profetas podem ver um poder dominante, a exemplo da Assíria, tanto como agente divino quanto inimigo de Deus. Agente de Deus por ser o meio de disciplinar **Israel** por sua rebelião contra Deus. Mas a Assíria age dessa maneira não porque deseja servir a Deus, mas porque almeja ampliar o seu poder e a sua riqueza. Naum declara que Deus não fica de braços cruzados quando um império oprime outros por tais motivos, ainda que isso também traga benefícios aos povos conquistados. Naum aproveita o estilo e algumas palavras da autorrevelação de Deus, em Êxodo 34, na qual Deus se declara gracioso e perdoador, e indica que essa revelação não significa que *Yahweh* permaneça indiferente quando as nações se comportam de modo a exigir reparação. Yahweh é passional para se manifestar em tais circunstâncias. Como é insensato fazer planos contra *Yahweh*! Ele, igualmente, possui um exército para reunir quando bem desejar. Naum pode estar se referindo ao exército de alguma outra nação que *Yahweh* irá comandar (nesse caso específico, a referência literal é à Babilônia, que, no devido tempo, derrotará a Assíria). O mais provável, no entanto, é o profeta estar se referindo ao exército celestial de *Yahweh*.

Às vezes, as profecias de Naum se dirigem à Assíria, e, em outras, a Judá. A audiência do profeta é Judá, o povo diretamente encorajado quando Deus fala de conhecer aqueles que buscam refúgio nele. Judá, no entanto, também é capaz de ouvir o que Deus está dizendo à Assíria, para encorajamento adicional.

NAUM 2:10—3:19
A QUEDA DA CIDADE SANGRENTA

¹⁰ Vazio, apenas vazio, devastação. O espírito se derrete,
   os joelhos batem.
Todos os corpos tremem,
   os rostos de todos eles apresentam um rubor.
¹¹ Assim, onde está a habitação dos leões,
   a pastagem para os pumas,
na qual o leão andava, a leoa,
   o filhote de leão, sem ninguém a perturbar,
¹² o leão despedaçava para os seus filhotes,
   e estrangulava por suas leoas,
enchendo seus covis de presas,
   as suas tocas de vítimas?
¹³ "Aqui estou contra você!"
   (declaração de *Yahweh* dos Exércitos):
"Queimarei as suas carruagens em fumaça,
   a espada devorará os seus pumas.
Eliminarei a sua presa da terra;
   a voz dos seus ajudantes não mais será ouvida."

NAUM 2:10–3:19 • A QUEDA DA CIDADE SANGRENTA

CAPÍTULO 3

¹ Ai da cidade que derrama sangue! Toda ela é engano,
 cheia de saques, de onde a presa não sai.
² O estalo dos chicotes, o som do estrondo das rodas,
 o galope de um cavalo,
 o sacudir das carruagens,
³ a cavalaria avançando, a espada reluzindo,
 a lança brilhando, uma multidão morta,
uma pilha de cadáveres, corpos sem fim,
 pessoas caídas sobre os corpos.

⁴ Por causa da prostituição abundante das prostitutas,
 a graciosa bondade da especialista em encantos,
que vende nações com a sua prostituição,
 clãs com os seus encantos,
⁵ "aqui estou eu contra você"
 (declaração de *Yahweh* dos Exércitos),
 levantarei a sua saia sobre o seu rosto.
Mostrarei às nações a sua nudez,
 aos reinos, a sua humilhação.
⁶ Lançarei abominações sobre você,
 a desprezarei e farei de você um espetáculo;
⁷ todos os que a virem fugirão; eles dirão:
'Nínive está arruinada, quem lamentará por ela,
 onde procurarei pessoas para consolá-la?'
⁸ Você é melhor do que Tebas, que estava assentada junto
 ao Nilo, cercada de águas,
 cuja defesa era o mar, a sua muralha feita do mar?
⁹ O poderoso Sudão e o Egito sem fim,
 Pute e Líbia eram o seu socorro.
¹⁰ Ainda assim, foi para o exílio, foi para o cativeiro;
 os seus bebês foram esmagados nas esquinas de todas as ruas.
Por seus homens honrados, as pessoas lançaram sortes,
 todas as suas pessoas importantes foram presas em
  correntes.

¹¹ Mesmo você ficará embriagada; se esconderá;
   procurará refugiar-se do inimigo.
¹² Todas as suas fortalezas são figueiras, com o primeiro fruto;
   se as pessoas as sacudirem, cairão na boca de um
      decorador.
¹³ Eis que a sua companhia, em seu meio, são mulheres,
   para os seus inimigos, os portões de sua terra
estão amplamente abertos,
   o fogo está consumindo as suas trancas.
¹⁴ Retire água para o tempo do cerco,
   reforce as suas fortalezas,
amasse o barro, pisoteie a lama,
   prepare o molde de tijolo!
¹⁵ O fogo, ali, consumirá você,
   a espada lhe dará um fim.
Ele o devorará como o gafanhoto,
   se multiplicará como o gafanhoto.
Como uma nuvem de gafanhotos se multiplicará;
¹⁶   você tornou os seus comerciantes mais numerosos do
      que as estrelas nos céus.
O gafanhoto devora e voa;
¹⁷   os seus guardas são como um monte de larvas
que se instalam nos muros em um dia frio.
Quando o sol sai, eles fogem;
   o lugar deles, onde eles estão, é desconhecido.
¹⁸ Os seus pastores foram dormir, rei da Assíria;
   os seus nobres se acomodaram.
O seu povo está espalhado pelas colinas,
   e não há ninguém para reuni-los.
¹⁹ Não há ninguém curando a sua ferida,
   o seu ferimento é grave.
Todos os que ouvem o seu relatório batem palmas
   por sua queda,
   pois quem sofreu por sua maldade constante?

O Império Britânico começou com Elizabeth I e perdurou até Elizabeth II. Grande parte de sua prosperidade inicial baseou-se na escravidão, embora também seja positivo pensar que houve uma ligação moral entre a abolição da escravatura, no império, e o seu apogeu, no século XIX. Mas houve um grande desgaste, no século XX, culminando com a transmissão do domínio mundial aos Estados Unidos. Hoje, ocasionalmente, diz-se que os Estados Unidos é que estão cansados dessa predominância e que, dificilmente, continuará a superpotência e o chefe de polícia do mundo. As atrocidades associadas com a Guerra do Iraque contribuem para o sentimento de cansaço moral resultante desse papel. A minha esposa norte-americana acredita que a China, simplesmente, virá e cobrará o que lhe é devido.

Pode-se dizer que, nos dias de Naum, a **Assíria** estava cansada dessa posição, e que não era necessária uma revelação especial de Deus para ver que os dias daquele império estavam contados, mas, talvez, seja mais fácil perceber isso em retrospectiva. Não há indícios de que Naum considerava que **Judá**, ou mesmo a Assíria, criam que a queda do império fosse inevitável ou iminente. A exemplo de outros profetas, Naum possui uma convicção gerada pela consciência de que Deus lhe havia falado, e a percepção de que o império deveria cair por motivos teológicos e morais.

Naum, portanto, segue trazendo boas novas a Judá acerca da queda da superpotência. Naquele momento, nações como Judá são presas do império; e, então, estarão seguras. O profeta prossegue para descrever a violência e o caos que a cidade sanguinária traz para as diferentes regiões de seu domínio, quando o seu exército é enviado. Naum repreende Nínive pela imoralidade de seu foco nas atividades comerciais e por sua confiança em seus recursos de informação.

Ao fazer isso, ele assume a convenção de descrever a cidade como uma mulher; assim, a cidade se torna uma prostituta que é exposta por seu comércio.

Em 663 a.C., os próprios assírios capturaram Tebas, junto ao Nilo, uma cidade que parecia inexpugnável. Se Tebas caiu, alguma outra cidade está segura? Naum descreve a queda de Nínive como se estivesse ocorrendo bem diante de seus olhos — o que, em sua visão, de fato, está. As suas fortificações parecem impressionantes, mas elas cairão como fruta madura da árvore. Será como se não houvesse nenhuma defesa, como um pequeno vilarejo sem muralhas. O seu exército parece preparado e corajoso, mas colapsará com a fragilidade e o medo estereotipado de uma mulher. Os seus líderes se mostrarão totalmente incompetentes; o seu rei não saberá o que fazer.

Naum, aqui, faz a única menção ao nome da Assíria em todo o livro. Além disso, apesar de a introdução nos revelar que o tema era Nínive, essa cidade é citada apenas uma vez, na primeira seção, e a segunda menção ocorre nesta seção final. A profecia, desse modo, pode ser aplicada a outros impérios e cidades, a exemplo da Assíria e de Nínive, o que constitui outra implicação e motivo para a obra ser incluída no cânon bíblico. Dentro da experiência de **Israel**, as boas notícias são de que, no devido tempo, as advertências do profeta se aplicam, igualmente, à **Babilônia**, do mesmo modo que se aplicam à Nínive. Isaías 40—55 apresenta os comentários anteriores de Naum, acerca dos pés de um arauto sobre as montanhas trazendo boas novas, além da descrição da confiança da sra. Nínive em seus especialistas, e os aplica à sra. Babilônia. A má notícia é que a descrição do destino de Nínive também se aplica à sra. Jerusalém, que, igualmente, é uma cidade sanguinária, cujas crianças serão esmagadas em casa esquina.

HABACUQUE

HABACUQUE 1:1—2:1
VOCÊ NÃO PODE FAZER ISSO!

1 Pronunciamento do que Habacuque, o profeta, viu.
2 Por quanto tempo clamarei por socorro, *Yahweh*, sem
    que ouças?
   Grito a ti: "Violência", mas tu não libertas.
3 Por que me fazes ver a perversidade,
    contemplar a opressão?
   A destruição e a violência estão diante de mim;
    há contendas e a luta surge.
4 Por isso, cessa o ensino, o julgamento jamais prevalece.
   Porque as pessoas infiéis cercam as fiéis; por isso,
    o julgamento resulta deformado.

5 "Observem as nações,
    olhem, e se surpreendam completamente.
   Porque irei fazer algo em seus dias
   que não acreditariam, caso lhes fosse contado.
6 Pois, aqui estou, e irei levantar os caldeus,
    aquela nação feroz e veloz,
   que vai até os extremos da terra,
    para possuir habitações que não lhe pertencem.
7 Ela é terrível e temível;
    ela mesma cria a sua autoridade e dignidade.
8 Os seus cavalos são mais velozes do que leopardos,
    mais sagazes que lobos à noite; os seus corcéis galopam.
   A sua cavalaria vem de longe,
    voando como uma águia que se apressa a devorar.
9 "Todos vêm prontos para a violência,
    os seus rostos estão impulsionados para frente;
    recolhem cativos como areia.
10 Aquela nação ridiculariza reis,
    os governantes são motivo de riso para ela.

> Aquela nação ri diante de toda fortaleza,
> pois fazem rampas de terra e a capturam.
> ¹¹ Então, passa como o vento,
> e se torna culpada, pois a sua força é o seu deus."
> ¹² Não és tu desde a eternidade, *Yahweh* —
> meu Deus, meu Santo? Tu não morres.
> Y*ahweh*, designaste [a Babilônia] para julgamento;
> minha rocha, a estabeleceste para reprovar.
> ¹³ Teus olhos são puros demais para ver o mal,
> tu não podes olhar para a opressão.
> Por que olhas para o traiçoeiro,
> permaneces imóvel quando a pessoa infiel devora a fiel?
> ¹⁴ Fizeste a humanidade como os peixes no mar,
> como coisas que se movem sem governante.
> ¹⁵ [A pessoa infiel] puxa todos eles com um anzol,
> os arrasta em sua rede.
> Ele os reúne em sua rede de arrasto;
> portanto, ele celebra e se alegra.
> ¹⁶ Então, ele sacrifica à sua rede,
> queima uma oferta para a sua rede de arrasto.
> Pois, por causa delas a sua porção é rica,
> a sua comida exuberante.
> ¹⁷ Assim, continuará ele esvaziando a sua rede,
> matando as nações sem piedade?
>
> CAPÍTULO 2
> ¹ No meu turno de vigia, tomarei minha posição,
> colocar-me-ei em meu posto.
> Olharei para ver o que ele falará para mim,
> o que devo replicar à minha reprovação.

Por duas vezes, mencionei a dramática situação dos refugiados de Darfur, no Chade. Já se passaram dez anos desde o extermínio de centenas de milhares deles, no Sudão, e a fuga de outros centenas de milhares. Minha enteada e o seu marido dedicam-se, integralmente, a tornar a situação deles conhecida no mundo e promover alguma ação internacional, mas não veem nenhum movimento nessa frente. Em duas semanas, terá início um período de "jejum" de cem dias, visando a identificação com esses refugiados: cada um deles se alimenta com cerca de mil calorias por dia e, assim, durante um dia por semana, consumiremos a quantidade de calorias que eles consomem. Minha esposa, em sua angústia, pensa em questionar por que Deus parece tê-los abandonado. Dessa maneira, além do jejum, clamaremos a Deus, em cada um desses cem dias, e suplicaremos para que ele ouça o nosso clamor em prol desse povo.

Habacuque parte de uma angústia similar acerca da situação de seu povo. O tempo é semelhante ao pressuposto por Naum; a **Assíria** exerce um domínio opressor sobre **Judá**. Mas a forma que o profeta fala sobre violência e opressão sugere que a sua preocupação seja relativa à própria vida interna de Judá, a exemplo de Amós e de Miqueias, ou profetas contemporâneos como Jeremias ou Sofonias. Nada sabemos além de seu nome e o fato de ele ser um profeta. Além disso, em todo o livro há apenas uma linha que indica o contexto histórico, ou seja, a referência aos **caldeus**; a escassez dessas referências estabelece um paralelo com Naum. A questão levantada pelo livro não está restrita ao período particular, no qual Habacuque vivia, nem a sua identidade é importante; a discussão do tema é que é relevante. Os infiéis estão, com frequência, à espreita dos **fiéis**, cercando-os como animais selvagens. O juízo, em geral, é exercido de maneira a ignorar o ensino da **Torá**; o julgamento resulta deformado. Supostamente, Deus está ao lado dos impotentes, mas, com frequência, nada faz por eles.

Uma característica distinta de Habacuque é que a obra assume a forma de um diálogo entre o profeta e Deus.

O protesto inaugural de Habacuque traça um paralelo com os protestos presentes nos Salmos. Embora os protestos dos salmistas falem em nome das pessoas que são fiéis, mas que estão sendo tratadas erroneamente, pode-se pressupor que outras pessoas se identifiquem com eles. Aqui, em Habacuque, essa identificação é explícita; o profeta protesta não por si próprio, mas pelas pessoas que ele vê vitimadas pela injustiça, em uma situação na qual ele nada pode fazer. Ser profeta não lhe concede nenhum poder para tomar alguma ação. Uma vez mais, os protestos de um salmista podem pressupor que os ouvintes daquele que protesta no templo possuam a vocação de trazer uma resposta de Deus. Aqui, em Habacuque, a resposta de Deus é explícita. O profeta é tanto aquele que ora quanto o que reporta a resposta divina. A resposta é que Deus, de fato, pretende agir contra a maldade na cidade. É aqui que os caldeus entram. A resposta é aquela, regularmente, transmitida pelos profetas, que será justificada pelos eventos, quando os caldeus invadirem Judá, sitiarem Jerusalém e destruírem a cidade. O poder e a crueldade desse exército resolverão as questões para a cidade. Embora a projeção possa parecer negativa tanto por aqueles que praticam o mal quanto os que sofrem a ação dele, o evento, pelo menos, significará que as pessoas no poder serão levadas ao exílio, enquanto as pessoas comuns serão capazes de reivindicar a terra que os poderosos lhe tomaram.

Habacuque tem uma preocupação distinta. A sua resposta à primeira declaração de Deus afirma certas verdades sobre Deus e reconhece as boas novas presentes na ação divina por meio da **Babilônia**, mas, então, indica que essa ação suscita uma outra questão. As próprias palavras de Deus apontaram para a natureza cruel da máquina militar dos babilônios. A Babilônia, em seu poderio militar, é o seu próprio deus.

Assim, pode Deus usá-la da maneira que pretende? Cometer dois males (o mal sobre as pessoas no poder em Jerusalém, e o mal sobre os babilônios) resulta em um acerto? Da mesma forma, os babilônios são infiéis devorando os fiéis; são como pescadores que acumulam "vítimas" em sua rede de pesca. Usar a Babilônia para resgatar os judaítas impotentes é como usar a Coreia do Norte para resgatar os refugiados de Darfur.

Habacuque, então, declara a sua intenção de aguardar para ver como Deus responderá. Ser um profeta não significa que Deus está à sua disposição; não há uma linha direta. É preciso aguardar a manifestação de Deus. Habacuque, então, refere-se ao que Deus falará *por meio* dele e como ele (Habacuque) *responderá* à sua própria admoestação. É possível que tenhamos imaginado ler apenas um diálogo entre o profeta e Deus, com Habacuque tentando obter a resposta de uma questão que lhe é importante. As palavras finais da seção tornam mais explícito que o seu livro não é uma mera transcrição de uma conversa privada entre ele e Deus, mas algo escrito para o seu povo, algo que lida com as questões que eles estão levantando.

HABACUQUE 2:2-20
SOBRE VIOLÊNCIA NA TERRA

² *Yahweh* me respondeu:

"Escreva claramente a visão em tábuas,
 para que mesmo alguém correndo a consiga ler.
³ Pois ainda há uma visão sobre o tempo determinado,
 ela testifica sobre o tempo, e não enganará.
Ainda que demore, aguarde-a,
 pois certamente virá, e não demorará.
⁴ Eis que o desejo em seu interior está dilatado, não é reto,
 enquanto a pessoa fiel viverá por sua veracidade.
⁵ O vinho trai mais o homem arrogante,
 aquele cujo apetite é tão amplo quanto o Sheol.

HABACUQUE 2:2-20 • SOBRE VIOLÊNCIA NA TERRA

Ele não permanecerá,
    aquele que é como a morte, mas não está cheio,
que coleta para si todas as nações,
    ajunta para si todos os povos.

⁶ Não levantarão esses povos, todos eles, um poema sobre ele,
    zombando, perguntando, sobre ele:
'Ai daquele que acumula o que não é dele!
    (até quando?)
    e aquele que contrai dívidas pesadas para si?'

⁷ Não se levantarão, subitamente, os seus credores,
    não despertarão as pessoas que o fazem estremecer,
    e você não será transformado em despojo para eles?

⁸ Porque você é aquele que saqueou muitas nações,
    o que foi deixado dos povos o despojará,
por conta do derramamento de sangue humano e da
    violência contra a terra,
    a cidade e todas as pessoas que nela vivem.

⁹ Ai daquele que adquire ganho desonesto, um mal para a
    sua casa,
    para estabelecer o seu ninho no alto, para escapar das
    garras do mal!

¹⁰ Você planejou a vergonha para a sua casa,
    eliminou muitos povos e se fez culpado.

¹¹ Porque uma pedra clamará da parede,
    e a viga da madeira responderá.

¹² Ai daquele que edifica uma cidade com derramamento
    de sangue,
    que estabelece uma cidade com malfeitos!

¹³ Acaso não vem de *Yahweh* dos Exércitos
    que os povos trabalhem para o fogo,
    que as nações labutem em vão?

¹⁴ Porque a terra se encherá
    do conhecimento do esplendor de *Yahweh*,
    assim como as águas cobrem o mar.

HABACUQUE 2:2-20 • SOBRE VIOLÊNCIA NA TERRA

¹⁵ Ai daquele que faz o seu próximo beber,
   derramando a sua ira e a sua fúria embriagada,
   a fim de olhar para seus corpos nus!
¹⁶ Você se fartará de humilhação em vez de esplendor;
   beba você também e mostre a sua incircuncisão.
   O cálice na mão direita de *Yahweh* virá ao seu redor
   e a humilhação no lugar do seu esplendor.
¹⁷ Porque a sua violência contra o Líbano o cobrirá,
   a destruição dos animais, que os aterroriza,
   por conta do derramamento de sangue humano e da
      violência
   à terra, à cidade e a todos os que nela vivem.
¹⁸ Qual o uso de uma imagem esculpida,
   quando o seu criador a esculpiu -
   uma imagem, que ensina mentiras
   quando aquele que a esculpiu confia nela,
   na confecção de ídolos mudos?
¹⁹ Ai daquele que diz: 'Desperte!',
   'Acorde!' a uma pedra muda, para que ensine.
   Sim, ela é revestida de ouro e de prata,
   mas não há nenhum fôlego nela.
²⁰ Mas *Yahweh* está em seu palácio sagrado —
   fique em silêncio diante dele, toda a terra.'"

Ontem à noite, assistimos a um filme sobre um bilionário dos Estados Unidos que adquiriu o direito de transformar um trecho intocado da costa escocesa num complexo magnífico, com um hotel e um campo de golfe. O projeto não agrada aos acionistas minoritários e às pessoas que vivem da pesca e estão, há muito tempo, estabelecidas na região; elas estão propensas a lançar maldições sobre o bilionário e sobre o próprio governo por permitir a obra. Ocorreu-me, igualmente, de ler um artigo sobre uma bilionária, que suscita reações similares de seus compatriotas australianos pela operação de sua companhia de minério. Os escoceses e os australianos sentem que a exploração de sua terra para a obtenção de lucros é algo condenável.

Habacuque declara que *Yahweh* sente o mesmo em relação aos **babilônios** — embora seja válido, uma vez mais, observar que o profeta não nomeia os exploradores, assim as suas palavras podem ser, facilmente, reaplicadas. Moralmente, eles não são melhores do que os **assírios** (ou o próprio **Judá**), e receberão o devido castigo, a exemplo da Assíria.

Quando se vive debaixo da opressão de uma superpotência, é difícil imaginar que ela não manterá a sua posição para sempre. Com o benefício da visão retrospectiva da ascensão e queda de mais de meia dúzia de superpotências, desde os dias de Habacuque, é fácil lembrar que impérios surgem e desaparecem, mas conceber a queda de uma superpotência é difícil tanto para o oprimido quanto para o próprio opressor. O profeta conhece apenas a Assíria, o primeiro império minguante do Oriente Médio, e a própria Babilônia, em seu curso de ocupar a posição de potência mundial dos assírios. Quem sabe se o domínio babilônico não permanecerá para sempre? Não irá, afirma *Yahweh* — não apenas devido a certas leis inevitáveis da política e da história, mas porque *Yahweh* assim diz. Pode levar algum tempo, mas o fim virá (na verdade, a Babilônia terminou por governar o Oriente Médio por um período mais curto do que a Assíria, ou a **Pérsia**, o seu império sucessor). A ganância, a autoindulgência, a crueldade, a arrogância e o derramamento de sangue: todos eles receberão a devida retribuição. A superpotência pode explorar o trabalho dos povos sob o seu domínio para o próprio crescimento, mas *Yahweh* cuidará para que todo esse esforço não traga proveitos ao opressor. Ainda, a queda da superpotência por meio da ação de Yahweh levará ao reconhecimento da sua majestade em todo o mundo.

Por outro lado, as pessoas **fiéis** viverão por sua veracidade. No capítulo 1 de Romanos, Paulo menciona essas palavras como: "O justo viverá pela fé" (v.17) e as faz palavras-chave para a compreensão do evangelho. Como ocorre com frequência, ele também usa as palavras em um sentido distinto daquele que elas têm em seu contexto original, mas estabelece um bom ponto do Antigo Testamento (como Paulo observa, em outras passagens, a fé foi a chave para o relacionamento de Abraão com Deus), ainda que esse não seja o ponto estabelecido por esse texto. As palavras de Habacuque, igualmente, reaparecem em Hebreus 10, com um sentido mais próximo daquele expressado pelo profeta do Antigo Testamento. Quando se vive sob a autoridade opressora de uma superpotência, é fácil acreditar que a força está certa, de que o poder é tudo o que importa. Veja mais adiante, afirma Habacuque. As pessoas fiéis provarão que a veracidade, a honestidade a confiabilidade e a perseverança resultam em uma vida caracterizada pela bênção, pela felicidade e pelo **bem-estar**. Nem sempre isso é verdade. Pessoas fiéis são martirizadas, mas, essa verdade é confiável o suficiente para ser usada como generalização, digna de ser vivida.

A seção prossegue para observar o desprezo da superpotência pelo próprio mundo. A violência sobre o Líbano refere-se ao sentimento de ter as suas árvores exploradas na construção e nas guerras. Isso me fez lembrar de cenas do filme com retroescavadeiras arrancando árvores na costa escocesa. A destruição de florestas também destrói os refúgios dos animais que se assustam com a invasão humana; o cervo não irá mais saltitar por aqueles campos. Os ídolos mudos da superpotência podem ficar de braços cruzados diante dessa ação, mas, na realidade, o mundo pertence àquele que está entronizado nos céus, diante do qual um pouco menos de arrogância seria uma atitude sábia.

HABACUQUE 3:1–19
UMA VISÃO QUE DEUS TORNARÁ REALIDADE

¹ Súplica de Habacuque, o profeta; em "Lamentos."

² "*Yahweh*, ouvi falar de ti;
   tremo diante da tua ação.
 No decorrer dos anos, traga-a à vida;
   no decurso dos anos, faça-a ser conhecida;
   no tumulto, lembra-te da compaixão.

³ Deus vem de Temã,
   o Santo, do monte Parã. (Pausa)
 A sua majestade cobriu os céus,
   o seu louvor encheu a terra.
⁴ O seu resplendor vem como a alvorada,
   raios vêm da sua mão, e ali está o esconderijo do seu poder.
⁵ Adiante dele vem a epidemia,
   e a praga segue os seus pés.
⁶ Ele se levantou e abalou a terra;
   olhou e agitou as nações.
 Montanhas antigas estremeceram,
   colinas de antigamente afundaram.
 Os caminhos dele são eternos,
⁷   no lugar da maldade que eu vi.
 As tendas de Cusã tremem,
   as habitações da terra de Midiã.
⁸ Tu estás irado com os rios, *Yahweh*,
   a tua ira é contra os rios, a tua fúria é contra
 o mar, quando montas em teus cavalos,
   em tuas carruagens que trazem libertação?
⁹ Descobriste totalmente o teu arco;
   as tuas flechas estão prometidas por tua palavra. (Pausa)
 Com rios, divides a terra;
¹⁰   quando te veem, as montanhas se contorcem.
 Torrentes de água passaram,
   o Abismo emitiu a sua voz.

O sol elevou as suas mãos nas alturas,
¹¹ a lua parou no alto.
As tuas flechas voam para dar luz,
o clarão da tua lança para dar brilho.
¹² Em ira, tu caminhas sobre a terra,
em fúria, pisoteias as nações.
¹³ Saíste para libertar o teu povo,
para libertar o teu ungido.
Esmagaste a cabeça da casa infiel,
tu a desnudaste, da fundação ao pescoço.
¹⁴ Perfuraste a cabeça com tuas flechas,
quando os seus guerreiros saíram como tempestade,
para me espalhar na exultação deles,
como se fossem devorar um homem humilde em seu
esconderijo.
¹⁵ Fizeste o teu caminho pelo mar, com
os teus cavalos, com a agitação de muitas águas.

¹⁶ Ouvi e as minhas entranhas estremeceram,
ao som, os meus lábios tremeram.
A podridão entra em meus ossos; eu meu lugar, tremo,
enquanto repouso para o dia da aflição,
que virá para o povo que nos invade.
¹⁷ Pois, ainda que a figueira não floresça,
não haja fruto nas videiras,
o produto da oliveira desaponte
e os campos não produzam alimento,
o rebanho seja retirado do aprisco
e não haja gado nos estábulos:
¹⁸ ainda assim, exultarei em *Yahweh*,
regozijarei no Deus que me liberta.
¹⁹ O Senhor *Yahweh* é a minha força,
ele faz os meus pés como os do cervo,
me capacita a pisar em lugares altos."

Para o líder, com instrumentos de corda.

Guisma é uma das garotas de Darfur, vivendo no acampamento de refugiados no Chade, entre as pessoas cuja situação já mencionei, em meu comentário sobre o capítulo inicial de Habacuque. Nos últimos dez anos, Guisma deixou de viver com seus irmãos e pais, em seu vilarejo, em Darfur, presenciou o assassinato de dois irmãos, durante um ataque à sua casa, a morte de um irmão mais novo, durante a fuga para o Chade, e de uma irmã mais nova no acampamento no Chade, o seu lar atual. A minha enteada comenta que Guisma é uma garota bonita, mas os seus olhos já viram muito mais tristeza do que os olhos de qualquer pessoa deveriam ver. Ela possui motivos para lamentar o que lhe aconteceu por meio de atos de uma nação da qual o seu povo costumava fazer parte, e prantear pela tolerância do resto do mundo quanto ao sofrimento dela e de seu povo.

Habacuque sofre por sua nação e por seus líderes, mas o seu livro termina com uma visão de Deus agindo a esse respeito. As linhas de abertura e de encerramento sugerem que a visão e a oração, eram usadas, em conjunto, na adoração, a exemplo de um salmo (a interjeição "Pausa" também está presente em Salmos, mas não sabemos, exatamente, o seu significado). Habacuque recebeu uma mensagem sobre a ação de **Yahweh**; sua oração é para que *Yahweh* traga, no presente, a mensagem à vida. No contexto do tumulto em sua nação e nos eventos internacionais, Habacuque conclama *Yahweh* a lembrar-se da visão que ele mesmo deu ao profeta, e da compaixão pelo povo que a visão implica, e, portanto, a agir com base nela.

Em sua visão, o profeta viu uma repetição da maneira pela qual Deus agiu no passado. Ele viu *Yahweh*, uma vez mais, fazendo a jornada até Canaã, desde o Sinai, com as reverberações na natureza que essa chegada evoca. Trata-se de outra reconstituição da vitória sobre as forças rebeldes da natureza que *Yahweh* também venceu no mar Vermelho. Na ocasião, o objeto da ira de *Yahweh* é um poderoso império, "as nações" e o cabeça de uma casa infiel. O objetivo da ação divina é libertar o povo, liderado pelo ungido de *Yahweh*, o rei assentado no trono de Davi.

Embora a visão abra um prospecto assustador para a superpotência, a sua natureza chocante exerce um forte efeito sobre o próprio Habacuque. O sentimento de horror pode ser acompanhado de um sentido de antecipação; é difícil se manter sereno e tranquilo quando se vive em uma cidade violenta como Jerusalém daqueles dias ou de uma cidade moderna. Em certo sentido, você não deveria fazer isso, mas, em outro nível, isso é possível. Habacuque é realista; ele nada pode fazer acerca da situação em sua cidade, ou em relação à opressão da superpotência exercida sobre o seu povo. Ele, no entanto, compromete-se a manter a serenidade. A perturbadora visão é, igualmente, uma base de esperança, pois ele vê *Yahweh* agindo. A realidade, mostrada na visão, se tornará real no mundo exterior. A superpotência exulta em sua dominação sobre pessoas como ele. O profeta, todavia, possui um fundamento para seguir exultando em *Yahweh*, mesmo se, no curto prazo, um exército invasor cause uma devastação típica de impérios conquistadores.

SOFONIAS

SOFONIAS **1:1–18**
COMO MUDAR UMA CULTURA?

¹Mensagem de *Yahweh* que veio a Sofonias, filho de Cuchi, filho de Gedalias, filho de Amarias, filho de Ezequias, nos dias de Josias, filho de Amom, rei de Judá:

² "Arrasarei completamente todas as coisas
   sobre a face da terra" (declaração de *Yahweh*).

³ Destruirei seres humanos e animais;
    varrerei as aves nos céus e aqueles que fazem os infiéis
        caírem.
  Eliminarei a humanidade da face da terra" (declaração
        de *Yahweh*).

⁴ Estenderei a minha mão contra Judá,
    e contra todas as pessoas que vivem em Jerusalém.
  Eliminarei deste lugar todos os remanescentes do
        Mestre,
    os nomes dos ministros dos ídolos e dos sacerdotes,
⁵ as pessoas que se prostram nos terraços
    para o exército nos céus,
  que se curvam (para jurar) a *Yahweh*
    e jurar pelo seu rei,
⁶ que se desviam e deixam de seguir *Yahweh*
    e que não consultam *Yahweh* nem o buscam.
⁷ Silenciem diante do Senhor *Yahweh*,
    pois o Dia de *Yahweh* está se aproximando.
  Porque *Yahweh* preparou um sacrifício,
    santificou aqueles que convocou.
⁸ No dia do sacrifício de *Yahweh*,
    atentarei para os oficiais, para os filhos do rei,
    para todas as pessoas vestidas com roupas
        estrangeiras.
⁹ Atentarei para todas as pessoas que saltarem na
    soleira [dos ídolos], naquele dia,
  que enchem a casa do seu senhor
    mediante a violência e o engano.

¹⁰ "Naquele dia, haverá" (declaração de *Yahweh*)
    "o som de um clamor desde a porta dos Peixes,
  um uivo desde a cidade baixa,
    um grande estrondo desde as colinas.
¹¹ Lamentem vocês que vivem em Mactés!

Pois todos os comerciantes pereceram,
   todos aqueles que pesam a prata foram eliminados.
¹² Naquele tempo,
   vasculharei Jerusalém com lamparinas.
Atentarei para as pessoas
   que estão relaxando em suas borras,
que dizem a si mesmas:
   '*Yahweh* não fará o bem nem o mal.'
¹³ Os seus recursos serão saqueados,
   as suas casas serão devastadas.
Eles construirão casas, mas não viverão [ali],
   plantarão vinhas, mas não beberão de seu vinho.
¹⁴ O grande dia de *Yahweh* está se aproximando,
   se aproximando muito rapidamente.
O som do Dia de *Yahweh* é feroz;
   o guerreiro irá gritar ali.
¹⁵ Aquele dia será um dia de ira,
   um dia de tribulação e de angústia,
um dia de devastação e desolação,
   um dia de trevas e escuridão,
um dia de nuvens e sombras,
¹⁶   um dia de toque da trombeta e de gritos de batalha,
contra as cidades fortificadas,
   e contra as altivas torres de esquina.
¹⁷ Trarei angústia às pessoas, elas andarão como os cegos,
   pois pecaram contra *Yahweh*.
O sangue delas será derramado como poeira,
   sua medula como fezes.
¹⁸ Nem a prata, nem o ouro delas
   será capaz de salvá-las.
No dia da ira de *Yahweh*, em seu fogo passional,
   toda a terra será consumida.
Porque ele dará um fim, sim, terrível,
   a todas as pessoas que vivem na terra."'

Na quarta-feira passada, seria o quadragésimo quarto aniversário de casamento de John Lennon e Yoko Ono, mas, em 1980, na frente de seu prédio, em Nova York, John foi assassinado a tiros. Na noite da quarta-feira, Yoko postou quatro mensagens contra as armas, com a imagem dos óculos estilhaçados que Johan estava usando quando foi morto. Cerca de um milhão de pessoas foram mortas, nos Estados Unidos, por armas de fogo, desde a morte de John Lennon. Na mesma semana, o líder da maioria no Senado anunciou que a principal legislação para o controle de armas, tramitando no Senado, não incluiria uma proposta para a proibição de armas de assalto e armas com carregadores de elevada capacidade. Os pais das vítimas de uma escola, cenário de um massacre recente, certamente, choraram diante da notícia. Então, ontem, foi o aniversário de um tiroteio, efetuado pela polícia, em uma rua localizada entre a nossa residência e a nossa igreja, no qual um rapaz, suspeito de estar armado, foi vitimado.

Como mudar a cultura em sua atitude de violência? Trata-se de um tema pelo qual os Profetas, regularmente, se inquietam. Sofonias refere-se a pessoas que enchem a casa de seu senhor mediante a violência e o engano, o que os torna semelhantes a membros da máfia. Talvez o profeta esteja se referindo a pessoas que enchem a casa do Senhor deles. Certamente, a violência que empregam acompanha as suas distorcidas visões de religião. Sofonias vive em uma época na qual **Judá** está, profundamente, influenciada pela religião tradicional da área, que se reafirmou, com força, entre os dias de Isaías e de Miqueias, no século VIII a.C., e o tempo de Sofonias e de Jeremias, no século seguinte. As pessoas oravam ao **Mestre**, que (supostamente) podia assegurar a produção agrícola. Elas ainda oravam aos deuses planetários e das estrelas, que (supostamente) controlavam os eventos terrestres. Oravam ao rei que, nesse contexto, dizia respeito ao rei do reino da Morte que (supostamente) era responsável pelos seus entes queridos que haviam falecido. As pessoas se vestiam para a adoração de uma forma que expressava a natureza estrangeira de sua religião. Saltar na soleira é alguma espécie de ritual, mas, por garantia, elas oravam também a *Yahweh*. Ou não; talvez o ponto de Sofonias seja de que elas obedeciam aos movimentos de adoração ao se prostrarem a *Yahweh*, mas, na realidade, não olhavam para ele por suas necessidades. Quer expressassem em palavras, quer não, a implicação dessa prática é que elas não criam em *Yahweh* como aquele que faz as coisas acontecerem, sejam boas ou más.

O primeiro dispositivo tentado por Sofonias para mudar a cultura é o mesmo usado por outros Profetas para atrair a atenção das pessoas. Ele declara que *Yahweh* irá trazer juízo sobre o mundo. O povo de Deus aprecia ouvir sobre aquele julgamento. Pode-se imaginar Sofonias indo aos pátios lotados do templo, em ocasiões festivas. Pode-se imaginar a sua declaração abordando uma das ênfases do festival, durante a sua pregação. A mensagem de Sofonias traça um paralelo à pregação de Naum, mas o juízo do qual ele fala é, preocupantemente, total. O julgamento envolve todo o mundo, não apenas (outras) nações. Após estabelecer esse ponto, o profeta explicita que Jerusalém, de fato, estará entre as vítimas, quando *Yahweh* agir. A porta dos Peixes, a Cidade Baixa e Mactés, são regiões da cidade; esta última pode ter esse nome em função de estar em uma baixada, mas a palavra significa "argamassa" e pode sugerir o destino dos seus moradores. O festival é "o Dia do Senhor", quando muitos sacrifícios eram oferecidos. Sofonias adverte o povo acerca de outra classe de "Dia do Senhor", que envolve um sacrifício distinto.

SOFONIAS 2:1–15
ONDE OLHAR

1 Reúna-se, ajunte-se, nação que não é desejada,
2   diante do nascimento do decreto (o dia se vai
        como palha),
    antes que a ira ardente de *Yahweh* venha sobre vocês,
        antes de o Dia de *Yahweh* os alcançar.
3 Olhem para *Yahweh*, todas vocês, pessoas humildes na terra,
        que implementaram a sua decisão.
    Olhem em fidelidade, olhem em humildade;
        talvez possam se esconder no dia da ira de *Yahweh*.
4 Porque Gaza se tornará abandonada,
        Ascalom, uma desolação.
    Asdode será desapropriada ao meio-dia,
        Ecrom, desarraigada.
5 Ai de vocês, que vivem na região junto ao mar,
        a nação dos queretitas!
    A mensagem de *Yahweh* é contra você,
        Canaã, terra dos filisteus!
    "Eu a eliminarei, sem deixar habitantes."
6 A região, junto ao mar se tornará em pastagens,
        cisternas de pastores, currais para rebanhos.
7 Será uma região para os remanescentes da casa de Judá;
        nela, serão apascentados.
    Nas casas de Ascalom,
        se deitarão, ao entardecer.
    Porque *Yahweh*, o seu Deus, cuidará deles,
        e lhes restaurará a sorte.
8 "Ouvi os insultos de Moabe,
        as injúrias de Amom,
    que insultaram o meu povo,
        e se gabaram de seu território.
9 Portanto, tão certo como eu vivo"
        (declaração de *Yahweh* dos Exércitos, Deus de Israel),
        "pois, Moabe se tornará como Sodoma,

SOFONIAS 2:1-15 • ONDE OLHAR

os amonitas como Gomorra:
> posse de ervas daninhas e poços de sal,
> uma desolação perpétua.

¹⁰ Isso é o que eles terão em vez de sua majestade,
> porque insultaram e zombaram
> do povo pertencente a *Yahweh* dos Exércitos.

¹¹ *Yahweh* será terrível contra eles,
> porque reduzirá todos os deuses da terra.
> Todas as costas das nações se curvarão a ele,
> cada qual de seu lugar.

¹² Vocês, sudaneses, também
> serão mortos pela minha espoada

¹³ Ele estenderá a sua mão contra o norte,
> e eliminará a Assíria.
> Fará de Nínive uma desolação,
> tão seca como o deserto.

¹⁴ Rebanhos se deitarão em seu meio,
> cada criatura na nação.
> Tanto a gralha quanto a coruja pousarão em suas colunas,
> o som entoará nas janelas.
> A devastação estará nas soleiras,
> pois o cedro está exposto.

¹⁵ Essa é a cidade que exulta, aquela que se assenta
> com segurança,
> dizendo a si mesma: 'Eu sou a única, não há outra.'
> Ai! Tornou-se um desperdício,
> um covil para criaturas selvagens.
> Todos os que passam por ela assobiam
> e balançam a mão.'"

Como parte de nossa liturgia para o Domingo de Ramos e da Paixão, na semana passada, realizamos uma leitura coletiva da história da crucifição. Foi, de fato, um evento poderoso.

Não havia percebido, antes, que o Livro de Orações permite que se omita tanto o credo quanto a confissão, após a liturgia do Domingo de Ramos, mas, a ideia me pareceu estranha, de maneira que eu ignorei a observação. Ler a história da crucificação, certamente, nos faz querer professar o credo? A leitura envolve uma renovação do reconhecimento de que pertencemos à multidão que grita: "Crucifica-o!". Deseja, decerto, se arrepender após a leitura? Quando Jesus adverte as pessoas a não chorarem por ele, mas por si mesmas e por seus filhos, certamente, sabe que seria melhor fazê-lo?

Além de ameaçar as pessoas com o Dia do Senhor, Sofonias tem uma segunda maneira de tentar mudar a sua cultura. Ela se baseia na primeira; o profeta conclama o seu povo ao arrependimento. O relato de Jonas mostra que um profeta não tem de proferir essa exortação. Ele deve deixar as pessoas chegarem à conclusão de que o arrependimento é a resposta mais apropriada para uma advertência sobre juízo. Mas ele pode também fazer esse movimento, é isso o que Sofonias faz.

Não é uma exortação padrão ao arrependimento. As palavras iniciais sobre "reunir-se" parecem um começo estranho, e elas teriam ressonâncias infelizes aos seus ouvintes. Referem-se a recolher o restolho, ou seja, o entulho que sobra depois da colheita. Ele é reunido para ser queimado ou ser levado pelo vento. Uma nação que é somente refugo é uma nação que **Yahweh** não deseja; são como palha destinada a ser consumida pelo fogo que é gerado pelo decreto de *Yahweh*.

Sofonias segue conclamando o povo a olhar para *Yahweh*, para buscá-lo. O profeta se dirige às pessoas comuns na terra, aquelas que vivem pelos padrões de *Yahweh*. É possível ter a impressão de que a nação está completamente podre, mas o profeta insiste que não é bem assim. Quando o dia do desastre chegar, todavia, ele atingirá pessoas que não merecem aquele fim, do mesmo modo que aquelas que o merecem. (Não sabemos o que, eventualmente, aconteceu com Sofonias, mas conhecemos o que ocorreu com profetas contemporâneos, como Jeremias e Ezequiel — eles não lograram escapar do destino das demais pessoas, ainda que não o merecessem.) Assim, as pessoas seriam sábias em se voltarem a *Yahweh*, como expressão de sua **fidelidade** e carência, e orarem para que ele possa escondê-las do desastre, naquele dia. E observamos que, no todo, as pessoas comuns e do campo tiveram uma experiência menos desastrosa do que os líderes e outras pessoas de Jerusalém, pois elas escaparam do **exílio** e talvez, tenham reivindicado a terra que havia sido apropriada pelos poderosos e ricos.

Assim, Sofonias está, realmente, conclamando os seus ouvintes ao arrependimento? Como de hábito, é necessário lembrar que as pessoas às quais os profetas *parecem* estar falando podem não ser aquelas com as quais eles, de fato, desejam se comunicar. Caso Sofonias esteja pregando no pátio do templo, então, as pessoas que ele está atacando (as que empregam violência e que buscam o favor de outros deuses) o estão ouvindo. Ele, indiretamente, está falando com eles e dizendo: "Vocês precisam ser pessoas que olham para Yahweh em fidelidade e humildade." Sim, elas precisavam se arrepender, e parece que assim fizeram. O rei Josias liderou-as em um grande mutirão para limpar o templo e restaurar a adoração nele, e o juízo apregoado por Sofonias não veio. Infelizmente, no entanto, a reforma teve curta duração, e poucas décadas mais tarde, Jerusalém sucumbiu diante dos invasores.

Antes de lançar o seu ataque a **Judá**, Sofonias falou sobre *Yahweh* eliminar todas as coisas. Após exortar o povo a olhar para *Yahweh*, a buscá-lo, o profeta volta a falar da ação de Yahweh contra os povos que cercavam Judá e/ou controlavam o seu destino. Há implicações positivas à sua mensagem, mas também uma advertência. Se esse desastre irá atingir essas nações, o que acontecerá com as pessoas que conheciam *Yahweh*, mas, então, se afastaram dele?

SOFONIAS **3:1–20**
DEUS NO MEIO

1. Ai da cidade rebelde, impura
    e opressora!
2. Ela não ouve nenhuma voz,
    não aceita a disciplina.
   Ela não confia em *Yahweh*,
    nem se aproxima do seu Deus.
3. Os oficiais em seu meio,
    são como leões rugidores.
   Os seus governantes são como lobos ao entardecer;
    eles não roem até o amanhecer.
4. Os seus profetas são arrogantes, pessoas de perfídia;
    os seus sacerdotes profanam o que é sagrado, violam
     a Torá.

5. *Yahweh* é fiel em seu meio;
    ele não faz o mal.
   Manhã após manhã, ele dá a sua decisão,
    ao raiar do dia ele não falha,
    mas o malfeitor não conhece a vergonha.
6. "Estou eliminando nações,
    as suas torres de esquina estão se tornando desoladas.
   Estou arruinando as suas ruas,
    para que ninguém passe por elas.
   As suas cidades ficarão sem pessoas,
    sem nenhum habitante.
7. Eu disse: 'Você, certamente, terá temor de mim,
    aceitará a minha disciplina.'
   Então, a sua habitação não seria eliminada,
    tudo o que atentei fazer a ela.

Pelo contrário, foram ávidos
em cometer todos os seus atos corruptos.

⁸ Portanto, esperem por mim" (declaração de *Yahweh*),
"pelo dia em que me levantarei como testemunha.
Pois a minha decisão é ajuntar nações,
reunir reinos,
derramar sobre eles a minha fúria,
toda a minha ira ardente.
Porque em meu zeloso fogo,
toda a terra será consumida.

⁹ Pois, então, restaurarei aos povos
lábios purificados,
para que o sirvam com força unida.

¹⁰ Desde além dos rios do Sudão, os que suplicam a mim,
a minha comunidade dispersa, trará a minha oferta.

¹¹ Naquele dia, não ficarão envergonhados de todos os
seus feitos,
com os quais se rebelaram contra mim.
Porque, então, removerei de seu meio
as pessoas que exultam em sua majestade.
Nunca mais vocês serão muito superiores
na minha sagrada montanha.

¹² Deixarei como remanescente em seu meio um povo
pobre e humilde,
e eles encontrarão refúgio no nome de *Yahweh*.

¹³ Os remanescentes de Israel não agirão perversamente,
e não falarão falsidades.
Em sua boca, não estará presente
uma língua enganosa.
Pois eles serão aqueles que comerão e se deitarão,
sem ninguém a perturbá-los.'"

¹⁴ Ressoe, sra. Sião!
Grite, Israel!

> Celebre e exulte de todo o seu coração,
>> sra. Jerusalém!
> ¹⁵ *Yahweh* está revertendo as decisões a seu respeito,
>> ele está afastando o seu inimigo.
> *Yahweh*, rei de Israel, está em seu meio;
>> não precisa mais ter medo do mal.
> ¹⁶ Naquele dia se dirá a Jerusalém:
>> "Não tema, Sião!
> As suas mãos não devem enfraquecer.
> ¹⁷ *Yahweh*, o seu Deus, está em seu meio,
> um guerreiro que liberta.
>> Ele celebrará em você com regozijo,
> manterá a sua paz em seu amor,
>> alegrar-se-á em você com retumbância.
> ¹⁸ Os que lamentam por causa dos eventos determinados —
>> eu os estou congregando;
>> eles têm sido um fardo, um insulto, sobre você.
> ¹⁹ Aqui estou eu, e irei lidar com todos os seus opressores,
>> naquele tempo.
> Eu libertarei os aleijados,
>> ajuntarei aqueles que foram dispersos.
> Transformarei a sua vergonha em louvor e honra
>> em toda a terra.
> ²⁰ Naquele tempo, eu os trarei —
>> sim, naquele tempo eu os ajuntarei.
> Porque os farei objeto de louvor e de honra
>> entre todos os povos da terra,
>>> quando eu restaurar a sua sorte diante dos seus olhos'"
>> (diz *Yahweh*).

Ontem à noite, assistimos a um filme sobre Sholem Aleichem (Solomon Rabinovich era o seu verdadeiro nome), mais conhecido como o autor das histórias que resultaram no musical, *Um violinista no telhado*. Ele nasceu na Ucrânia, na metade do século XIX, onde as comunidades judaicas eram pobres, mas gozavam de relativa segurança. No fim do século XIX, ocorreu uma grande perseguição que levou a uma emigração em massa para os Estados Unidos. Foi em apoio aos judeus afetados pelos massacres que Emma Lazarus escreveu as linhas gravadas na base da Estátua da Liberdade: "Dai-me os seus fatigados, os seus pobres, as suas massas encurraladas ansiosas por respirar liberdade." A comunidade judaica, nos Estados Unidos, então, prosperou nas décadas seguintes e ganhou um lugar de liderança na nação. A história é uma personificação da promessa de Sofonias sobre **Yahweh** libertar os aleijados e as pessoas dispersas, e transformar a sua vergonha em louvor e honra.

Sofonias, naturalmente, mantém o foco na própria comunidade em Jerusalém, iniciando, uma vez mais, dos aspectos degenerados da vida na cidade. Um motivo-chave é a expressão "no meio" ou "do meio", que aparece mais vezes neste capítulo do que em qualquer outro do Antigo Testamento. A princípio, é outra forma de expressar a crítica profética de Sofonias: os oficiais da cidade "em seu meio" são como leões rugidores. Eles deveriam servir ao povo, mas, ao contrário, agem para consumi-los (não roer até de manhã implica comer tudo durante a noite). Em contraste, *Yahweh* "em seu meio" age da maneira correta em relação ao povo. A cada novo dia, ele opera como um líder **fiel**, não infiel. Isso significa tanto boas quanto más notícias. Caso queira ver as implicações, *Yahweh* diz, reflita sobre o que estou fazendo às demais nações. Imaginei que vocês seriam sensíveis o bastante para aprender a lição e, assim, evitar o mesmo destino, mas, vocês declinaram.

O terceiro parágrafo amplia o paralelo entre o que *Yahweh* fará às nações e o que ele fará a **Judá**. Ele começa com o que parece ser a destruição total das nações, mas, então, prossegue para falar acerca da purificação dos seus lábios para que possam clamar no nome de *Yahweh*. Igualmente, o juízo devastador sobre Judá não resultará no fim, pois *Yahweh* trará de volta sobreviventes dentre o seu povo disperso, de modo que possam trazer as suas ofertas a *Yahweh*. O julgamento resultará em uma purificação que remove os poderosos infiéis e arrogantes "do seu meio." Assim, ele deixará "em seu meio" um povo pobre e humilde, que viverá de maneira honrosa em suas inter-relações. Como de hábito, isso não quer dizer que as pessoas humildes se tornam o **remanescente** por elas serem fiéis; é pela misericórdia de Deus que há um remanescente e, como resultado, essas pessoas são chamadas à fidelidade.

Assim, *Yahweh*, Rei de **Israel**, está "em seu meio" e vocês não precisam mais ter medo de poderes imperiais como a **Assíria**. *Yahweh*, o seu Deus, está "em seu meio"; trata-se de uma base para esperança. Aqueles que lamentam por causa dos eventos determinados (os festivais fixos) são, talvez, os que focam as perdas do passado. O alerta os encoraja a crer no que *Yahweh* está, agora, fazendo. Somente aqui é que o Antigo Testamento aplica os substantivos "regozijo" e "retumbância" a *Yahweh*, palavras que retratam *Yahweh* celebrando com o mesmo entusiasmo desinibido mostrado por Jerusalém nos festivais. A promessa de *Yahweh* ser capaz de manter a sua paz, talvez, reflita o fato de ele não mais precisar se irar contra o seu povo. Se *Yahweh* se regozijará dessa maneira pela cidade, certamente, a cidade poderá se regozijar.

AGEU

AGEU 1:1–15a
SOBRE REMODELAR AS PRIORIDADES

¹No segundo ano do rei Dario, no sexto mês, no primeiro dia do mês, a mensagem de *Yahweh* veio por meio de Ageu, o profeta, a Zorobabel, filho de Sealtiel, governador de Judá, e a Josué, filho de Jeozadaque, sumo sacerdote: ²"*Yahweh* dos Exércitos

AGEU 1:1-15A • SOBRE REMODELAR AS PRIORIDADES

assim disse: 'Este povo tem dito: "O tempo não veio (para construir a casa de *Yahweh*)"'. ³A mensagem de *Yahweh* veio por meio de Ageu, o profeta: ⁴"É o tempo de vocês mesmos viverem em suas casas revestidas e esta casa ficar desolada?". ⁵Assim, agora, *Yahweh* dos Exércitos assim disse: "Apliquem a sua mente aos seus caminhos. ⁶Vocês têm semeado muito, mas colhido pouco. Comem, mas sem se sentirem satisfeitos. Bebem, mas sem ficarem embriagados. Vestem-se, mas sem se sentirem aquecidos. E a pessoa que recebe salário, o recebe para colocá-lo em uma bolsa cheia de furos." ⁷*Yahweh* dos Exércitos assim disse: "Apliquem a sua mente aos seus caminhos. ⁸Subam à montanha, tragam madeira e construam a casa, e olharei para ela e encontrarei honra", *Yahweh* disse. ⁹"Vocês esperavam muito, mas eis que veio pouco. E o que trouxeram para casa, eu o dissipei com um sopro. Por que fiz isso?" (declaração de *Yahweh* dos Exércitos) "Por causa da minha casa que está desolada, enquanto cada pessoa está ocupada com a sua própria casa. ¹⁰Portanto, acima de vocês, os céus têm retido o orvalho, e a terra tem retido o seu rendimento, ¹¹e convoquei a seca sobre a terra, as montanhas, os grãos, o vinho novo, o azeite fresco, sobre todo o produto do solo, os seres humanos, os animais e todo o esforço das suas mãos."

¹²Zorobabel, filho de Sealtiel, e Josué, filho de Jeozadaque, o sumo sacerdote, e todos os remanescentes do povo, ouviram a voz de *Yahweh*, o seu Deus, e por causa de Ageu, o profeta, a quem *Yahweh*, o seu Deus, enviou. Assim, o povo teve temor de *Yahweh*. ¹³E Ageu, o ajudante de *Yahweh* em sua obra, disse ao povo: "Eu estou com vocês" (declaração de *Yahweh*). ¹⁴Assim, *Yahweh* despertou o espírito de Zorobabel, filho de Sealtiel, governador de Judá, e o espírito de Josué, filho de Jeozadaque, sumo sacerdote, e o espírito de todos os remanescentes do povo, e eles foram e fizeram a obra na casa de *Yahweh* dos Exércitos, o seu Deus, ¹⁵ᵃno vigésimo quarto dia, do sexto mês.

Mencionei, anteriormente, que há um problema com uma das paredes de nosso apartamento. Os problemas não estão restritos àquele pedaço da nossa parede. O ideal seria alguma reparação radical na drenagem do edifício para que os problemas não se tornem recorrentes. Mas o reparo radical que precisa ser feito é muito caro, de maneira que todos nós, moradores, estamos discutindo se queremos fazer o reparo radical, pois ele resultaria em dificuldades financeiras para alguns, enquanto levantaria questões sobre prioridades para outros. Devemos correr o risco de fazer reparos locais e paliativos quando se fizerem necessários?

A reflexão sobre esse dilema me fez sentir um pouco mais de compaixão pelas pessoas que viviam em Jerusalém, nos dias de Ageu. Elas eram os **remanescentes** de Judá, os sobreviventes, aqueles que sobraram do magnífico povo de **Israel**, cujos grandiosos dias parecem ter ficado em um passado distante. Eventos se sucederam por mais de um século, desde o tempo de Sofonias. As advertências do profeta se cumpriram; Jerusalém foi destruída e seus líderes foram exilados. Algumas pessoas na cidade haviam escapado do exílio, enquanto outras retornaram quando a antiga superpotência, a **Babilônia**, deu lugar a uma nova, a **Pérsia**. O livro, portanto, começa com a referência a Dario, o rei persa. Um livro de um profeta anterior seria datado pelos reinados de reis israelitas, mas, nesse caso, não há um rei israelita. Zorobabel, de fato, pertencia à linhagem real (Sealtiel era o filho do rei Joaquim), de maneira que ele era qualificado para ser rei; na verdade, ele é o governador designado pelos persas, mas, já é alguma coisa o fato de um príncipe davídico estar exercendo autoridade em Jerusalém. A menção de Josué reflete como a liderança conjunta de um governador e de um sumo sacerdote é, naquele tempo, uma característica da vida de Judá.

Os habitantes da cidade haviam começado a reconstruir o templo, mas, então, desistiram por causa das tensões com seus vizinhos e a oposição que eles exerceram; o livro de Esdras relata essa história. Agora, Ageu (e Zacarias, cujo livro vem logo em seguida) conclamam o povo a retomar a obra de reconstrução. Ageu não faz menção da oposição como um problema à obra, mas se refere ao foco dos moradores em suas próprias casas, em vez da habitação de **Yahweh dos Exércitos**. Antes, repararam a sua moradia, o que era, certamente, necessário ("revestidas" não implica, necessariamente, um grande luxo, embora sugira algo razoavelmente bom). Assim, o povo abandonou a casa de *Yahweh*, em sua arruinada condição.

A confrontação do profeta estabelece um contraste com a confrontação de profetas anteriores. Quando Davi desejou construir a casa de *Yahweh* por sentir culpa pelo luxo de sua própria casa, *Yahweh* questionou o seu desejo por inúmeras razões. Em uma situação diferente, cinco séculos depois, quando a atitude do povo suscita questões distintas, a própria atitude de *Yahweh* é diferente. Agora, ele desafia o povo a rever as suas prioridades pessoais e sugere que os problemas econômicos que eles enfrentam decorrem dessas prioridades equivocadas. Paulo acompanhará Ageu, em sua promessa aos coríntios, de que aquele que dá, generosamente, receberá tudo o que necessita (2Coríntios 9).

AGEU **1:15b—2:23**
UM NOVO ESPLENDOR

¹⁵ᵇNo segundo ano do rei Dario,

CAPÍTULO 2

¹Nosétimo [mês], no vigésimo primeiro dia do mês, a mensagem de *Yahweh* veio por meio de Ageu, o profeta: ²"Diga a Zorobabel, filho de Sealtiel, governador de Judá, e a Josué,

filho de Jeozadaque, sumo sacerdote, e aos remanescentes do povo: ³'Quem dentre vocês, remanescentes, viu esta casa em seu antigo esplendor? Como vocês a veem agora? Em comparação, ela não é nada aos seus olhos? ⁴Mas, agora, seja forte, Zorobabel' (declaração de *Yahweh*); 'seja forte, Josué, filho de Jeozadaque, sumo sacerdote; sejam fortes, todos vocês, povo da terra' (declaração de *Yahweh*). 'Ajam, porque estou com vocês' (declaração de *Yahweh* dos Exércitos), ⁵a aliança que selei com vocês, quando saíram do Egito. Meu espírito permanece entre vocês. Não tenham medo.' ⁶Pois *Yahweh* dos Exércitos assim disse: 'Uma vez mais, em breve, irei abalar os céus e a terra, o mar e a terra seca. ⁷Abalarei todas as nações, e as coisas tidas em alta consideração, pertencentes às nações, virão. Encherei esta casa com esplendor' (*Yahweh* dos Exércitos disse). ⁸'Minha é a prata e meu é o ouro' (declaração de *Yahweh* dos Exércitos). ⁹'O esplendor desta casa posterior será muito maior do que o da primeira' (*Yahweh* dos Exércitos disse). 'Neste lugar, darei bem-estar'" (declaração de *Yahweh* dos Exércitos).

¹⁰No vigésimo quarto dia do nono mês, no segundo ano de Dario, a mensagem de *Yahweh* veio a Ageu, o profeta. ¹¹*Yahweh* dos Exércitos assim disse: "Pergunte aos sacerdotes acerca do ensino: ¹²'Se alguém carregar carne sagrada na borda de suas vestes e tocar pão, ou ensopado, ou vinho, ou azeite, ou qualquer outro alimento com a dobra, o que foi tocado se torna sagrado?'". Os sacerdotes responderam: "Não." ¹³Ageu disse: "Se alguém for contaminado, por causa de um cadáver, tocar qualquer um destes, o que foi tocado se torna impuro?". Os sacerdotes responderam: "Sim, torna-se impuro." ¹⁴Ageu respondeu: "Assim é este povo, assim é esta nação diante de mim" (declaração de *Yahweh*), "e assim é a ação de suas mãos. O que eles apresentam ali é impuro."

¹⁵Mas, agora, apliquem a sua mente, deste dia em diante, antes da colocação de pedra sobre pedra no palácio de *Yahweh*. ¹⁶Pois, quando essas coisas aconteciam, alguém vinha a um monte de

AGEU 1:15B—2:23 • UM NOVO ESPLENDOR

> vinte medidas, e havia dez; alguém vinha ao tonel de vinho para tirar cinquenta medidas, e havia dez. **¹⁷**Eu afligi com ferrugem, mofo e granizo todo o trabalho de suas mãos, mas vocês não estavam comigo" (declaração de *Yahweh*). **¹⁸**"Vocês aplicarão a sua mente, deste dia em diante, do vigésimo quarto dia do nono mês, desde o dia em que o palácio de *Yahweh* foi fundado — apliquem a sua mente: **¹⁹**Ainda há semente em seu celeiro? Embora, até agora, a videira, a figueira, a romeira e a oliveira não têm dado fruto, desse dia em diante, eu os abençoarei."
>
> **²⁰**A mensagem de *Yahweh* veio, uma segunda vez, a Ageu, no vigésimo quarto dia do mês: **²¹**"Diga a Zorobabel, governador de Judá: 'Irei abalar os céus e a terra, **²²**derrubarei o trono dos regimes e destruirei a força dos regimes das nações, e derrubarei as carruagens e seus condutores. Cavalos e seus cavaleiros cairão, cada um pela espada de seu irmão. **²³**Naquele dia' (declaração de *Yahweh* dos Exércitos) eu o tomarei, Zorobabel, filho de Sealtiel, meu servo' (declaração de *Yahweh*), 'e farei de você um anel de selar, porque eu o escolhi'" (declaração de *Yahweh* dos Exércitos).

Ontem à noite, realizamos o nosso culto da Quinta-Feira Santa, com eucaristia, um sermão e a ação de lava-pés, com cerca de onze pessoas presentes; foi, no mínimo, uma participação agradável. Se o comparecimento em nosso culto da Sexta-Feira Santa for maior, ficarei mais satisfeito. Ainda, nesta semana, dedicamos tempo para finalizar o nosso relatório anual a ser enviado à diocese, e, para isso, tive de contar o número de pessoas que estiveram em nossa igreja, durante o ano passado. Duas ou três décadas atrás, havia mais de cem pessoas na igreja, num culto dominical; hoje, a presença não ultrapassa metade desse número. Temos realizado, neste ano, um excelente trabalho na restauração do interior do prédio da igreja, e uma ou duas pessoas novas passaram a frequentá-la, além de uma ou duas outras que retornaram, mas, será que a igreja irá testemunhar a sua antiga glória?

Para os **judaítas**, era difícil imaginar a sua primeira glória retornando ao templo. A resposta à pergunta: "Quantos de vocês viram aquela glória?", seria: "Apenas algumas", pois já se haviam passado cerca de setenta anos desde a destruição do templo. Mas todos tinham conhecimento do quão glorioso havia sido e, talvez, a impressão do povo quanto ao seu esplendor tivesse se fortalecido ao longo dos anos. Não se podia culpar o povo por estarem pessimistas quanto à possibilidade de restaurarem, minimamente, o templo, muito menos de restaurar o seu antigo esplendor.

Os judaítas precisam ser lembrados de algumas coisas. Existe o fato de *Yahweh* **dos Exércitos** estar com eles, o que, no Antigo Testamento, não significa que as pessoas, meramente, tinham um "sentimento" da presença de Deus, mas que experimentavam a presença e a ação de Deus. Expressando de outra maneira, o espírito de Deus estava com eles, como ocorreu no êxodo (ao contrário da ideia que, às vezes, alguns cristãos têm de que o espírito de Deus não estava entre o povo de **Israel**, no Antigo Testamento). Aquela presença, igualmente, não significava apenas um sentimento, mas uma realidade dinâmica.

A aliança que Deus selou com eles, lá atrás, ainda está vigente. Assim, os judaítas podem ter confiança de que o esforço que eles empregarem na reconstrução do templo será frutífero. Mas, quando concluímos a reforma das instalações da nossa igreja, no ano passado, sabíamos que também precisávamos cuidar da reforma do povo da igreja, e Ageu prossegue para abordar esse fato. Ainda que a congregação apresente as suas ofertas no templo, eles mesmos não estão puros, do mesmo modo que o edifício do templo; assim, a impureza contaminaria as ofertas. Tanto as pessoas quanto o templo têm se contaminado pela associação com a adoração a outros deuses, algo que profetas como Sofonias condenaram.

O povo já tem evidências de que *Yahweh* está cumprindo suas promessas de bênção. Com base na primeira mensagem de Ageu, sabemos que eles têm enfrentado um período difícil; o terceiro parágrafo indica que a maré mudou desde que eles começaram a trabalhar na reconstrução do templo. Há sementes no celeiro; as árvores frutíferas deram o seu fruto. Sim, a maré mudou.

A profecia final declara que esse desenvolvimento é apenas um prenúncio da bênção futura. A exemplo de outros profetas, Ageu afirma que o império (que, em seu caso, era o mais poderoso que o mundo, até então, havia conhecido) não se manterá de pé. Do mesmo modo que Davi, Zorobabel é o escolhido de *Yahweh* e seu servo, e *Yahweh* irá tratá-lo como o anel de selar com o qual o rei sela suas decisões. Ageu não afirma que ele será rei (Dario é o único rei), nem que ele liderará as forças que derrubarão Dario, como, talvez, Davi, mas que ele será o verdadeiro representante de *Yahweh*.

Yahweh não promoveu a queda da Pérsia durante os dias de vida de Ageu, nem tornou o segundo templo mais glorioso do que o primeiro. Esses fatos, aparentemente, não perturbaram os judaítas que se apegaram às profecias de Ageu, pois eles sabiam que as mensagens dos profetas, às vezes, eram maiores do que a vida, para o bem ou para o mal. Eles, de fato, viram o templo reconstruído e reconsagrado, e tinham consciência de que o ministério de Ageu havia sido, decisivamente, importante nessa realização. Imagino que Ageu proferiu outras profecias, mas que este fato explica o motivo pelo qual estas profecias foram preservadas como especialmente relevantes. Se não houvesse profetas como Ageu e Zacarias, não haveria nenhum templo reconstruído. Desse modo, havia uma certeza de que *Yahweh* convocou Ageu e operou por meio dele.

Os judaítas sabiam que Deus, às vezes, muda a sua mente em relação às profecias, e, assim, talvez, tenham presumido que a persistência do domínio persa fosse apenas um exemplo. Quando a Pérsia caiu, dois séculos mais tarde, é possível que tenham dito, uns aos outros: "Viu como Ageu estava certo ao dizer que isso ocorreria, do mesmo modo que estava certo a respeito de outras coisas?".

ZACARIAS

ZACARIAS 1:1-21
UM MUNDO MUITO PACÍFICO

¹No oitavo mês do segundo ano de Dario, a mensagem de *Yahweh* veio a Zacarias, filho de Berequias, filho de Ido:

²"*Yahweh* ficou muito irado com os ancestrais de todos vocês. ³Por isso, diga ao povo que *Yahweh* dos Exércitos assim disse: 'Retornem para mim' (declaração de *Yahweh* dos Exércitos), 'e eu retornarei para vocês' (*Yahweh* dos Exércitos disse). ⁴"Não se tornem como os seus ancestrais, a quem os antigos profetas proclamaram: "*Yahweh* dos Exércitos assim disse: 'Voltem-se dos seus caminhos maus'. Mas, eles não me ouviram ou me deram atenção" (declaração de *Yahweh*). ⁵"Os seus ancestrais: onde estão eles? Os profetas: vivem eles para sempre? ⁶No entanto, as minhas palavras e a minhas leis, que ordenei aos meus servos, os profetas: não alcançaram os seus ancestrais? E eles se arrependeram e disseram: 'Como *Yahweh* dos Exércitos planejou fazer conosco, de acordo com os nossos caminhos e os nossos atos, assim ele fez conosco.'"

⁷No vigésimo quarto dia do décimo primeiro mês (o mês de sebate), no segundo ano de Dario, a mensagem de *Yahweh* veio a Zacarias, filho de Berequias, filho de Ido. ⁸Durante a noite, eis que vi um homem montado em um cavalo vermelho. Ele estava parado entre árvores de murta, que estavam em

um vale. Atrás dele, havia cavalos vermelhos, marrons e brancos. ⁹Eu disse: 'Quem são estes, meu senhor?'. O ajudante que estava falando comigo disse: 'Eu lhe mostrarei quem eles são.' ¹⁰O homem parado entre as árvores de murta respondeu: 'Estes são os que *Yahweh* enviou para percorrerem a terra.' ¹¹Eles responderam ao ajudante de *Yahweh* que estava parado entre as árvores de murta: 'Percorremos toda a terra. Eis que toda a terra está habitando em tranquilidade.' ¹²O ajudante de *Yahweh* respondeu: '*Yahweh* dos Exércitos, até quando deixarás de ter compaixão de Jerusalém e das cidades de Judá, com as quais tens se irado nesses setenta anos?'. ¹³*Yahweh* respondeu ao ajudante que estava falando comigo com palavras boas, palavras confortadoras. ¹⁴O ajudante que estava falando comigo, me disse: 'Proclame: *Yahweh* dos Exércitos assim disse: "Tenho sentido um grande zelo por Jerusalém e Sião, ¹⁵e uma grande ira contra as nações que estão à vontade, pois eu estava um pouco irado, mas elas agravaram o mal."¹⁶Portanto, *Yahweh* assim disse: 'Estou me voltando para Jerusalém em compaixão. A minha casa será construída nela' (declaração de *Yahweh* dos Exércitos), 'e uma corda será esticada sobre Jerusalém'. ¹⁷Proclame, ainda: *Yahweh* dos Exércitos assim disse: "As minhas cidades, novamente, fluirão com coisas boas. *Yahweh* tornará a consolar Sião e, novamente, escolherá Jerusalém"'.

¹⁸Levantei os meus olhos e vi; eis que havia quatro chifres. ¹⁹Eu disse ao ajudante que estava falando comigo: "O que é isso?". Ele me disse: "São os chifres que dispersaram a Judá, Israel e Jerusalém." ²⁰E *Yahweh* dos Exércitos me mostrou quatro ferreiros. ²¹Eu disse: "O que estes irão fazer?". Ele disse: "Estes são os chifres que dispersaram Judá ao ponto de ninguém levantar a cabeça. Mas estes [ferreiros] vieram perturbar e derrubar os chifres das nações que levantaram um chifre contra a terra de Judá, para dispersá-la."

Em nossas orações, nesta manhã, a minha esposa orou pelo fato de a Coreia do Norte manter os seus foguetes preparados para atacar os Estados Unidos pelo fato de os nossos drones estarem ativos sobre a Coreia do Sul. Oficiais norte-americanos disseram que as declarações da Coreia do Norte não deveriam ser consideradas como mera falácia. A sua retórica era similar à maneira que as pessoas, nos Estados Unidos e em Israel, falam sobre esgotar as opções pacíficas para solucionar os conflitos com o Irã e concluem que não há outra alternativa, exceto lançar bombas sobre os iranianos. Houve outro país pelo qual Kathleen orou; mais um dentre muitos. O mundo mais parece um enorme barril de pólvora, prestes a explodir.

O problema de Zacarias é o fato de o mundo estar muito tranquilo. Ageu e Zacarias eram contemporâneos (eles aparecem juntos no livro de Esdras) e, alguns meses antes, Ageu havia falado acera de **Yahweh** derrubar a superpotência. Os homens montados nos cavalos representam os agentes que Dario usa para mantê-lo informado sobre a situação nas diferentes regiões do seu império. Eles são uma versão sobrenatural, cuja missão é relatar a **Yahweh dos Exércitos** sobre a situação em todo o mundo. Zacarias ouve o relatório deles. Para Dario, as boas notícias são de que as rebeliões que saudaram a sua ascensão foram debeladas; agora, não há mais sinais de perturbação. Assim, não há, todavia, sinais de que *Yahweh* está agindo para a queda da superpotência.

Um aspecto das notícias positivas é que os profetas e o seu povo não são os únicos a ficarem incomodados com a ausência de notícias perturbadoras. O **ajudante** está inquieto, e em sua capacidade como membro do gabinete celestial ele está em posição de protestar junto a *Yahweh* e, então, revelar a Zacarias o que *Yahweh* diz. A resposta vem na forma de reafirmações sobre as boas intenções, o retorno, o zelo, a compaixão, o consolo, a eleição e a ira de *Yahweh*. O zelo de *Yahweh* significa a profundidade dos sentimentos de *Yahweh* em relação a Jerusalém. A palavra, com frequência, denota o ciúme de *Yahweh*, e até mesmo as palavras, "ciúme" e "zelo, na língua inglesa, são similares, isto é, *jealous* e *zealous*, respectivamente. A compaixão denota o sentimento maternal de *Yahweh* pela cidade. Consolo possui dois aspectos: sugere tanto palavras de reafirmação quanto ações que as corroboram e mudem a situação. A eleição reafirma a condição especial da cidade que está relacionada ao propósito de *Yahweh* de usá-la como um local a partir do qual ele exerce a autoridade no mundo. A ira também constitui uma boa notícia, pois, o fato de *Yahweh* estar irado com os opressores de seu povo e não mais com o seu povo, significa que a libertação virá. Isso resultará na reconstrução tanto do templo quanto da cidade.

Yahweh não faz promessas em relação ao tempo; na verdade, implicitamente, ele adverte contra inferências sobre como e por que as coisas ocorrerão. Ele se refere à interação entre os seus desejos e os desejos dos agentes humanos. Sim, ele ficou irado com Jerusalém, e a superpotência (no caso, a **Babilônia**) havia sido usada como meio de expressar essa ira. A Babilônia, todavia, não foi como um juiz, cuja própria agenda não chegou aos vereditos e sentenças da corte. Os babilônios implementaram os seus próprios interesses e, por isso, "agravaram o **mal**." Em outras passagens, o Antigo Testamento comenta que a Babilônia havia sido mais severa com Judá do que desejava *Yahweh*; aqui, Zacarias diz que o sofrimento de **Judá** havia sido maior do que o necessário. Mas a ação de Deus por meio de agentes humanos não envolve, necessariamente, manipulá-los como marionetes para que ajam de modo diferente daquele ao qual eles já estão propensos, e *Yahweh* está sempre preparado para usar a visão de longo prazo. Ele cumprirá o seu propósito acerca do consolo a Jerusalém e da queda da superpotência, mas não faz promessas quanto ao tempo.

A visão dos chifres coloca as promessas de Zacarias em um quadro ainda mais amplo. A referência a Judá, **Israel** e a Jerusalém sugere uma menção a toda a história da relação do povo com os superpoderes (**Assíria**, Babilônia e, agora, a **Pérsia**), e os quatro chifres sugerem a plenitude do governo imperial. Os quatro ferreiros, então, sugerem uma plenitude comparável de agentes por meio dos quais as superpotências serão derrubadas. Não há somente a ausência de uma promessa sobre o tempo; inexiste, também, revelação sobre quem executará o trabalho desses quatro ferreiros da visão. Mas o trabalho será realizado.

Nesse ínterim, o que o povo de Judá precisa fazer é retornar a *Yahweh*. Seus ancestrais demoraram um longo tempo para aprender essa lição — eram pessoas que adoraram outros deuses, viram a queda de Jerusalém, mas, então, expressaram arrependimento nas orações que compõem o livro de Lamentações. A geração para a qual o profeta fala será sábia para aprender da história de seus antepassados.

ZACARIAS 2:1—3:10
MUITOS CULPADOS AO REDOR

¹Levantei os meus olhos e vi: eis que havia um homem, com uma linha de medir em sua mão. ²Eu disse: "Aonde você está indo?". Ele me disse: "Medir Jerusalém para ver, exatamente, qual a sua largura e o seu comprimento." ³Mas, eis que o ajudante que estava falando comigo retirou-se, e outro ajudante saiu ao seu encontro. ⁴Ele lhe disse: 'Jerusalém será habitada como vilas sem muros por causa da abundância de pessoas e de animais em seu meio. ⁵E eu mesmo serei lá para ela (declaração de *Yahweh*), um muro de fogo ao seu redor, e serei o esplendor em seu meio'.

⁶"Atenção! Fujam da terra do norte" (declaração de *Yahweh*), "pois estou dispersando vocês como os quatro ventos dos céus" (declaração de *Yahweh*). ⁷"Atenção, Sião! Escapem, vocês que vivem na sra. Babilônia. ⁸Porque *Yahweh* dos Exércitos assim disse (após enviar o esplendor a mim) acerca das nações que saquearam vocês: 'Aquele que tocava em vocês estava tocando a menina dos meus olhos. ⁹Por isso, aqui estou eu, e irei levantar a minha mão contra eles. Eles se tornarão despojo para os seus servos.' E vocês saberão que *Yahweh* dos Exércitos me enviou.'"

¹⁰'Ressoe, celebre, sra. Sião, porque aqui estou eu, e virei para habitar em seu meio' (declaração de *Yahweh*). ¹¹'Muitas nações se apegarão a *Yahweh*, naquele dia, e se tornarão meu povo, e habitarei no meio delas.' ¹²E *Yahweh* possuirá Judá como sua partilha no solo sagrado e, novamente, escolherá Jerusalém. ¹³Aquiete-se, toda a carne, diante de *Yahweh*, pois ele se levantou de sua sagrada morada.'"

CAPÍTULO 3

¹Ele me mostrou Josué, o sumo sacerdote, parado diante do ajudante de *Yahweh*, e o acusador à sua direita, para acusá-lo. ²*Yahweh* disse ao acusador: "*Yahweh* o repreende, acusador, *Yahweh*, que escolheu Jerusalém, o repreende. Não é este um tição extraído do fogo?" ³Josué trajava roupas imundas, enquanto estava diante do ajudante. ⁴[*Yahweh*] falou aos seres que estavam diante dele: "Tirem as roupas imundas dele", e lhe disse: "Veja, transferi a sua transgressão de você e, agora, você pode trajar vestes finas. ⁵Eu disse: "Eles devem colocar um turbante puro sobre a sua cabeça." Colocaram o turbante puro em sua cabeça e o vestiram, enquanto o ajudante de *Yahweh* observava. ⁶O ajudante de *Yahweh* testificou contra Josué: ⁷"*Yahweh* dos Exércitos assim disse: 'Se andar em meus caminhos e guardar os meus preceitos, você governará a minha casa e guardará os meus pátios, e lhe assegurarei movimento entre estes que estão aqui. ⁸Ouça bem, Josué, sumo sacerdote, você e os seus companheiros que estão assentados diante de

> você, porque são pessoas que constituem um sinal. Por isso, aqui estou eu, e irei trazer o meu servo, o Renovo. ⁹Pois aqui está a pedra que coloquei diante de Josué. Nessa única pedra, há sete olhos. Aqui estou eu, e gravarei nela uma inscrição' (declaração de *Yahweh* dos Exércitos), 'e removerei a transgressão desta terra em um dia. ¹⁰'Naquele dia' (declaração de *Yahweh* dos Exércitos), 'vocês chamarão, cada pessoa ao seu próximo, para assentar-se debaixo da sua videira e debaixo da sua figueira.'"

Existem muitos culpados ao redor. No caminho para a igreja, hoje, passei em frente ao lugar no qual um adolescente foi morto pela polícia, pouco mais de um ano atrás. A falha, em parte, foi de um homem que ligou para a polícia e disse que o jovem estava armado, quando ele não estava. Outra parcela de culpa cabe aos policiais, ainda que estivessem, compreensivelmente, assustados. Outra parcela de culpa cabe a nós, como comunidade, as pessoas beneficiárias das ações da polícia, e que esperam a proteção policial.

Em **Judá**, há muitos culpados ao redor, mas, seja qual for o lugar em que eles residam, *Yahweh* está comprometido a lidar com eles. Na visão de Zacarias, Josué está sendo julgado. A exemplo de qualquer rei, *Yahweh* se reúne, regularmente, com os seus ajudantes, e como o rei, em muitas sociedades tradicionais, ele também atua como suprema corte. Josué é acusado de estar impuro. Talvez a permanência no **exílio** o tenha tornado impuro, não porque as terras estrangeiras, por si só, sejam impuras, mas pelo fato de o exílio o ter colocado em contato com a adoração de deuses estrangeiros. É possível que Josué ou a sua família tenham adorado outros deuses. Talvez, Josué represente todo o sacerdócio; havia, certamente, sacerdotes envolvidos nessa adoração. Não há dúvidas quanto ao fato da impureza. A pergunta é: o que a corte fará a esse respeito?

A exemplo do presidente, o Rei possui o direito de decretar perdão, mas há pessoas que pensam que o Rei deveria adotar uma linha mais severa. Os idólatras não devem sair livres de sua infidelidade, pois isso diminuiria a importância da fidelidade. A equipe de *Yahweh* inclui uma espécie de promotor, cuja função é agravar as penalidades, embora a visão possa implicar que ele esteja realizando o seu trabalho com excessivo entusiasmo. *Yahweh* decidiu que aquela é uma das ocasiões nas quais ele deve assumir o risco de fazer uma exceção. Josué deve ser restaurado em sua posição como sumo sacerdote.

O acusador está certo de que é necessário ser cuidadoso na emissão de um perdão real, pois isso não deve encorajar o beneficiado a ser indolente quanto a compromisso com *Yahweh*. Mas, sim, há culpados em demasia ao redor, e o perdão a Josué é um sinal de que toda a comunidade pode ser perdoada. Sim, o restabelecimento do sacerdócio como um todo é um sinal da graça e do compromisso de Deus (a pedra pode ser a joia fixada no turbante colocado na cabeça do sumo sacerdote). Naquele momento, a "árvore" de Davi está cortada, mas *Yahweh* irá fazer crescer um Renovo (nós o chamaríamos de o Messias, mas essa expressão não aparece, no Antigo Testamento, nesta conexão) e trará uma nova era, na qual o povo relaxará debaixo de uma videira ou uma figueira.

A visão, no primeiro parágrafo, desenvolve a promessa divina de outra maneira ao retomar a promessa de *Yahweh* acerca da restauração de Jerusalém. O jovem é como um funcionário público que precisa planejar a reconstrução dos muros da cidade. Muros? Que utilidade eles terão se a cidade está crescendo tão rapidamente que é impossível acompanhar? E por que os muros são necessários quando se tem a proteção de Deus e o fogo divino em seu interior?

Há uma ligação entre a promessa de crescimento exponencial e as palavras seguintes. Embora inúmeros judaítas tenham retornado a Jerusalém, muitos outros permaneceram na **Babilônia**, uma decisão que parecia mais atraente do que retornar a Jerusalém. Zacarias declara que ali não é tão seguro como aparenta ser. A conquista da Babilônia pela **Pérsia**, evento que tornou o retorno possível, havia sido mais pacífico do que se poderia imaginar, e do que os antigos profetas previram, mas ainda havia rebeliões subsequentes ali. Mais coisas virão, e os persas tentarão ensinar uma lição à Babilônia. *Yahweh*, também, ainda não terminou com a Babilônia. Os judaítas se encontrarão dispersos dali. Seria uma decisão sábia partir enquanto há chance. Jerusalém, afinal, é a cidade escolhida por *Yahweh*. A Babilônia podia parecer o centro do mundo, mas, na verdade, ele está em Jerusalém.

ZACARIAS 4:1—5:11
UM CANDELABRO, UM PERGAMINHO VOADOR E UMA VASILHA NO CÉU

¹O ajudante que estava falando comigo retornou e me acordou, como se desperta alguém do sono. **²**Ele me disse: "O que você está vendo?". Eu disse: "Eu olhei e eis que havia um candelabro de ouro, todo ele, com um recipiente na parte superior, e sete lâmpadas nele, com sete tubos, um para cada lâmpada, que estavam na parte superior, **³**e duas oliveiras junto ao recipiente, uma à direita e outra à esquerda." **⁴**Respondi ao ajudante que estava falando comigo: "O que significa isso, meu senhor?". **⁵**O ajudante que falava comigo respondeu: "Você não sabe o que são?". Disse: "Não, meu senhor." **⁶**Ele me respondeu:

"Esta é a mensagem de *Yahweh* para Zorobabel: Não por recursos, não pela violência, mas pelo meu espírito — *Yahweh* dos Exércitos disse. **⁷**Quem é você, grande montanha, diante de Zorobabel? É um terreno plano! Ele colocará a pedra de topo, com brados de 'Graça, graça para ela!'" ⁸A mensagem de *Yahweh* veio a mim: ⁹"As mãos de Zorobabel colocaram os fundamentos desta casa e elas a terminarão, e vocês saberão que *Yahweh* dos Exércitos me enviou a vocês todos. ¹⁰Pois quem despreza o dia das pequenas coisas? Eles celebrarão quando virem a pedra de metal na mão de Zorobabel."

"As sete lâmpadas são os olhos de *Yahweh* que sondam toda a terra." ¹¹Eu lhe respondi: "O que são as duas oliveiras, uma à direita do candelabro e outra à esquerda?". ¹²Eu lhe respondi uma segunda vez: "O que são os dois ramos das oliveiras que derramam ouro de si por meio dos dois tubos de ouro?". ¹³Ele me disse: "Não sabe o que eles são?". Eu disse: "Não, meu senhor." ¹⁴Ele disse: "São os dois filhos do azeite fresco que servem junto ao Senhor de toda a Terra."

CAPÍTULO 5

¹Levantei, novamente, os meus olhos e vi — eis que havia um pergaminho voador. ²Ele me disse: "O que você está vendo?". Eu disse: "Estou vendo um pergaminho voador. O seu comprimento é de vinte côvados, e a sua largura de dez côvados." ³Ele me disse: "Esta é a maldição que está sendo derramada sobre a face de toda a terra. Pois, ninguém que roubar (de um lado, de acordo com ela) sairá inocente, e ninguém que jurar falsamente (por outro lado, de acordo com ela), sairá inocente. ⁴Eu a estou fazendo sair (declaração de *Yahweh* dos Exércitos) para que entre na casa do ladrão e na casa da pessoa que jura pelo meu nome por falsidade. Ela se alojará dentro da sua casa e a consumirá, tanto as suas madeiras quanto as suas pedras."

⁵O ajudante que falava comigo saiu e me disse: "Levante os seus olhos e veja. O que está saindo?". ⁶Eu disse: "O que é isso?". Ele disse: "Esta é a vasilha que está saindo." Ele disse: "Esta é a aparência deles em toda a terra." ⁷E eis que a tampa de chumbo foi levantada, e havia uma mulher sentada no interior da vasilha. ⁸Ele disse: "Esta é a Infidelidade." Ele empurrou a mulher dentro da vasilha e empurrou a tampa de chumbo

> contra a sua boca. ⁹Levantei os olhos e vi, e eis que havia duas mulheres saindo com o vento em suas asas (elas tinham asas como as asas de uma cegonha). Elas ergueram a vasilha entre a terra e os céus. ¹⁰Eu disse ao ajudante que estava falando comigo: "Para onde estão levando a vasilha?". ¹¹Ele me disse: "Para lhe construírem uma casa na terra de Sinear. Ela será estabelecida ali. [A vasilha] será depositada ali, em seu lugar."

Dois amigos nossos têm trabalhado durante dezoito anos em uma parte do seu território na África que não é, predominantemente, cristão, e no qual veem pouco fruto. Em uma mensagem recente, eles descreveram como a senhoria deles lhes havia revelado o seu desapontamento pelo fato de o seu coqueiro jamais ter frutificado em quinze anos de vida. O coqueiro é tão alto que as suas folhas balançam diante de sua cozinha, situada no segundo andar. Assim, certo dia, um deles segurou uma das folhas em sua mão e proferiu palavras de bênção. Logo depois disso, a árvore passou a florescer e a produzir fruto. Nossos amigos se perguntaram se aquele evento poderia ser um sinal divino para indicar que, em breve, eles veriam o ministério deles frutificar em abundância. "Sabemos que nem o que planta, nem o que rega são importantes, exceto o Senhor da colheita!"

Os que semeiam e os que regam importam, e os recursos e a força, igualmente, são importantes para Zorobabel em relação ao projeto de construção do templo. Mas, pode-se ter todos os recursos do mundo e toda a força e ainda não chegar a lugar nenhum. Do mesmo modo, pode-se não ter recursos ou força e descobrir que coisas extraordinárias acontecem. A promessa de **Yahweh** é de que uma dinâmica divina estará envolvida nos acontecimentos, como, certamente, é necessário. Zorobabel pode ser descendente de Davi, mas ele não possui os recursos ou a força de seu ancestral. O monte de entulho ao qual Zacarias se refere não é apenas uma expressão metafórica. Não se podia culpar o povo por ver este um dia de pequenas coisas e por ser cético sobre se o trabalho de reconstrução seria, algum dia, concluído. O relato em Esdras-Neemias mostra como as promessas de Yahweh, por meio de Zacarias, foram cumpridas. (A pedra de metal é a tábua inscrita que era incorporada em um edifício de santuário para marcar a sua conclusão.)

As promessas feitas a Zorobabel estão inseridas em outra visão, a do candelabro. As suas lâmpadas representam os olhos de *Yahweh* brilhando sobre todo o mundo. Uma implicação dessa imagem é que Yahweh conhece tudo o que está acontecendo neste planeta, o que pode ser uma boa ou má notícia, dependendo das suas circunstâncias e dos seus compromissos. Outra implicação é que o olhar de *Yahweh* está sobre as coisas e que ele está sempre preparado a agir — uma vez mais, para o bem ou para o mal, dependendo das suas circunstâncias e de seus compromissos. O brilho do candelabro demanda azeite, que procede das duas oliveiras que, presumidamente, representam os dois líderes da comunidade, Zorobabel e Josué. Se Zorobabel estava assustado pelo tamanho da empreitada que esperava a comunidade, então, de maneira típica, Deus não apenas promete que a tarefa será concluída, mas a torna mais rigorosa, ou indica que Zorobabel não percebeu o quanto ela é complexa. Deus pode trabalhar no mundo sem a mediação humana, mas ele também opera por meio de agentes humanos; o governador e o sumo sacerdote são esses agentes. Um detém maior responsabilidade pela cidade, enquanto o outro, pelo templo; as duas responsabilidades estão relacionadas às preocupações divinas. A divisão não é entre o sagrado e o secular, ou entre a igreja e o estado. Ambos exercem uma liderança conjunta, mas com focos diferentes.

Os parágrafos finais atraem a atenção para dois aspectos adicionais da renovação que a comunidade necessita. Eles expressam duas preocupações regulares dos Profetas. Por um lado, a comunidade precisa se tornar um lugar caracterizado pela honestidade, pelos compromissos básicos expressados nos Dez Mandamentos. Naquele momento, poderia parecer que as pessoas conseguiam se safar ao ignorar esses compromissos. A mensagem do pergaminho expressa que Deus fez um juramento de tratar com seriedade tais infrações. Portanto, as pessoas necessitam rever as suas ações.

O foco do pergaminho sobre o relacionamento das pessoas, umas com as outras, é complementado pelo foco da vasilha sobre a relação das pessoas com o próprio Deus. A mulher personificando a infidelidade representa a adoração a outros deuses (talvez seja usada a figura de uma mulher porque, como sabemos de Jeremias, o culto a uma deusa, a Rainha dos Céus, era uma questão particular em Jerusalém). As boas novas são que esse culto está sendo levado para bem longe, para o lugar ao qual ele pertence; a imagem da deusa é estabelecida na **Babilônia**. Trata-se, também, de uma outra forma de dizer aos **judaítas**: "Vocês não percebem que a sua prática religiosa pertence àquele lugar e não aqui?"

ZACARIAS 6:1—7:14
PARA QUEM VOCÊS ESTÃO JEJUANDO?

¹Levantei os meus olhos, novamente, e vi, e eis que havia quatro carruagens saindo dentre duas montanhas; as montanhas eram de bronze. ²Na primeira carruagem, os cavalos eram vermelhos, na segunda carruagem, os cavalos eram pretos, ³na terceira carruagem, os cavalos eram brancos, na quarta carruagem, os cavalos eram malhados, fortes. ⁴Respondi ao ajudante que estava falando comigo: "O que é isto, meu senhor?" ⁵O ajudante me respondeu: "Estes são os quatro ventos dos

céus saindo após estarem na presença do Senhor de toda a Terra." ⁶Aquela na qual os cavalos eram pretos — eles estavam saindo para a terra do norte. Os cavalos brancos saíram após eles. Os malhados partiram para a terra do sul. ⁷Assim, partiram os fortes. Ao saírem, para irem por toda a terra, ele disse: "Vão, percorram toda a terra." Assim, eles percorreram a terra. ⁸Ele me chamou e me disse: "Veja, os que foram para a terra do norte estabeleceram o meu espírito na terra do norte."

⁹A mensagem de *Yahweh* veio a mim: ¹⁰"Receba [prata e ouro] da comunidade exilada, de Heldai, de Tobias e de Jedaías. Você mesmo deve ir, naquele dia, à casa de Josias, filho de Sofonias, quando vierem da Babilônia. ¹¹Você deve receber prata e ouro, fazer coroas e colocar [uma] na cabeça de Josué, filho de Jeozadaque, o sumo sacerdote, ¹²e lhe dizer: "*Yahweh* dos Exércitos assim disse: 'Eis aqui o homem cujo nome é Renovo. De seu lugar, ele brotará e construirá o palácio de *Yahweh*. ¹³Ele é aquele que edificará o palácio de *Yahweh*. Ele é aquele que será revestido de majestade, que se assentará em seu trono e governará. Um sacerdote será junto ao seu trono, e haverá conselho pacífico entre os dois. ¹⁴Para Helém, Tobias, Jedaías e Hem, filho de Sofonias, as coroas serão um memorial no palácio de *Yahweh*. ¹⁵Pessoas de longe virão ajudar na construção do palácio de *Yahweh*, e vocês saberão que *Yahweh* dos Exércitos me enviou. Isso acontecerá se vocês, realmente, ouvirem a voz de *Yahweh*, o seu Deus.'"

CAPÍTULO 7

¹No quarto ano do rei Dario, a mensagem de *Yahweh* veio a Zacarias, no quarto dia do nono mês, quisleu. ²Betel-Zarezer, Regém-Meleque e seus homens foram enviados para suplicar a *Yahweh*, ³dizendo aos sacerdotes, na casa de *Yahweh* dos Exércitos, e aos profetas: "Devemos lamentar, no quinto mês, consagrar-nos, como temos feito durante tantos anos?".

⁴A mensagem de *Yahweh* veio a mim: ⁵"Diga a todo o povo da terra e aos sacerdotes: 'Quando jejuaram e lamentaram, no

ZACARIAS 6:1—7:14 • PARA QUEM VOCÊS ESTÃO JEJUANDO?

> quinto mês e no sétimo mês, durante estes setenta anos, vocês, realmente, jejuaram para mim? ⁶E quando comem e bebem, não é para vocês mesmos que comem e bebem? ⁷Não são estas as palavras que *Yahweh* proclamou por meio dos antigos profetas, quando Jerusalém estava habitada e em paz, e as suas cidades ao redor, e o Neguebe e a planície eram habitadas?'"
>
> ⁸A mensagem de *Yahweh* veio a Zacarias: ⁹"*Yahweh* dos Exércitos assim disse: 'Exerçam a verdadeira autoridade, exerçam o compromisso e a compaixão, cada pessoa com o seu irmão. ¹⁰Não oprimam a viúva e o órfão, nem o estrangeiro e o humilde. Não planejem o mal, cada pessoa contra o seu irmão, em seu coração.'" ¹¹Mas, eles se recusaram a dar atenção e deram de ombros, obstinadamente. Taparam os ouvidos para não ouvir. ¹²Endureceram a sua mente para não ouvirem o ensino e as palavras que *Yahweh* dos Exércitos enviou por seu espírito por meio dos antigos profetas, e a grande ira veio de *Yahweh* dos Exércitos. ¹³"Como ele chamou, mas eles não ouviram, assim eles clamarão e eu não ouvirei", *Yahweh* dos Exércitos disse. ¹⁴"E eu os soprei para todas as nações que não conhecem. A terra, atrás deles, ficou tão desolada, que ninguém passava por ela. Eles tornaram uma terra altamente considerada em desolação."

Quando tinha vinte e pouco anos, eu pesava 67 quilos, mas, três ou quatro anos atrás, encarei o fato de o meu peso ter subido para mais de 73 quilos, o que me fez decidir abrir mão do pedaço de bolo, em meu desjejum, do bolinho de aveia recheado de creme, no chá da tarde, e do pedaço de torta de frutas, no jantar. Com esse sacrifício, posso estabilizar em setenta quilos, o que me deixa feliz, pois não quero me tornar um daqueles com uma barriga protuberante. Por outro lado, como citei em meu comentário sobre Habacuque, começaremos o nosso jejum pelos refugiados de Darfur na próxima semana. Trata-se de um ato de identificação com esse povo. Ao mesmo tempo, fazemos dele uma personificação de nossa súplica a Deus em favor deles.

Há inúmeros motivos para jejuar, bem como muitos níveis de jejum. Aqui, algumas pessoas levantam um questionamento sobre a maneira que elas têm clamado e se dedicado a Deus. A resposta de Zacarias indica que essas são observâncias às quais elas têm se comprometido desde a queda de Jerusalém, ocorrida setenta anos antes. O profeta fornece várias respostas — em outras palavras, a questão estimula inúmeras observações sobre essas práticas de autodisciplina. A sua primeira resposta suscita a pergunta sobre para quem eles estão, de fato, jejuando. A minha disciplina acerca da minha alimentação é uma atitude, puramente, egoísta, mas não há nada de errado com ela, a não ser que você esteja se autoenganando ou imagina que esteja enganando Deus a respeito de seus motivos.

Zacarias prossegue para insinuar que a disciplina das pessoas era autocentrada em outro sentido, ao mencionar as prioridades que os Profetas, regularmente, haviam transmitido aos que eram sérios em seu viver para Deus e não para si mesmos. Se não estão lidando como prioridade os princípios presentes no último parágrafo da seção, então, isso mostra que as pessoas estão vivendo para si mesmas, não para Deus. A disciplina delas sobre o que comer e o seu lamento pela condição deplorável de Jerusalém torna-se apenas parte de uma vida egoísta, voltada para o eu e não para Deus.

Por que os enviados levantaram essa questão? A data, o quarto ano de Dario, é a metade do período de quatro anos que durou a reconstrução do templo, que, aqui, Zacarias descreve como o "palácio de *Yahweh*." A restauração está progredindo a olhos vistos. A oposição local ao projeto foi superada com o apelo a Dario. Essa é uma hora para jejum e lamento?

A natureza da situação da comunidade é, igualmente, sugerida pela visão que ocupa o primeiro parágrafo dessa seção, e pela mensagem de *Yahweh* no segundo parágrafo. A visão possui alguns paralelos com a primeira visão de Zacarias, mas o seu ponto é distinto. Esta visão foca mais nas carruagens do que nos cavalos que as movimentam. As montanhas representam o lugar no qual **Yahweh dos Exércitos** vive, e as carruagens são os meios pelos quais *Yahweh* implementa o seu desígnio no mundo. Uma carruagem segue para o sul, pois o **Egito** também havia sido um destino escolhido pelos **judaítas** em fuga, quando os **babilônios** invadiram Judá, mas duas carruagens vão para o norte, na direção da Babilônia, o destino principal dos exilados. Não nos é revelado o que ocorreu com a primeira carruagem (pode estar esperando para partir, dependendo do que o povo faz?).

A ideia de estabelecer o espírito de *Yahweh* na Babilônia é, talvez, explicada no parágrafo seguinte, acerca de presentes que vieram da comunidade exilada na Babilônia. *Yahweh* está inspirando os exilados a se envolverem no projeto do templo e enviarem presentes em relação à reconstrução. Os presentes devem ser transformados em coroas. Uma delas é destinada, especificamente, para Zorobabel, por ser o representante atual da "árvore" davídica. A outra, presumidamente, é para Josué, como o sumo sacerdote, mas Zacarias não expressa esse ponto de maneira explícita, o que está de acordo com a implicação da mensagem de que Zorobabel é a pessoa com autoridade na cidade. Josué possui autoridade em conexão com a adoração, embora os dois devam trabalhar com harmonia. Mesmo assim, Zorobabel não é chamado de rei; somente Dario tem esse título.

Não sabemos nada mais a respeito dos homens que trazem os presentes; o ponto sobre eles é que são uma espécie de primícias ou guarda avançada, anunciando a chegada de muitos judaístas mais, que ainda retornarão da Babilônia para se envolverem na restauração de Jerusalém. Portanto, as palavras de Zacarias são um encorajamento para o povo que está em Jerusalém, mas também constituem um desafio e encorajamento para os demais judaítas exilados na Babilônia, caso a mensagem chegue até eles.

ZACARIAS 8:1-23
FAÇA DE MIM UMA BÊNÇÃO

¹A mensagem de *Yahweh* dos Exércitos veio a mim. **²***Yahweh* dos Exércitos assim disse: "Sinto um grande zelo por Sião. Sinto um zelo feroz por ela." **³***Yahweh* assim disse: "Estou retornando para Sião e habitarei no meio de Jerusalém. Jerusalém será chamada "Cidade da Verdade", e a montanha de *Yahweh* dos Exércitos, "Montanha Sagrada." **⁴***Yahweh* dos Exércitos assim disse: "Ainda haverá homens e mulheres idosos nas praças de Jerusalém, cada qual com a sua bengala na mão por causa da abundância de seus dias. **⁵**As praças da cidade estarão cheias de meninos e meninas brincando nelas." **⁶***Yahweh* dos Exércitos assim disse: "Porque isso será fantástico aos olhos dos remanescentes deste povo, naqueles dias, será fantástico aos meus olhos?"(declaração de *Yahweh* dos Exércitos). **⁷***Yahweh* dos Exércitos assim disse: "Aqui estou eu e irei libertar o meu povo da terra do oriente e da terra do ocidente, **⁸**e os trarei, e habitarão no meio de Jerusalém. Serão um povo para mim, e eu serei Deus para eles, em verdade e fidelidade."

⁹*Yahweh* dos Exércitos assim disse: "As suas mãos devem ser fortes, vocês que estão ouvindo estas palavras nestes dias, da boca dos profetas que viveram no dia em que a casa de *Yahweh* dos Exércitos foi fundada, para construírem o palácio. **¹⁰**Porque antes daqueles dias não havia salários para o ser humano e nem para os animais. Não havia paz do adversário para o que entrava, nem para o que saía. Estabeleci todos os seres humanos, cada um contra o seu próximo. **¹¹**Mas, agora, não estou agindo contra esses remanescentes como nos dias antigos (declaração de *Yahweh* dos Exércitos), **¹²**pois a semeadura é em paz, a videira dará o seu fruto, a terra dará a sua produção, os céus darão o orvalho. Deixarei que os remanescentes deste povo possuam todas estas coisas. **¹³**Como vocês se tornaram desprezados entre as nações, casa de Judá e casa de Israel, assim os libertarei e vocês se tornarão uma bênção. Não tenham medo. As suas mãos devem ser fortes."

¹⁴Porque *Yahweh* dos Exércitos assim disse: "Como planejei fazer mal a vocês, quando os seus ancestrais me enfureceram (*Yahweh* dos Exércitos disse), e não cedi, **¹⁵**assim, planejei, novamente, nestes dias, fazer o bem a Jerusalém e à casa de Judá. Não tenham medo. **¹⁶**São estas as coisas que vocês devem fazer. Falem a verdade cada um com o seu próximo. Implementem a veracidade e o julgamento para fazer a paz em seus portões. **¹⁷**Não decidam em seu coração, cada pessoa, fazer o mal contra o seu próximo. Não se entreguem a um falso juramento. Pois, eu repudio todas essas coisas" (declaração de *Yahweh*).

¹⁸A mensagem de *Yahweh* dos Exércitos veio a mim. **¹⁹***Yahweh* dos Exércitos assim disse: "O jejum do quarto mês, bem como os jejuns do quinto, do sétimo e do décimo mês, se tornarão para a celebração e regozijo da casa de Judá, boas ocasiões para festividades. Assim, entreguem-se à verdade e à paz."

²⁰*Yahweh* dos Exércitos assim disse: "Povos e residentes de muitas cidades ainda virão, **²¹**e os habitantes de uma irão aos de outra, dizendo: 'Venham, vamos suplicar a *Yahweh* e buscar o socorro de *Yahweh* dos Exércitos'. Sim, eu mesmo pretendo ir. **²²**Muitos povos virão, nações poderosas, buscar o socorro de *Yahweh* dos Exércitos, em Jerusalém, e suplicar a *Yahweh*."
²³*Yahweh* dos Exércitos assim disse: "Naqueles dias, dez pessoas de todas as línguas e nações agarrarão a orla das vestes de um indivíduo judaíta, dizendo: 'Nós queremos ir com você, pois ouvimos que Deus está contigo.'"

De tempos em tempos, a nossa congregação ou o conselho da igreja, discute maneiras de atrair mais pessoas aos nossos cultos e atividades, e falamos sobre trazer crianças à escola dominical e, por conseguinte, os seus pais; sobre realizarmos mais churrascos, ou ter cânticos mais animados. Por outro lado, existem aspectos da nossa igreja que podem afastar as pessoas, tais como, leitura excessiva da Bíblia, ou muitas orações que são as mesmas, todas as semanas. Mas estas atividades estão entre as características que atraíram os membros atuais aos cultos. Nessas discussões, então, alguém chamará a atenção para outros fatores que, originariamente, atraíram os membros atuais — a calorosa acolhida, o senso de companheirismo, a realidade da vida espiritual.

O fim da primeira metade do livro de Zacarias se encaixa nessa última dinâmica. Embora o Antigo e o Novo Testamentos assumam que Deus alcança o mundo por meio de seu povo, às vezes, é dito que a abordagem do Antigo Testamento é centrípeta, enquanto a do Novo Testamento é centrífuga — isto é, No Antigo Testamento, o plano de Deus é atrair as nações para **Israel**, enquanto no Novo, o plano divino é enviar o seu povo para as demais nações. Trata-se de uma simplificação excessiva; Deus usa o **exílio** de Israel para espalhar o conhecimento da **Torá** pelo mundo, e 1Coríntios 14 afirma que as pessoas serão atraídas pela igreja ao verem Deus ativo nela; elas vêm adorar porque percebem que "Deus, realmente, está entre vocês." Isso soa quase como um eco da última linha desta passagem de Zacarias. Mas há algo no contraste.

Zacarias sabe que o propósito de Deus é revelar-se ao mundo e, assim, atrai-lo, e que ele o fará por meio de seu povo. Assim, as pessoas precisam estar cientes do papel delas nesse processo, pois, facilmente, podem servir de obstáculo ao realizarem a espécie de atividade que Zacarias menciona, a qual incorpora a infidelidade ao próximo ou a Deus. O próprio Deus é que se revelará por meio da sua maravilhosa restauração de Jerusalém. Zacarias, aqui, a descreve em termos da transformação da cidade e o cumprimento de seu propósito na criação da humanidade, pois elas são capacitadas a ter vidas humanas plenas, da infância à velhice. **Yahweh** irá atrair os **judaítas** dispersos no mundo para voltarem a Jerusalém. Ele mesmo irá habitar entre os residentes da cidade. Ele cumprirá o seu desígnio e aquele frágil **remanescente** de Israel será o seu povo e ele será o Deus deles. Eles serão caracterizados pela verdade e pela **fidelidade** em relação a Deus e uns com os outros. Como um todo, trata-se de uma visão extraordinária, Deus admite, mas isso não significa que será impossível de acontecer, pois ele tem muito zelo por Jerusalém. E, embora ele tenha permitido que a cidade fosse menosprezada (isto é, as pessoas oravam: "Que você seja derrubado como Jerusalém"), sua ação restauradora a tornará uma bênção (isto é, as pessoas orarão: "Que Deus abençoe nossa cidade assim como abençoou Jerusalém").

As pessoas não precisam assumir a carga da responsabilidade pela autorrevelação de Deus, mas, igualmente, não devem atrapalhá-la, sendo responsáveis por viverem à luz das promessas divinas. Deus não reconstruirá a cidade, instantaneamente, por meio de um milagre ao qual o povo apenas assistirá. Não será como o evento no mar Vermelho, no qual Deus derrotou todo o exército do **Egito** por conta própria. À luz das promessas divinas, o trabalho do povo é se envolver com o projeto de construção do palácio de *Yahweh*, na confiança e na esperança de que a obra pode ser concluída. O seu encorajamento vai além das promessas de Deus. Como Ageu foi capaz de observar, desde que eles começaram o projeto de construção, tanto a situação econômica quanto a segurança melhoraram. Isso não ocorreu por obra do acaso. E, a propósito, voltando ao tema com o qual o capítulo 7 foi iniciado, vocês podem abrir mão do seu jejum, pois a celebração será mais adequada.

Aqueles de nós, gentios, nos tornamos seguidores de Jesus ao nos agarrarmos às orlas das vestes de judeus como Pedro e Paulo. Assim, a promessa de *Yahweh*, por meio de Zacarias, continua se cumprindo.

ZACARIAS 9:1–17
O REI MONTADO EM UM JUMENTO

1 Um pronunciamento.

   A mensagem de *Yahweh* é contra a terra de Hadraque,
      e repousa sobre Damasco.
   Porque os olhos da humanidade estarão voltados para
         Yahweh,
      e para todos os clãs de Israel,
2 Hamate, também, que faz fronteira com ele;
      Tiro e Sidom, pois são muito astutas.
3 Tiro edificou para si uma fortaleza,
      empilhou prata como pó,
   e ouro como a lama nas ruas;
4   eis que o Senhor *Yahweh* a despojará.
   Ele lançará os seus ao mar;
      e ela será consumida pelo próprio fogo.
5 Ascalom verá e terá medo, Gaza muito se contorcerá,
      e Ecrom, pois a sua confiança murchará.
   O rei de Gaza perecerá,
      Ascalom não será habitada.
6 Um povo bastardo viverá em Asdode;
      e eliminarei a majestade dos filisteus.
7 Mas, removerei o seu sangue de sua boca,
      e as suas abominações dentre os seus dentes.
   Os que restarem dela, também, pertencerão ao nosso Deus,
      e se tornarão como um clã em Judá,
         enquanto Ecrom será como os jebuseus.

⁸ Acamparei ao redor da minha casa como um vigia
     contra quem passar ou retornar.
  Nenhum opressor passará contra eles novamente,
     porque, agora, olharei com os meus olhos.

⁹ Celebre grandemente, sra. Sião!
     exulte, sra. Jerusalém!
  Eis que o seu rei virá a você;
     ele será fiel e aquele que encontra libertação,
  humilde e montado em um jumento,
     um jumentinho, filho de uma jumenta.

¹⁰ Exterminarei as carruagens de Efraim
     e os cavalos de Jerusalém.
  O arco de guerra será destruído;
     ele falará de paz às nações.
  O seu governo será de mar a mar,
     desde o Rio até os confins da terra.

¹¹ Sim, você [Jerusalém], por sua aliança de sangue:
     estou tirando os seus cativos
     de um poço onde não há água.

¹² Voltem para a fortaleza, prisioneiros da esperança;
     sim, hoje irei anunciar:
     eu retornarei a vocês em dobro.

¹³ Porque estou direcionando Judá para mim como um arco,
     estou carregando Efraim.
  Levantarei os seus filhos, Sião,
     contra os seus filhos, Grécia,
     e farei de você como a espada de um guerreiro.

¹⁴ *Yahweh* — ele aparecerá sobre eles,
     a sua flecha sairá como relâmpago.
  O Senhor *Yahweh* soará como uma trombeta
     e irá em meio às tempestades do sul.

¹⁵ *Yahweh* dos Exércitos será um escudo sobre eles;
     eles consumirão e pisarão sobre as pedras das atiradeiras.

> Beberão, bradarão como com vinho,
>> serão cheios como uma bacia, como os cantos do altar.
> ¹⁶ *Yahweh*, o nosso Deus, os libertará,
>> naquele dia, como ovelhas.
> Porque são joias da coroa, brilhando em sua terra,
> ¹⁷ pois, grande é a sua bondade,
>> e grande a sua formosura!
> Os grãos farão os jovens florescer,
>> o vinho novo, as jovens.

No Domingo de Ramos, o patriarca de Moscou costumava cavalgar um "jumentinho" (na verdade, um cavalo coberto por um manto branco) desde o Kremlin até a catedral. Há cidades, em Nova Jersey, no Alabama, bem como em outras localidades, nas quais a população tem revivido essa tradição, embora eu tenha dúvidas se eles compreendam, plenamente, o exemplo de quem estão seguindo. Alguns até mesmo conduzem o animal, montado por uma criança, para dentro da igreja, o que me parece arriscado demais. Um pastor canadense comenta que em sua igreja há o cuidado de manter as pessoas afastadas do jumento, especialmente de suas patas traseiras, que podem desferir coices violentos.

O cavalo é, principalmente, um animal militar; eis porque a promessa do rei de Jerusalém menciona a eliminação dos cavalos e das carruagens tanto de **Efraim** quanto de **Judá**. É como um tanque ou um blindado militar. O jumento é mais para o transporte de carga, como um pequeno caminhão. Toda família necessita de um para o seu trabalho na propriedade rural ou na cidade. Zacarias não havia falado, antes, do governante de Judá em termos de seu rei; observamos que o único rei que ele mencionou, até então, foi Dario. Aqui, a profecia fala de Jerusalém ter, novamente, o seu próprio rei, mas ela não fornece nenhuma indicação acerca do contexto ao qual ela pertence, ao contrário dos capítulos anteriores. Não que seja, exatamente, atemporal, mas a profecia não nos revela a qual período ela pertence ou se refere.

Este rei não será como Dario ou como qualquer outro rei conhecido pelos judaítas. Ele será apenas um homem comum montado em um animal comum. Não há indicação de que a profecia se refere a Zorobabel, mas seria possível pensar nele. Há um sentido de que ele será uma espécie estranha de rei. A primeira função de um rei (a exemplo de um presidente) é ser o comandante-chefe das forças armadas e cuidar da proteção do seu povo contra os inimigos. **Yahweh**, todavia, irá terminar com a indústria da guerra por parte de Efraim e de Judá, como dos demais povos. O rei de **Israel** será capaz de governar o mundo sem a necessidade do uso da força.

O primeiro parágrafo lembra profecias de outros profetas, mas não profecias anteriores de Zacarias. Ela declara como *Yahweh* lidará com as nações que rodeiam Judá, atuando de nordeste a noroeste, a oeste e sudoeste. A intenção de *Yahweh* é expor a inadequação e a pretensão do esforço e da sabedoria da humanidade. Mas, a ação de *Yahweh* não é, meramente, punitiva; ele pretende tratar esses outros povos como tratou Judá, o que implica que ele deixará alguns **remanescentes**, para que sejam purificados de modo a se tornarem como um clã dentro de Judá. Eles terão uma posição igual aos habitantes originais de Jerusalém, que foram capazes de permanecer na cidade em associação com Israel, com base no fato de terem chegado ao conhecimento de *Yahweh*. Não haverá mais nações insensatas como a **Pérsia**, invadindo Judá. Ela terá o seu rei, e isso será parte da sua restauração e do cumprimento da promessa de *Yahweh* a Davi. Será a visão de *Yahweh* acerca de um reinado cujo foco estará na **fidelidade**, e no compromisso de *Yahweh* de governar todas as nações.

O terceiro parágrafo, aparentemente, recua para complementar o primeiro parágrafo, ao retratar a maneira violenta por meio da qual o propósito de *Yahweh* será alcançado. Mas ele começa com uma promessa a Jerusalém de que ele completará o processo de restauração da cidade ao trazer de volta os **exilados**. Ele assim agirá por causa da aliança de sangue da cidade — ou seja, devido ao seu relacionamento com **Israel** que foi selado por meio de um sacrifício no Sinai. Aqui, o objeto daquela restauração é tornar Israel uma força combatente que *Yahweh* pode usar. A **Grécia** é o poder que, no devido tempo, substitui a Pérsia como superpotência, mas a tensão entre a Pérsia e a Grécia começa apenas algumas décadas depois dos dias de Zacarias, no século V a.C., na época de Esdras e de Neemias. *Yahweh* planeja usar Israel contra a Grécia. Não é, todavia, uma declaração que dá a Israel o direito de decidir entrar em guerra com os gregos, o que, incidentalmente, se mostraria ser uma aventura tola. A profecia evita que os pacifistas pensem que Deus não pode empreender uma ação violenta, mas, evita que os belicistas pensem que podem decidir quando tomar essa decisão. A rebelião dos habitantes de Jerusalém contra Antíoco Epifânio, e a vitória dos rebeldes em cumprimento a promessas mais específicas em Daniel pode ser um exemplo do cumprimento desta promessa, em Zacarias.

ZACARIAS **10:1—11:17**
PASTORES MENTIROSOS, NEGLIGENTES, ABOMINÁVEIS E ESTÚPIDOS

1. Peça chuva ao Senhor no tempo da chuva de primavera;
    Yahweh é aquele que envia relâmpagos,
   e faz precipitar a chuva,
    dá crescimento no campo para cada um.
2. Porque as efígies falam mentiras,
    os adivinhos veem falsidades.

Eles contam sonhos mentirosos,
    consolam com coisas vãs.
Por isso, as pessoas se desviaram como um rebanho,
    elas sofrem porque não há pastor.
³ "Contra os pastores se inflamou a minha ira,
    eu cuidarei dos líderes."

Porque *Yahweh* dos Exércitos está cuidando
    do seu rebanho, da casa de Judá.
Ele os fará como o seu majestoso cavalo em batalha;
⁴   de [Judá emergirá] a pedra angular,
dele a estaca da tenda, dele o arco da batalha,
    dele emergirão todos os supervisores, juntos.
⁵ Eles serão como guerreiros,
    pisando a lama das ruas, em batalha.
Eles batalharão, porque *Yahweh* estará com eles;
    envergonharão o povo montado em cavalos.

⁶" Assim, farei guerreiros da casa de Judá,
    e libertarei a casa de José.
Eu os restaurarei, porque tive compaixão deles;
    serão como se eu não os tivesse rejeitado.
Pois, eu sou *Yahweh*,
    o Deus deles, e lhes responderei.
⁷ Efraim será um verdadeiro guerreiro;
    o seu coração se alegrará como com vinho.
Os seus filhos verão e se regozijarão;
    o coração deles se alegrará em *Yahweh*.
⁸ Assobiarei para eles e os ajuntarei,
    porque eu os redimi e eles se tornarão muitos,
como eram muitos.
⁹   Embora os semeie entre as nações,
em lugares distantes, eles se lembrarão de mim;
    viverão com seus filhos e voltarão.
¹⁰ Eu os trarei de volta da terra do Egito,
    os ajuntarei da Assíria.

Embora eu os leve para a terra de Gileade e do Líbano,
    não se encontrará [espaço] para eles.
¹¹ [*Yahweh*] passará pelo mar limitante,
    ferirá as ondas do mar,
    e todas as profundezas do Nilo secarão.
A ascensão da Assíria será derrubada,
    a vara do Egito passará.
¹² Farei deles guerreiros por meio de *Yahweh*,
    e em seu nome, eles marcharão"
    (declaração de Yahweh).

CAPÍTULO 11

¹ Abra as suas portas, Líbano,
    para que o fogo consuma os seus cedros!
² Uivem, ciprestes, porque o cedro está caindo,
    quando o poderoso está sendo destruído!
Uivem, carvalhos de Basã,
    pois a floresta fortificada está caindo.
³ O som do lamento dos pastores,
    porque a sua riqueza está destruída!
O som do rugido do leão,
    pois a majestade do Jordão está destruída!

⁴*Yahweh*, o meu Deus, assim disse: "Cuida das ovelhas destinadas à matança, ⁵cujos compradores as matarão e não serão culpados, cujos vendedores dirão: '*Yahweh* seja louvado! Ficarei rico!', e cujos pastores não terão pena delas. ⁶Porque não mais terei pena dos habitantes da terra" (declaração de *Yahweh*). "Eis que irei tornar as pessoas vulneráveis, cada uma na mão de seu próximo e na mão de seu rei. Eles esmagarão a terra, e não resgatarei ninguém de suas mãos."

⁷Assim, cuidei das ovelhas destinadas à matança, das mais humildes do rebanho. Peguei para mim duas varas. A uma chamei "Graça", e a outra, "União." Assim, cuidei das ovelhas. ⁸Livrei-me dos três pastores em um mês. Meu coração perdeu

a paciência com elas, e o coração delas me odiava. ⁹Assim, eu disse: "Não cuidarei de vocês. Aquela que morrer, que morra, e aquela que for exterminada, que seja exterminada, e aquelas que restarem, que uma coma a carne da outra." ¹⁰Peguei a minha vara, "Graça", e a quebrei, para revogar a minha aliança que selei com todos os povos. ¹¹Assim, ela foi cancelada naquele dia, e as mais humildes do rebanho, que estavam olhando para mim, reconheceram que era uma mensagem de *Yahweh*. ¹²Eu lhes disse: "Se for bom aos seus olhos, paguem-me; se não, retenham o pagamento." Então, pesaram o meu pagamento, trinta [peças] de prata. ¹³*Yahweh* me disse: "Jogue isto ao oleiro" (o grande valor que eu valia para eles). Assim, peguei as trinta [peças] de prata e as joguei ao oleiro, na casa de *Yahweh*. ¹⁴E quebrei a minha segunda vara "União", para revogar a irmandade entre Judá e Israel.

¹⁵*Yahweh*, novamente, me disse: "Pegue os implementos de um pastor estúpido. ¹⁶Pois aqui estou eu, e irei levantar um pastor na terra que não cuidará daquelas que são eliminadas ou buscará pelas perdidas, ou curará as feridas, nem sustentará as que estão firmes, mas comerá a carne das mais gordas, e arrancará os seus cascos."

¹⁷ "Ai dos pastores inúteis, que abandonam o rebanho!
    Uma espada sobre o seu braço e sobre o seu olho direito!
Que o seu braço seque completamente,
    que o seu olho direito fique totalmente cego!"

Na quinta-feira, celebramos alguns "aniversários" em nosso seminário — a marca de cinco, dez, quinze, vinte, vinte e vinco, trinta e, até mesmo, trinta e cinco anos de serviço por parte de diferentes membros do corpo docente e da administração (no meu caso, quinze anos). Palavras elogiosas foram proferidas acerca do serviço daquelas pessoas em benefício do seminário que possibilita à instituição buscar o cumprimento de seu compromisso com os "múltiplos ministérios de Cristo e de sua igreja." Será que as merecíamos? Nem tanto. Dificilmente, alguém está realizando o seu trabalho por motivos egoístas. Provavelmente, quase todos nós o executamos porque desejamos ou necessitamos ganhar o nosso sustento. Preferimos este ofício em vez de trabalharmos em outro lugar ou mesmo estarmos sem trabalho. O mesmo ocorre com os pastores.

Portanto, corremos um grande risco de incorrermos no mesmo pecado e nos expormos à igual condenação que esta profecia impõe sobre os pastores de **Israel**. O povo sofre por causa da ausência de pastores. Na realidade, havia pastores, mas eles fracassaram em sua missão. Os pastores (reis, profetas e sacerdotes) deveriam guiar o povo. Em lugar disso, estão agindo como adivinhos, do tipo que confia em efígies (imagens de membros da família já falecidos, aos quais podem consultar na presunção de que, talvez, eles saibam coisas ocultas aos vivos). Ou, apenas não pregavam contra essa prática popular de buscar orientação ou socorro. Seja como for, eles obscureciam o fato de *Yahweh* ser aquele que faz chover, um fator decisivo e incerto para a produção de alimento em Canaã. Eles são guias carregados de culpa, embora a mensagem indique que a falha dos pastores não exime a população de sua própria responsabilidade. O povo necessita ouvir guias mais confiáveis a exemplo desta profecia, a qual prossegue elaborando a promessa anterior sobre *Yahweh* transformar **Judá** em uma máquina de guerra para seu uso. O povo de Judá não tende a ser bélico, mas, nas mãos de *Yahweh*, ele provará ser capaz de derrubar forças muito mais poderosas, como ocorreu no começo de sua história. Igual promessa se aplica a **Efraim**; apesar de ser ainda mais implausível. Efraim desapareceu séculos atrás. Deus, no entanto, uma vez mais, sobrepujará as forças aprisionadoras e tumultuosas, incorporadas pelos rios Tigre, Eufrates e Nilo. As linhas poéticas acerca das árvores do Líbano, de Basã e do vale do Jordão estabelecem o ponto de uma outra maneira, ao descrever *Yahweh* derrubando as forças arrogantes simbolizadas pelas árvores.

A enigmática profecia retorna ao tema dos pastores. A conversa sobre quebrar uma vara e a consequente revogação de uma aliança sugere que seja uma retrospectiva sobre a história de Judá e de Efraim, a história subjacente às promessas na poesia. O "eu" da profecia, então, representa a sequência de profetas que serviram em Efraim e em Judá ao longo dos anos, ministrando a um rebanho que estava destinado ao matadouro, o que ocorreu com a queda de Samaria e Jerusalém pelas mãos, respectivamente, da **Assíria** e da **Babilônia**. As duas varas representam dois aspectos da natureza única de Israel, mas o fato de haver duas delas, anuncia a fragilidade dessa unidade.

Um profeta teria sentimentos ambíguos sobre a matança, desejando cuidar das ovelhas e protegê-las, mas, reconhecendo que elas haviam assinado a própria sentença de morte, pelo seu estilo de vida. Não apenas isso: a revogação da aliança com elas constituiu um desastre para "todos os povos", pois a aliança com Israel designava-se a ser um meio de atrair as nações a um relacionamento de aliança com *Yahweh*. Não podemos identificar os três líderes específicos que foram dispensados; talvez, os três representem, os reis, os profetas e os sacerdotes, em geral. Todos foram julgados quando Samaria e Jerusalém caíram. Com certa dose de ironia, o profeta convida o povo a pagar por sua mensagem de juízo, como eles costumavam pagar os profetas, e eles o fazem, porém, na realidade, ele não profetiza por dinheiro e, então, ele usa o seu pagamento como uma doação para os fundos do templo.

A última parte da seção envolve outra parábola; talvez, as duas parábolas fossem encenadas. Esta envolve o profeta desempenhando o papel de um pastor cujo tratamento às ovelhas é, exatamente, o oposto do que se espera de um pastor. Esse não será o fim da história.

ZACARIAS **12:1—13:6**
SOBRE O ESFAQUEAMENTO DE PROFETAS, VERDADEIROS E FALSOS

¹ Um pronunciamento.

> Mensagem de *Yahweh* sobre Israel,
>   uma declaração de *Yahweh*,
> aquele que estendeu os céus,
>   que fundou a terra,
>   que moldou o espírito do homem dentro dele.

²"Eis que farei de Jerusalém um cálice que causa embriaguez em todos os povos ao seu redor. Eles também estarão contra Judá, durante o bloqueio contra Jerusalém. ³Naquele dia, farei de Jerusalém uma pedra pesada de levantar para todos os povos. Todos os que a levantarem, se ferirão, gravemente, quando todas as nações da terra se unirem contra ela. ⁴"Naquele dia", "ferirei cada cavalo com pânico, e cada cavaleiro com loucura" (declaração de *Yahweh*). "Sobre a casa de Judá abrirei os meus olhos, mas cada cavalo pertencente aos povos, eu ferirei com cegueira. ⁵Os clãs de Judá dirão a si mesmos: 'Os residentes de Jerusalém são a minha força, por meio de *Yahweh* dos Exércitos, o seu Deus.'" ⁶"Naquele dia, farei dos clãs de Judá como um pote de fogo entre árvores, como uma tocha incandescente entre gravetos. Consumirão todos os povos ao redor, à direita e à esquerda. E Jerusalém, uma vez mais, viverá em seu lugar.

⁷"*Yahweh* libertará, primeiramente, as tendas de Judá, para que a glória da casa de Davi e a glória da população de Jerusalém não sejam maiores do que Judá. ⁸Naquele dia, *Yahweh* colocará

um escudo sobre a população de Jerusalém. Uma pessoa dentre eles que esteja propensa a cair será como Davi, naquele dia, e a casa de Davi será como deuses, como o ajudante de *Yahweh* que vai adiante deles.

⁹Naquele dia, procurarei destruir todas as nações que vierem contra Jerusalém, ¹⁰"mas eu derramarei sobre a casa de Davi e sobre a população de Jerusalém um espírito de graça e de orações por graça. Olharão para mim com respeito a alguém que eles esfaquearam, e lamentarão por ele, como se lamentassem por seu único filho, e expressarão angústia por ele, como se sofressem por seu primogênito. ¹¹Naquele dia, a lamentação em Jerusalém será grande, como a lamentação por Hadade-Rimom, no vale de Megido. ¹²A terra lamentará, cada família por si mesma, a família da casa de Davi por si mesma e as suas mulheres por si mesmas, a família da casa de Natã por si mesma, e as suas mulheres por si mesmas, ¹³a família da casa de Levi por si mesma, e as suas mulheres por si mesmas, a família dos simeítas por si mesma, e as suas mulheres por si mesmas, ¹⁴todas as demais famílias, cada uma por si mesma, e suas mulheres por si mesmas."

¹³:¹"Naquele dia, haverá uma fonte aberta para a casa de Davi e para os residentes de Jerusalém, para purificação e limpeza. ²"E, naquele dia" (declaração de *Yahweh* dos Exércitos), eliminarei os nomes das imagens da terra. Não mais serão mencionados. Também farei passar da terra os profetas e o espírito impuro. ³Quando alguém profetizar, novamente, o seu pai e a sua mãe, que o geraram, dirão: 'Você não deve viver, porque falou falsidade em nome de *Yahweh*.' O seu pai e a sua mãe, que o geraram, o esfaquearão quando ele profetizar. ⁴"Naquele dia, cada um dos profetas se envergonhará de sua visão, quando profetizar. Eles não vestirão o manto de profeta para não enganar. ⁵Eles dirão: 'Eu não sou um profeta. Sou um homem que trabalha o solo, pois um homem comprou-me em minha mocidade.' ⁶Se alguém lhe disser: 'O que são essas feridas em suas mãos', ele dirá: 'Fui ferido na casa de meus amigos.'"

Outro dia, durante um voo, enquanto editava *Daniel e os doze profetas para todos*, o homem sentado ao meu lado, percebendo que eu estava lendo hebraico, disse-me que era judeu e perguntou o que eu estava fazendo. Outro homem, ao ouvir a nossa conversa, passou a discutir sobre como os judeus eram a fonte de todos os nossos problemas, e que não estaríamos lutando em conflitos no Oriente Médio se não fosse para garantir que eles tivessem o controle total sobre a terra. Eles são os nossos inimigos, ele afirmou. Passado algum tempo, desisti de tentar discutir aquelas questões com ele, pois parecia não haver possibilidade de diálogo. Depois, a minha esposa disse que gostaria de ter respondido: "Bem, se eles são os nossos inimigos, não somos chamados a amar os nossos inimigos?". Será que essa observação o levaria a refletir? Como levar as pessoas a mudarem o seu pensamento?

Esta seção descreve Deus agindo para esse fim. Esse objetivo move a ação de Deus, em que pese ele poder usar a nossa palavra nessa conexão. Embora o profeta saiba que as suas palavras, isoladamente, não irão alcançar nada ao longo daquelas linhas, ele pode esperar que Deus as use; mas, será necessário que Deus derrame, sobre as pessoas, um espírito de graça e de orações por graça. O espírito de graça significa uma atitude diferente em relação a outra pessoa; as orações por graça significam súplicas para que a graça se mostre por si só. As duas andam juntas. Não se pode orar por graça a não ser que você esteja preparado para mostrá-la.

Como ocorreu com os três pastores, no capítulo anterior, não conseguimos identificar a pessoa que foi esfaqueada. O parágrafo é uma reminiscência da visão de Isaías 53, sobre um servo de **Yahweh** que foi atacado por pessoas que, agora, percebem quanto estavam erradas. Lá e aqui, a profecia está descrevendo o que pode ocorrer aos profetas quando eles estão transmitindo a palavra de Deus. Como de hábito, então, a omissão da passagem em esclarecer a quem está descrevendo, nos ajuda ao entender que o seu significado não está restrito a um único contexto. Qualquer comunidade, ao lê-la, deve questionar se a passagem apresenta um desafio. Ela coloca diante de nós uma visão de tristeza profunda pelo mal que fizemos a alguém — especialmente, em nome de Deus. (Hadade-Rimom era um deus cananeu, a espécie de deus com o qual eram associados ritos de luto, mas não sabemos muito mais a esse respeito.)

A introdução da expressão, "naquele dia", regularmente, sugere o começo de uma profecia diferente, mas, aqui, a promessa de uma fonte para purificação e limpeza acompanha bem a visão das pessoas suplicando por graça e lamentando por aqueles a quem feriram ou mataram. Se a vítima era alguém como um profeta, então, as linhas seguintes também são bons complementos, embora de uma forma mais paradoxal. Trata-se de uma lembrança de que muitos, talvez a maioria, dos profetas mencionados no Antigo Testamento, eram o que chamaríamos de falsos profetas. Portanto, embora, para nós, "profetas" seja uma boa palavra, no Antigo Testamento não é bem assim. Assim, o contexto desse parágrafo sugere uma referência aos profetas que incentivavam o uso de imagens e que se envolviam em automutilação, a exemplo dos profetas do **Mestre**, em 1Reis 18. Em outras palavras, eles eram inspirados ou envolvidos com um espírito impuro — pois a adoração por meio de imagens torna uma pessoa impura. As coisas seriam mais claras se aqueles profetas profetizassem em nome de outros deuses, mas eles o fazem em nome de *Yahweh*, e vestiam trajes que os verdadeiros profetas, às vezes, usavam. Ou, alternativamente, negam serem profetas, alegando serem apenas lavradores, a exemplo de Amós. Os seus pais deveriam ser os primeiros a não apenas renegá-los, mas tratá-los como a seção descreveu as pessoas tratando um verdadeiro profeta. Até onde sabemos, **Israel** não assumiu que tais injunções fossem designadas a uma implementação literal (de fato, os verdadeiros profetas, principalmente, é que eram executados). Mas, esse fato aumenta, em vez de diminuir, a força da declaração deles acerca do quão terrível é o malfeito envolvido.

A abertura da seção reafirma a promessa de *Yahweh* de que as nações irão pagar por seus ataques contra **Judá**. As agressões se assemelharão a tomar uma bebida e descobrir que ela foi adulterada, fazendo a pessoa desfalecer; ou serão como tentar levantar pesos e descobrir que se feriu. Significará presumir que possui grandes recursos militares (cavalos e cavaleiros), mas descobrir que eles não conseguem ver para onde estão indo (enquanto Yahweh mantém o seu olhar sobre Judá), ou pensar que está indo incendiar uma cidade, mas, descobrir que é você que está em chamas.

Haverá uma mutualidade incomum de relacionamentos dentro da terra. Eles ocorrerão entre a capital e as demais partes da terra; Judá pode confiar em Jerusalém, embora Jerusalém e a sua casa real não dominem as outras regiões da nação. Eles, igualmente, ocorrerão, dentro da própria cidade, na qual os fracos não irão aos muros, ou estarão expostos à opressão dos administradores; a administração real será, fantasticamente, forte, mas as pessoas comuns serão como Davi. Então, cuidado.

ZACARIAS 13:7—14:21
O QUE VAI, VOLTA (PARA SEMPRE?)

⁷ "Espada, desperte contra o meu pastor,
　　contra o homem que é meu ajudante"
　　(declaração de *Yahweh* dos Exércitos).
"Fira o meu pastor, o rebanho deve se dispersar;
　　voltarei a minha mão contra os pequeninos."

⁸ Em toda a terra (declaração de *Yahweh*),
　　duas partes nela serão exterminadas, perecerão."
Uma terça [parte] será deixada nela,
⁹　　mas, colocarei essa terça parte no fogo.
Eu a derreterei como se derrete prata,
　　a testarei como se testa ouro.
Ela invocará o meu nome,
　　e eu mesmo lhe responderei,
e direi: 'É o meu povo',
　　e ela dirá: '*Yahweh* é o meu Deus.'"

CAPÍTULO 14

¹Eis que vem o dia de *Yahweh*, e o seu despojo [Jerusalém] será distribuído em seu meio. ²Reunirei todas as nações a Jerusalém para a guerra. A cidade será capturada, as casas serão saqueadas, as mulheres serão violentadas, e metade da cidade irá para o exílio. Mas o restante do povo não será eliminado da cidade, ³e *Yahweh* sairá e fará guerra contra aquelas nações, como ele faz em dia de batalha. ⁴Naquele dia, os seus pés estarão sobre o monte das Oliveiras, que está diante de Jerusalém, a leste. O monte das Oliveiras se dividirá ao meio, de leste a oeste, um vale muito grande; metade do monte se moverá para o norte, metade, para o sul. ⁵O seu povo fugirá pelo vale entre as minhas montanhas, porque o vale alcançará até Azel. Fugirão como fugiram do terremoto nos dias de Uzias, rei de Judá. Mas *Yahweh*, meu Deus, virá — todos os santos estarão com ele.

⁶Naquele dia, não haverá luz dos gloriosos, que minguarão. ⁷Haverá um dia (que *Yahweh* conhece), nem dia e nem noite; ao entardecer, haverá luz. ⁸Naquele dia, águas vivas fluirão de Jerusalém, metade delas para o mar oriental, metade delas para o mar ocidental. Isso acontecerá no verão e no inverno. ⁹*Yahweh* será rei sobre toda a terra. Naquele dia, *Yahwe*h será um e seu nome será o único nome. ¹⁰Toda a terra se tornará como a planície, de Geba a Rimom, ao sul de Jerusalém, mas [Jerusalém] surgirá e permanecerá em seu lugar, desde a porta

de Benjamim até o lugar da primeira porta, até a porta da Esquina, e da torre de Hananeel até as prensas de vinho do rei. ¹¹Pessoas viverão nela, e aniquilação não mais ocorrerá. Jerusalém viverá em segurança.

¹²Mas, esta será a epidemia que *Yahweh* enviará sobre todos os povos que fizeram guerra contra Jerusalém: a sua carne apodrecerá enquanto ainda estiverem firmados em seus pés; seus olhos apodrecerão em suas órbitas, e a sua língua apodrecerá em sua boca. ¹³Naquele dia, um grande pânico de *Yahweh* virá sobre eles. Eles agarrarão, cada um, a mão de seu próximo, e a sua mão se levantará contra a mão do seu próximo. ¹⁴Judá, também, guerreará em Jerusalém. Os recursos de todas as nações ao redor serão reunidos — ouro, prata e roupas, uma grande abundância. ¹⁵Assim será a epidemia que afetará cavalos, mulas, camelos, jumentos e todo animal que estiver naqueles acampamentos.

¹⁶Mas todos os que restarem de todas as nações que vierem contra Jerusalém subirão, ano após ano, para curvarem-se ao Rei, *Yahweh* dos Exércitos, e para observar a festa das cabanas. ¹⁷Se alguém, das famílias da terra, não subir a Jerusalém, para se curvar ao Rei, *Yahweh* dos Exércitos, não haverá chuva sobre ela. ¹⁸Se a família do Egito não subir e não vier, não haverá ninguém nelas; haverá a epidemia que *Yahweh* enviou sobre [outras nações] que não subiram para observar a festa das cabanas. ¹⁹Assim será a ofensa do Egito e de todas as nações que não subirem para observar a festa das cabanas.

²⁰Naquele dia, gravado sobre os sinos dos cavalos estará: "Sagrado para *Yahweh*." Os caldeirões na casa de *Yahweh* serão como as bacias diante do altar. ²¹Cada panela em Jerusalém e em Judá será sagrada para *Yahweh* dos Exércitos. Todas as pessoas que oferecem sacrifício virão e pegarão algumas delas para cozinhar nelas. Não haverá mais comerciantes na casa de *Yahweh*, naquele dia.

ZACARIAS 13:7—14:21 • O QUE VAI, VOLTA (PARA SEMPRE?)

Estou lendo um artigo, escrito por um líbio cujo pai, após morar durante muitos anos no exterior, ficou entusiasmado pelo golpe que depôs a monarquia na Líbia, em 1969, que resultou no governo de Muammar Kadafi. O pai retornou à Líbia e, eventualmente, foi preso, morrendo depois de alguns anos de confinamento. Então, ontem à noite, vimos um filme "baseado em fatos reais", sobre a invasão da embaixada dos Estados Unidos, em Teerã, em 1979, e o resgate de alguns funcionários norte-americanos da embaixada canadense, que me fez lembrar a celebração que houve no Ocidente, quando o xá do Irã foi deposto e substituído pelo aiatolá Khomeini. Logo, também mudamos a nossa visão acerca daquele movimento. As revoluções tendem a azedar e os padrões se repetem ao longo da história.

Talvez isso ajude com uma questão sobre esses capítulos finais de Zacarias. A maneira de o profeta falar sugere que ele esteja pensando sobre eventos que estão prestes a ocorrer. A sua linguagem, todavia, também reflete como as coisas aconteceram no passado. As linhas poéticas iniciais lembram a sua audiência da queda de Jerusalém, em 587 a.C.; elas resgatam as imagens de Ezequiel nessa conexão. O evento envolveu a captura e a deposição do rei davídico, o pastor e servo de *Yahweh*, e a devastação do seu povo. Esse evento, no entanto, não significou a sua aniquilação. *Yahweh* permitiu que um número suficiente de judaítas sobrevivesse para formar o embrião de um novo povo com o qual o antigo relacionamento de aliança poderia ser reafirmado. Eles seriam o povo de *Yahweh*; *Yahweh* seria o Deus deles. Assim como ocorreu a devastação, houve a restauração. A profecia, contudo, apresenta esse cenário como algo futuro, a se desenrolar, sugerindo ser um padrão que se repetirá.

A profecia em prosa subsequente, possui a mesma implicação. A sua linguagem, uma vez mais, lança mão de mensagens anteriores de Deus, como aquelas proferidas por Ezequiel.

As nações, novamente, se reunirão ao redor de Jerusalém, e, uma vez mais, a cidade cairá, os seus bens serão saqueados, as suas mulheres serão violentadas. A guerra envolve essas ocorrências. Parece ser o epílogo de uma história, mas não será. Os Profetas, com frequência, descrevem *Yahweh* intervindo quando tudo parece estar perdido e realizando uma libertação imprevisível, talvez operando algo que parece prodigioso, como ocorre aqui, e acompanhando o seu povo com o seu exército celestial. Não conhecemos a localização de Azel ou algo sobre o terremoto nos dias de Uzias, mas Amós 1 também faz referência a esse evento; evidentemente, tratou-se de algo espetacular.

Assim, *Yahweh* é tanto aquele que instala a crise quanto o que limita as consequências. O parágrafo seguinte explora mais a maravilhosa natureza do retrato. A luz do sol e da lua desaparecerão, porque *Yahweh* introduzirá uma luz contínua, e haverá uma transformação paralela dos recursos hídricos para a terra, além de uma transformação de sua topografia, de maneira que, em vez de uma cadeia aleatória de montanhas, com a cidade de Jerusalém em seu meio, haverá uma planície com Jerusalém em destaque. *Yahweh* exercerá a soberania em todo o mundo. Portanto, não haverá dúvidas de que há um só *Yahweh*. Embora esse fato implique a existência de um único Deus, e em crenças monoteístas, essa formulação não é do interesse da Bíblia. No Antigo Testamento, a pergunta importante não é quantos deuses existem, mas quem é Deus. Desde o começo, o Antigo Testamento afirma que *Yahweh* é Deus. O seu nome é o único que as pessoas devem reconhecer. Próximo ao fim do Antigo Testamento, o mundo reconhece esse nome.

A segunda metade da passagem pinta o cenário, novamente, oferecendo outro quadro de uma crise indo para Jerusalém e da ação de *Yahweh* contra as forças hostis. Isso acrescenta uma nova nota que ressoa com os capítulos anteriores do livro. Do mesmo modo que o juízo sobre Jerusalém não significa uma total aniquilação, assim será com o juízo sobre os agressores de Jerusalém. O foco, no entanto, não reside na misericórdia estendida a eles. O problema com a matança das pessoas é que isso não significa que elas reconhecem a verdade — na realidade, isso impossibilita o reconhecimento. O fato de haver sobreviventes dessas nações significa que eles virão a reconhecer *Yahweh*, o único *Yahweh*, o seu verdadeiro rei. É melhor que sim. O motivo para o comentário especial sobre o **Egito** pode ser devido ao orgulho dos egípcios, por não dependerem das chuvas em função das cheias do Nilo. Assim, eles ainda serão afligidos por uma epidemia.

Grande parte do retrato do capítulo final é, absurdamente, metafórica. Os versículos de encerramento também são metafóricos, mas eles fornecem uma boa impressão realista de como as coisas serão "naquele dia." A sacralidade permeará cada detalhe da vida da cidade. O padrão de pecado e juízo, de restauração e de decadência, de ataque e de libertação, não persistirá para sempre.

MALAQUIAS

MALAQUIAS 1:1-14
PASTORES DESCUIDADOS

¹Um pronunciamento. Mensagem de *Yahweh* a Israel por meio de Malaquias.

²"Eu me entreguei a vocês", *Yahweh* disse. "Mas vocês disseram: 'Como te entregaste a nós?' Não é Esaú irmão de Jacó?" (declaração de *Yahweh*). "Mas, eu me entreguei a Jacó, ³e repudiei Esaú. Estou fazendo de suas montanhas uma desolação, as suas posses para os chacais do deserto." ⁴Porque Edom diz: "Fomos esmagados, mas construiremos, novamente, as ruínas". *Yahweh* dos Exércitos assim disse: "As pessoas podem

construir, mas eu mesmo demolirei. Será chamado "Território Infiel", o povo contra quem *Yahweh* estará para sempre irado. ⁵Os seus próprios olhos o verão e dirão: 'Grande é *Yahweh*, além do território de Israel!'"

⁶"O filho honra o seu pai, o servo, o seu senhor. Se eu sou um pai, onde está a honra para mim?', disse *Yahweh* dos Exércitos a vocês, sacerdotes, que desprezam o meu nome. Vocês dizem: 'Como temos desprezado o teu nome?' ⁷Vocês têm apresentado alimento contaminado sobre o meu altar. Vocês dizem: 'Como te desonramos?' Vocês dizem: 'A mesa de *Yahweh* pode ser desprezada.' ⁸Quando apresentam animal cego, não veem mal algum. Quando apresentam animal aleijado ou doente, não veem mal algum. Tentem oferecê-los ao seu governador. Ele se agradaria de vocês?'" (*Yahweh* dos Exércitos disse). ⁹"Agora, supliquem a *Yahweh* para que ele mostre favor por nós. Isso veio de suas mãos. Será que ele aceitará alguém dentre vocês?" (*Yahweh* dos Exércitos disse).

¹⁰Há, de fato, entre vocês alguém que fechará as portas para que não acendam o fogo do meu altar inutilmente? Não tenho deleite em vocês" (*Yahweh* dos Exércitos disse), "e não me agradarei com uma oferta de suas mãos. ¹¹Pois, desde o nascente do sol até o poente, grande é o meu nome entre as nações e, em todos os lugares, incenso é oferecido ao meu nome, e uma oferta pura, pois grande é o meu nome entre as nações" (*Yahweh* dos Exércitos disse). ¹²Mas, vocês o profanam quando dizem: 'A mesa do Senhor está contaminada, e o seu fruto, o seu alimento, pode ser desprezado', ¹³ou dizem: 'Isto é um enfado', e o desprezam" (*Yahweh* dos Exércitos disse), "ou trazem um animal roubado, ou aleijado, ou doente, e o trazem como a oferta. Deveria aceitá-los de suas mãos?'" (*Yahweh* disse). ¹⁴"Maldito é o trapaceiro quando há um macho em seu rebanho, mas ele promete e sacrifica ao Senhor algo defeituoso. Pois eu sou um grande rei" (*Yahweh* dos Exércitos disse), e o meu nome é temido entre as nações."

MALAQUIAS 1:1-14 • PASTORES DESCUIDADOS

Minha esposa gosta de relembrar a igreja à qual pertencia, em Seattle, especialmente, o grupo de estudo bíblico dos homens (ao qual, claro, ela não pertencia). Esse grupo se reunia nas noites de segunda-feira, o que é algo surpreendente, pois o norte-americano genuíno não abre mão do jogo de futebol americano, exibido na segunda-feira, à noite. Aqueles homens, no entanto, precisaram decidir se estavam mesmo dispostos a assumir, seriamente, o seu compromisso com Cristo, e abriram mão do jogo. Então, na manhã seguinte, no trabalho, ao serem questionados: "O que achou do jogo de ontem?", eles respondiam: "Bem, não assisti ao jogo, mas participei de um estudo bíblico fantástico ..."

Malaquias balançaria a cabeça, em aprovação. Ele sabe que **Yahweh** merece o nosso melhor e que isso envolve sacrifícios. Oferecer animais que não lhe servem mais expressa algo significativo acerca da sua atitude em relação a *Yahweh*.

O templo está, agora, reconstruído e em plena atividade; Malaquias trabalha em um contexto posterior ao de Ageu e de Zacarias, isto é, após a conclusão da reconstrução, relatada em Esdras 1—6. Mas, a relutância do povo em tratar Deus com total seriedade corresponde à atitude confrontada por Ageu. Seria melhor desistir, de uma vez, da adoração do que oferecer um culto indigno, Deus afirma. Em um comentário afiado, Malaquias faz um contraste desfavorável entre a adoração sacrificial, encorajada pelos sacerdotes, no templo, e a oferta de incenso, apresentada pelos **judaítas** na Dispersão, que não conseguiam oferecer o sacrifício "apropriado." Por consequência, os residentes de Jerusalém tinham a propensão de se sentirem "superiores" aos judaítas que não tinham voltado para "casa." Malaquias os confronta com essas atitudes. Os sacerdotes falham em estabelecer as expectativas corretas diante do povo e, portanto, de mostrar favor a eles. Os sacerdotes não conseguiam ver aquela atitude como desprezo a

Yahweh, mas essa era a implicação da adoração que praticavam e encorajavam. Talvez, considerassem que estavam sendo pastorais ao fazer concessões devido à dura realidade do povo. Mas aquela atitude condescendente irá cobrar um preço das pessoas. Quando os sacerdotes declaram a bênção de Deus sobre o povo, seus rebanhos, suas lavouras e suas famílias, a bênção não vem. Na verdade, ocorre o oposto.

Embora os sacerdotes sintam que o povo está negligenciando Deus, eles sentem que Deus os está negligenciando. A referência, na abertura, a Jacó e Esaú/**Edom** aponta para um aspecto do caso deles. Gênesis declara que Deus escolheu Jacó em detrimento a Esaú, o seu irmão mais velho. Os termos hebraicos relativos a "entreguei-me a" e "repudiar" são, normalmente, traduzidas por "amor" e "ódio", mas, em nosso idioma, elas transmitem uma impressão equivocada. Deus estava decidindo usar Jacó em vez de Esaú como o meio de cumprir o seu propósito. Isso não implica que Jacó foi "eleito" e Esaú não, da mesma maneira que Jesus escolheu alguns homens para serem seus discípulos. Nos dias de Malaquias, Judá representa Jacó e Edom representa Esaú, mas o problema é que Esaú está se dando bem às custas de Judá, pois os edomitas dominavam uma área substancial do território de Judá. Trata-se de uma forma engraçada de indicar que nós somos o povo escolhido, comentam os judaítas. Ironicamente, a maneira pela qual *Yahweh* cumpriu a sua promessa não foi pela destruição de Edom, mas por meio da absorção dos edomitas pelo povo judeu e, portanto, pelo conhecimento de *Yahweh*.

MALAQUIAS **2:1–16**
DUAS ALIANÇAS NEGLIGENCIADAS

¹"Assim, agora, este alerta é para vocês, sacerdotes. ²Se vocês não ouvirem e não considerarem em seu pensamento para darem honra ao meu nome" (*Yahweh* dos Exércitos disse), mandarei

uma maldição entre vocês. Amaldiçoarei as suas bênçãos. Na verdade, já as amaldiçoei, porque vocês não consideram isso em seu pensamento. ³Aqui estou eu, e irei destruir a sua semente. Espalharei fezes sobre o rosto de vocês, as fezes do seu festival de sacrifício. Alguém os carregará para junto delas. ⁴E saberão que lhes enviei esta advertência, para que seja a minha aliança com Levi" (*Yahweh* dos Exércitos disse). ⁵"A minha aliança com ele foi de vida e bem-estar, e eu as dei a ele, com reverência. Ele me reverenciou. Ele teve temor do meu nome.

⁶ O verdadeiro ensino estava em sua boca;
  o delito não era encontrado em seus lábios.
 Em paz e retidão ele andou comigo,
  e desviou muitos da transgressão.
⁷ "Porque os lábios do sacerdote guardam conhecimento;
  as pessoas buscam o ensino de sua boca,
 pois ele é um ajudante de *Yahweh* dos Exércitos,
⁸ mas vocês se desviaram do caminho.
 Fizeram muitas pessoas cair pelo seu
  ensino; vocês arruinaram a aliança de Levi"
  (*Yahweh* dos Exércitos disse).

⁹Por isso, os envergonharei e humilharei diante de todo o povo, pelo fato de vocês não guardarem os meus caminhos, mas mostrarem acepção de pessoas no ensino.

¹⁰Não temos, todos nós, o mesmo pai? Não fomos criados pelo mesmo Deus? Por que quebramos a fé, cada um com o seu irmão, profanando a aliança de nossos ancestrais? ¹¹Judá quebrou a fé. Ultraje foi cometido em Israel e em Jerusalém, pois Judá profanou o que é sagrado a *Yahweh*, ao qual ele se entregou, e desposou a filha de um deus estrangeiro. ¹²Que *Yahweh* elimine a pessoa que faz isso (quem se levanta e quem responde) das tendas de Jacó, mesmo aquele que apresentar uma oferta a *Yahweh* dos Exércitos. ¹³Façam uma segunda coisa: cubram o altar de *Yahweh* com lágrimas, pranto e lamentos, porque ele não está mais considerando ou aceitando

> a oferta com favor de suas mãos. **¹⁴**Vocês disseram: "Por quê?". "Pelo fato de *Yahweh* ser testemunha entre você e a esposa de sua mocidade, com quem você quebrou a fé, quando ela era a sua parceira e a mulher da sua aliança. **¹⁵**Não foi o Único que [nos] fez, e não são dele os remanescentes do espírito? E o que o Único procura? Uma descendência piedosa. Assim, guarde-se em seu espírito. Uma pessoa não deve quebrar a fé com a esposa de sua mocidade. **¹⁶**Quando ela é hostil ao ponto de divórcio" (*Yahweh*, Deus de Israel, disse), "ele faz da violência uma cobertura para as suas vestes" (*Yahweh* dos Exércitos disse). "Por isso, guarde-se em seu espírito e não quebre a fé."

Uma de nossas vizinhas está irritada e perturbada; seu genro, recentemente, comunicou à sua filha que decidiu se separar dela. O casal tem três filhos em idade escolar. Parece uma decisão irresponsável, quase juvenil. Isso me fez lembrar de um documentário sobre Bob Marley, o falecido cantor de reggae, cuja esposa, Rita, falou sobre como ela lidou com a fama de mulherengo do marido. Ela disse que sabia que ele era a sua rocha, a sua estabilidade, e que o marido sempre acabava voltando. Um amigo meu, que é um alcoólatra em recuperação, me disse que os cônjuges de alcoólatras devem estar prontos a deixá-los ir e se renderem à bebida; somente quando eles atingem o fundo do poço é que serão capazes de voltar.

Embora nos sentamos alarmados pelas estatísticas de divórcio e a relutância das pessoas em se comprometerem com a vida conjugal, pode ser um conforto estranho perceber que algo nessas linhas assemelha-se a isso, ainda que o perfil do problema seja distinto. Em que pese o fato de o templo estar com as portas abertas e funcionando indicar que Malaquias viveu depois de Ageu e de Zacarias, a sua necessidade de confrontar o problema dos casamentos mistos implica que ele viveu antes de Esdras e de Neemias, que adotaram medidas para lidar com essa questão.

Existem vários aspectos em relação ao problema, na visão de Malaquias. Há o fato de os homens abandonarem a "esposa de sua mocidade." Talvez as suas palavras reflitam a realidade de os casamentos serem arranjados quando os dois cônjuges eram muito jovens; pode-se imaginar os homens usando esse fato como desculpa para abandonar a sua esposa, quando forem mais velhos, como ocorre em um contexto ocidental. Mas, mesmo que o casamento tenha sido arranjado quando o casal era jovem, isso levou a um mútuo comprometimento. O testemunho das pessoas de nosso próprio tempo é de que o fato de o casamento ter sido arranjado não constitui uma barreira para desenvolver uma relação de amor entre os cônjuges. Os dois se tornam "parceiros" e entram em uma relação de aliança. *Yahweh* foi testemunha das promessas que eles trocaram. A unidade do casal tornou-se mais real por seu contexto estar inserido dentro do relacionamento maior deles com o "Único" Deus, que foi designado para ser o meio de gerar uma "descendência piedosa" à qual pertencia o futuro de **Israel**. Desse modo, desistir do casamento envolve "quebrar a fé" — isto é, quebrar a aliança com *Yahweh* e com o seu cônjuge. Malaquias, no entanto, está preocupado, principalmente, com a violência que, em geral, acompanha o divórcio quando um cônjuge, simplesmente, expulsa o outro de sua casa.

Existe, provavelmente, uma ligação entre os comentários gerais sobre o divórcio e os comentários sobre desposar "a filha de um deus estrangeiro." Em outras palavras, os homens estavam abandonando a sua esposa **judaíta** para se casar (p. ex.) com uma mulher moabita, talvez pelo fato de a sua esposa não lhe dar filhos. Caso a mulher moabita tenha se comprometido com *Yahweh*, a exemplo de Rute, então, não há problema em desposá-la. Da mesma maneira que Esdras e Neemias, Malaquias tem em mente as mulheres que mantêm a sua crença no deus de sua nação de origem, o que afeta o compromisso da família com Yahweh e põe em risco o futuro de Israel como povo de *Yahweh*.

Na primeira parte do capítulo, Malaquias estende a sua crítica aos sacerdotes, o clã de **Levi**. Aquela reprovação inicial pressupõe que o trabalho deles não era restrito apenas à oferta de sacrifícios em nome do povo. Aqui, Malaquias explicita que o ofício deles incluía o ensino sobre a natureza adequada da adoração que eles ofereciam. O ensino era parte integral da aliança de relacionamento original entre *Yahweh* e Levi — *Yahweh* estabeleceu um compromisso com Levi e seus sucessores e, por outro lado, eles tinham uma responsabilidade a cumprir perante *Yahweh*. Os ancestrais daqueles sacerdotes tinham sido fiéis em seu ministério; os seus descendentes, não. Assim, eles pagarão por sua infidelidade de maneiras desagradáveis. Quando eles observavam o abate e a oferta de um animal, havia partes desagradáveis dele, como os excrementos, que deviam ser descartados. Os sacerdotes se descobrirão sendo descartados junto com esses excrementos.

MALAQUIAS 2:17—4:6
UMA MUDANÇA DE PERSPECTIVAS PLENA E FRANCA

¹⁷"Vocês têm fatigado *Yahweh* com as suas palavras. Vocês disseram: 'Como o temos fatigado?' Quando dizem: 'Todos os que fazem o mal são bons aos olhos de *Yahweh*, Ele se agrada deles.' Ou, 'Onde está o Deus que exerce autoridade?'" **3:1**"Aqui estou eu, e irei enviar o meu ajudante, e ele limpará o caminho diante de mim. O Senhor a quem procuram, repentinamente, virá para o seu palácio.

Assim, o ajudante da aliança, por quem vocês anseiam — eis, que está vindo" (*Yahweh* dos Exércitos disse). ²Mas, quem resistirá ao dia de sua vinda? Quem permanecerá de pé quando ele aparecer? Porque ele será como o fogo do ourives ou como o sabão dos lavandeiros. ³Ele se assentará como um refinador e purificador de prata. Ele purificará os levitas e os refinará como ouro e prata, e eles serão de *Yahweh*, pessoas que apresentam uma oferta em fidelidade. ⁴A oferta de Judá e de Jerusalém agradará *Yahweh* como nos dias passados, como nos tempos antigos.

⁵Assim, virei para perto de vocês exercer autoridade e ser uma testemunha disposta contra os adivinhos, os adúlteros, as pessoas que juram falsamente, as que defraudam o empregado de seus salários, oprimem a viúva e o órfão, que pervertem o direito do estrangeiro e não têm temor de mim" (*Yahweh* dos Exércitos disse). ⁶Porque eu sou *Yahweh*, e não mudei, e vocês são descendentes de Jacó, e não chegaram ao fim. ⁷Desde os dias de seus ancestrais, vocês se desviaram das minhas leis e não as têm guardado. Voltem para mim e eu voltarei para vocês" (*Yahweh* dos Exércitos disse).

"Vocês dirão: 'Como voltaremos?' ⁸Pode uma pessoa roubar Deus? Pois, vocês estão me roubando. Vocês dirão: 'Como o temos roubado?' No dízimo e na contribuição. ⁹Estão sujeitos a uma maldição, mas estão me roubando — a nação, toda ela. ¹⁰Tragam todo o dízimo ao depósito, para que haja comida em minha casa, e me testem por isso (*Yahweh* dos Exércitos disse), se eu não abrir as comportas dos céus e derramar bênçãos sobre vocês até não haver mais necessidade. ¹¹Eliminarei o devorador por vocês, e não destruirei o fruto do solo por vocês, e a vinha em campo aberto não abortará por vocês" (*Yahweh* dos Exércitos disse). ¹²Todas as nações os considerarão afortunados, porque vocês serão uma terra de delícias" (*Yahweh* dos Exércitos disse).

¹³"Vocês tornaram as suas palavras duras contra mim" (*Yahweh* disse). Vocês dirão: 'O que dissemos contra ti?' ¹⁴Vocês disseram: 'Servir a Deus é fútil. Qual foi o ganho quando guardamos os seus preceitos e andamos em tristeza diante de *Yahweh* dos Exércitos? ¹⁵Por isso, agora, consideramos afortunado o arrogante. As pessoas que agem em infidelidade tanto prosperaram quanto testam Deus e escapam.'"

¹⁶Então, as pessoas que estavam no temor de *Yahweh* falaram, cada um com o seu próximo, e *Yahweh* prestou atenção e ouviu, e o rolo de lembrança foi escrito diante dele com respeito ao povo que estava no temor de *Yahweh* e que estimavam o seu nome. ¹⁷"Eles serão uma possessão especial para mim, para o dia que estou fazendo" (*Yahweh* dos Exércitos disse). "Terei piedade deles como alguém tem piedade de seu filho que o serve. ¹⁸Vocês verão, novamente, a diferença entre o fiel e o infiel, entre aquele que serve a Deus contra aquele que não o serve."

CAPÍTULO 4

¹"Pois, eis que o dia está vindo, ardente como uma fornalha, quando todos os arrogantes e todas as pessoas que agem em infidelidade serão como o restolho, e o dia que está vindo os queimará (*Yahweh* dos Exércitos disse), para que não deixem raiz ou ramo. ²"Mas, nascerá para vocês, que estão no temor do meu nome, um sol fiel com cura em seus raios. Vocês sairão e saltarão como novilhos cevados. ³Pisarão sobre os infiéis, porque eles serão cinzas sob a sola dos seus pés, naquele dia que estou fazendo" (*Yahweh* dos Exércitos disse).

⁴"Lembrem-se de Moisés, do ensino do meu servo, o qual ordenei, por meio dele, a todo Israel, em Horebe, leis e decisões. ⁵"Eis que enviarei a vocês Elias, o profeta, antes da vinda do grande e terrível Dia do Senhor. ⁶Ele voltará a mente dos pais para os seus filhos, e a mente dos filhos para os seus pais, para que eu não venha e atinja a terra com aniquilação."

Ontem, um de meus alunos, de origem asiática, respondeu a algo que eu disse em sala de aula. Quando estávamos discutindo a natureza extrema da maneira que as pessoas falavam com Deus, nos Salmos, ou como Jó se dirige a Deus, e a resposta divina, sugeri que essa franqueza reflete a confiança que os **israelitas** falavam com Deus, pois a relação entre eles e Deus é como a de pais com os seus filhos. Sempre almejei que os meus filhos tivessem a liberdade de falar qualquer coisa para mim, e até de bater em meu peito, caso necessário. Se há uma relação sólida e forte entre pais e filhos, isso deveria ser possível. O estudante asiático comentou que essa presunção sobre uma fala assertiva e transparente por parte dos filhos não se encaixa na compreensão de família, em sua cultura. Isso me fez refletir sobre se o mesmo não ocorria na cultura dos israelitas.

A leitura de Malaquias reforça a impressão de que Deus e Israel podiam ser diretos e francos um com o outro. Essa última seção do livro segue a confrontação mútua e o questionamento que tem caracterizado o livro desde o seu início. Reconhecidamente, a primeira queixa fala *sobre* Deus em vez de *a* Deus — outra característica ocasional da maneira com que Israel opera no Antigo Testamento, como se eles não percebessem que Deus podia estar ouvindo, ainda que não fosse abordado diretamente. Trata-se de um padrão na queixa israelita e cristã: "Se Deus é soberano sobre todo o mundo, por que ele não intervém?

Nessa ocasião, Deus responde: "Está certo. Eu irei intervir, mas talvez vocês não gostem." A exemplo de 1Pedro, que adverte a igreja sobre o início do julgamento na casa de Deus, Malaquias avisa **Judá** que a ação de Deus para implementar o seu justo propósito no mundo será uma experiência desagradável para o povo de Deus, como um refino, uma purificação, mesmo que o seu objetivo final seja positivo para ele. Há uma conexão com o comentário subsequente de **Yahweh**: "Eu não mudei" e vocês "não chegaram ao fim." Em toda a história de Israel, a tendência do povo foi de "cansar" *Yahweh* pela maneira que conduziam a própria vida. É incrível como esse povo persiste existindo, mas isso é um fato, apesar das disciplinas e da diminuição de sua população.

Talvez haja uma implicação não verbalizada de que o povo de Judá também não mudou.

Afinal, eles são descendentes de Jacó e não surpreende que estejam roubando Deus ao falharem em levar os dízimos e as contribuições que viabilizam a adoração no templo. A palavra hebraica para "roubar/enganar" é incomum, mas também similar ao nome "Jacó", por ele pertencer ao irmão que enganou e roubou o direito de primogenitura de Esaú, seu irmão mais velho. A ligação, igualmente, subverte qualquer inclinação por parte de Judá de se julgar superior a Esaú/**Edom**, com base na maneira pela qual o livro de Malaquias se inicia.

A queixa sobre Deus reaparece na metade da seção. Servir a Deus é inútil; isso não leva a lugar nenhum. Dessa vez, ela leva à descrição de uma resposta apropriada em relação à experiencia de Deus não agir conforme a nossa necessidade. As pessoas conversavam umas com as outras. Era uma espécie de conversa diferente de uma queixa, entre pessoas que persistiam no temor de *Yahweh*, no compromisso com ele, na confiança nele. Elas não se escondiam da sua dura realidade, mas, também não corriam o risco de desistirem de *Yahweh*. *Yahweh* adotou uma posição diferente em relação a essas pessoas da que ele adotou acerca das que se renderam ao cinismo. Ele adota passos para assegurar que elas não serão esquecidas.

Nesse ínterim, a primeira coisa importante é não esquecerem o ensino de Moisés (a **Torá**). Malaquias não identificou o "ajudante da aliança" sobre o qual falou antes, nesta seção. Talvez a implicação seja que as pessoas o reconhecerão quando o virem. Mas, talvez, os versículos finais do livro o identifiquem como Elias retornando (em certo sentido, João Batista cumpriu esse papel).

Solenemente, a última palavra no Antigo testamento é "aniquilação." É a mesma palavra que, com frequência, se refere à ordem de Deus para que os israelitas "aniquilassem" os cananeus. A Bíblia hebraica fala às pessoas para repetirem o versículo sobre Deus enviar Elias, após esse final preocupante, para que o livro termine com uma nota afirmando o envolvimento de Deus conosco. Mas, as pessoas que têm certeza de pertencerem a Deus necessitam daquele lembrete de que o juízo divino começa com a casa de Deus.

⌐ GLOSSÁRIO ¬

Ajudante Um agente sobrenatural por meio do qual Deus pode aparecer e operar no mundo. As traduções, em geral, referem-se a eles como "anjos", mas essa designação tende a sugerir figuras etéreas dotadas de asas, ostentando vestes brancas e translúcidas. Os ajudantes são figuras semelhantes aos humanos; por essa razão, é possível agir com hospitalidade sem perceber quem são (Hebreus 13:2). Ainda, eles não possuem asas; por isso, necessitam de uma rampa ou escadaria entre o céu e a terra (Gênesis 28). Eles surgem com a intenção de agir ou falar em nome de Deus e, assim, representá-lo plenamente, falando como se *fossem* Deus (Gênesis 22). Estão envolvidos em ações dinâmicas e firmes no mundo (Salmos 34–35). Eles, portanto, trazem a realidade da presença, da ação e da voz de Deus, sem trazer aquela presença real que aniquilaria os meros mortais ou danificaria a sua audição.

Assíria, assírios A primeira grande superpotência do Oriente Médio, os assírios expandiram o seu império rumo ao oeste, até a Síria-Palestina, no século VIII a.C., período de Amós e Isaías. Primeiro, a Assíria anexou **Efraim** ao seu império; então, quando Efraim persistiu tentando retomar a sua independência, os exércitos assírios o invadiram e destruíram a sua capital, Samaria, levando cativo grande parte de seu povo e substituindo-os por pessoas oriundas de outras partes do seu império. Invadiram também **Judá** e devastaram uma extensa área do país, mas não tomaram Jerusalém. Profetas como Amós e Isaías descrevem o modo pelo qual *Yahweh* estava, portanto, usando a Assíria como um meio de disciplinar **Israel**.

Autoridade, autoritativo As traduções, normalmente, substituem o termo hebraico *mishpat* por palavras como "julgamento" ou "justiça", mas a conotação subjacente a essa palavra é o exercício de autoridade e a tomada de decisões, em um sentido mais amplo. Trata-se de uma palavra para "governo". A princípio, então, o termo possui implicações positivas, embora seja possível aos que detêm autoridade tomar decisões injustas. A função do rei é exercer autoridade de acordo com a **fidelidade** a Deus e ao povo, com o fim de trazer libertação. Exercer autoridade significa tomar decisões e agir com firmeza e determinação em favor de pessoas em necessidade e aquelas prejudicadas pelos poderosos. Portanto, falar de Deus na posição de juiz significa boas-novas (exceto se você for um grande malfeitor). As "decisões" de Deus também podem denotar as declarações autoritativas de Deus quanto ao comportamento humano e sobre o que ele intenciona fazer.

Babilônia, babilônios Anteriormente um poder menor no contexto dos primeiros dentre os Doze Profetas, no tempo de Naum, Habacuque e de Sofonias, os babilônios assumiram a posição de superpotência da **Assíria**, mantendo-a por quase um século, até ser conquistada pela **Pérsia**. Profetas como os três citados, descrevem como *Yahweh* estava usando a Babilônia como um meio de disciplinar **Judá**. Suas histórias sobre a criação, códigos legais e textos mais filosóficos nos auxiliam a compreender aspectos de escritos equivalentes presentes no Antigo Testamento, embora sua religião astrológica também constitua o cenário para polêmicos aspectos nos Profetas.

Bem-estar A palavra hebraica *shalom* pode sugerir paz após um conflito, mas, com frequência, indica uma ideia mais rica, ou seja, da plenitude de vida. A *Almeida Corrigida Fiel*, às vezes, a traduz por "bem-estar", e as traduções mais modernas usam palavras como "segurança" ou "prosperidade". De qualquer modo, a palavra sugere que tudo está indo bem para você.

Caldeus A Caldeia era uma região situada a sudeste da **Babilônia**, da qual vieram os reis que governaram a Babilônia durante o período em que **Judá** esteve sob o domínio desse império. Portanto, o Antigo Testamento refere-se aos **babilônios** como caldeus.

Decisão, veja autoridade

Dia de *Yahweh* A mais antiga ocorrência da expressão, "O Dia do Senhor", ou "Dia de *Yahweh*", aparece em Amós 5, o que indica que as pessoas a consideravam como um tempo no qual *Yahweh* iria derramar uma grande bênção sobre ele. Amós declara que o seu significado é o oposto. Doravante, a expressão sempre carregou conotações sinistras. O "Dia de *Yahweh*" é um dia no qual *Yahweh* age de maneira decisiva. Isso não ocorre apenas uma vez; há inúmeras ocasiões nas quais o Antigo Testamento descreve como "Dia de Yahweh", isto é, a queda de Jerusalém, em 587 a.C. e a própria queda da Babilônia, em 539 a.C. Em Isaías 22:5, a devastação de Judá, perpetrada por Senaqueribe, foi uma personificação do "Dia de *Yahweh*."

Edom, edomitas Edom é a nação vizinha, situada a sudeste de Judá, ocupando uma área na parte oriental junto ao mar Morto. A exemplo de **Israel**, que remonta a sua ancestralidade a Jacó, a ancestralidade de Edom remonta a Esaú, irmão mais velho de Jacó. O Antigo Testamento critica os edomitas, particularmente, por sua propensão a se aproveitar da vulnerabilidade de Judá e por seu apoio aos babilônios, por ocasião da captura de Jerusalém. Subsequentemente, os edomitas ocuparam áreas consideráveis do sul de Judá.

Efraim, efraimitas Após o reinado de Davi e de Salomão, a nação de **Israel** se dividiu. A maioria dos clãs israelitas estabeleceu um Estado independente ao norte, separado de **Judá**, de Jerusalém e da linhagem de Davi. Por ser o maior dos dois Estados, o reino do norte manteve o nome Israel como a sua designação política, o que é confuso porque Israel também é o nome do povo que pertence a Deus como um todo. Nos Profetas, às vezes é difícil dizer se "Israel" refere-se ao povo de Deus ou apenas ao Estado do norte. No entanto, em algumas passagens, esse Estado também é apresentado com o nome de Efraim, por ser um dos seus clãs dominantes. Assim, uso esse termo como referência ao reino do norte, na tentativa de minimizar a confusão.

Egito, egípcios Por ser o grande vizinho, ao sul de **Israel**, o Egito aparece em quatro conexões com Daniel e com os Doze Profetas. A história de Israel, como nação, começa em território egípcio, do qual *Yahweh* os libertou e os conduziu até Canaã. Nos séculos VIII e VI a.C., **Judá** estava propenso a olhar para o Egito em busca de auxílio, quando os judaítas temiam a ameaça da **Assíria** ou da **Babilônia**. No exílio, o Egito se tornou um local de refúgio para os judaítas. Daí em diante, houve uma significativa comunidade judaica no Egito. No período ao qual as visões de Daniel se referem, Judá, às vezes, estava sob controle dos **selêucidas**, e outras, sob domínio ptolemaico, no Egito.

Entrega, entregar-se Uso essa expressão em muitas passagens para traduzir o termo hebraico, em geral, traduzido por "amor", pois, embora esta palavra, em nosso idioma, naturalmente, sugira uma emoção, um sentimento, o termo hebraico denota uma atitude ou ação, pelo menos, tanto quanto uma emoção.

espírito A palavra hebraica para espírito é a mesma para fôlego e para vento, e o Antigo Testamento, às vezes, sugere uma ligação entre eles. Espírito sugere um poder dinâmico; o espírito de Deus sugere o poder dinâmico de Deus. O vento, em sua força e capacidade para derrubar árvores poderosas, constitui uma incorporação do poderoso espírito de Deus. O fôlego é essencial à vida; quando não há fôlego, inexiste vida. E a vida provém de Deus, de modo que o fôlego de um ser humano, e mesmo o de um animal, é extensão do fôlego divino. O livro de Juízes relata uma série de conquistas militares e políticas extraordinárias por meio de inúmeros líderes que resultam da vinda do Espírito de Deus sobre eles, capacitando-os a realizar coisas que parecem humanamente impossíveis.

Exílio No fim do século VII a.C., a **Babilônia** se tornou o maior poder no mundo de **Judá**, mas os judaítas estavam determinados a se rebelar contra a sua autoridade. Então, como parte de uma campanha vitoriosa para obter a submissão de Judá, em 597 a.C. e 587 a.C. os babilônios transportaram muitos israelitas de Jerusalém para a Babilônia, particularmente pessoas em posições de liderança, como membros da família real e da corte, sacerdotes e profetas. Essas pessoas foram, portanto, compelidas a viver na Babilônia durante os cinquenta anos seguintes ou mais. Pelo mesmo período, as pessoas deixadas em Judá também estavam sob a autoridade dos babilônios. Assim, não estavam fisicamente no exílio, mas também viveram *em* exílio por um período.

Fidelidade, fiel Nas Bíblias em português, a palavra hebraica "sedaqah" é, normalmente, traduzida por "justiça", mas isso denota uma tendência particular quanto ao que podemos exprimir com esse termo. No original, significa fazer a coisa certa à pessoa com quem alguém está se relacionando, aos membros de uma comunidade. Dessa maneira, as palavras *fidelidade* e *fiel* estão mais próximas do sentido original do que *justiça*.

Filístia, filisteus Os filisteus eram um povo oriundo do outro lado do Mediterrâneo que vieram se estabelecer em Canaã, na mesma época do estabelecimento dos **israelitas** na região, de maneira que os dois povos formaram um movimento acidental de pressão sobre os habitantes já presentes naquele território, bem como se tornaram rivais mútuos pelo controle da área.

Grécia, gregos Em 336 a.C., forças gregas, sob o comando de Alexandre, o Grande, assumiram o controle do Império Persa, mas, após a morte de Alexandre, em 323 a.C., o seu império foi dividido. A maior extensão, ao norte e a leste da Palestina, foi governada por Seleuco, um de seus generais, e seus sucessores. **Judá** ficou sob o controle grego por grande parte dos dois séculos seguintes, embora estivesse situado na fronteira sudoeste desse império e, às vezes, caísse sob o controle do Império Ptolomaico, no Egito (governado por sucessores de outro dos generais de Alexandre). Em 167 a.C., Antíoco Epifânio, governante **selêucida**, tentou banir a observância da **Torá** e perseguiu a comunidade de fiéis em Jerusalém, mas estes se rebelaram e lograram uma grande libertação.

Israel, israelitas Originariamente, Israel era o novo nome dado por Deus a Jacó, neto de Abraão. Seus doze filhos foram, então, os patriarcas dos doze clãs que formam o povo de Israel. No tempo de Saul e de Davi, esses doze clãs passaram a ser uma entidade política. Assim, Israel significava tanto o povo de Deus quanto uma nação ou Estado, como as demais nações e Estados. Após Salomão, esse Estado dividiu-se em dois, **Efraim** e **Judá**. Pelo fato de Efraim ser maior, ele manteve como referência o nome de Israel. Desse modo, se alguém estiver pensando em Israel como povo de Deus, Judá está incluído. Caso pense em Israel politicamente, Judá não faz parte. Uma vez que Efraim não existe mais, então, para todos os efeitos, Judá *é* Israel, do mesmo modo que é o povo de Deus.

Judá, judaítas Judá era o nome de um dos doze filhos de Jacó e, portanto, o clã que traça a sua ancestralidade até ele e que se tornou dominante no sul dos dois Estados, após o reinado de Salomão. Efetivamente, Judá *era* **Israel** após a queda de **Efraim**.

Levi, levitas Dentro do clã de Levi, os descendentes de Arão são os sacerdotes, aqueles que têm responsabilidades específicas em relação às ofertas dos sacrifícios da comunidade e no auxílio aos indivíduos que desejam oferecer seus sacrifícios, pela realização de alguns aspectos da oferta, como a aspersão do sangue do animal. Os demais levitas cumprem um papel de apoio e de administração no templo, além de estarem envolvidos no ensino ao povo e em outros aspectos da liderança do culto.

Mal, maligno O Antigo Testamento usa essa palavra de um modo similar ao uso do adjetivo "ruim" — pode referir-se tanto a coisas ruins que as pessoas fazem quanto a coisas ruins que lhes acontecem, tanto a ações moralmente ruins quanto a experiências ruins. Os profetas, portanto, podem falar de Deus fazer o mal no sentido de trazer calamidade sobre as pessoas. Eles, às vezes, usam a palavra em ambas as conotações no mesmo contexto, indicando o fato de que coisas más ocorrem a pessoas cujas ações são más — embora os profetas saibam que nem sempre isso ocorre.

Medo-Pérsia, medo, Pérsia, persas A Média reside entre a Mesopotâmia e a Pérsia. Nos anos de 550 a.C., Ciro, o grande, obteve o controle da Média e da Pérsia, transformando o Império Medo-Persa na terceira superpotência do Oriente Médio. Ciro, assumiu o controle do Império **Babilônico**, em 539 a.C., o que abriu a possibilidade de os **judaítas** retornarem da Babilônia, após o **exílio**. Judá e os povos vizinhos, como Samaria, Amom e Asdode, eram, então, províncias ou colônias persas. Os persas permaneceram por dois séculos no poder, até serem derrotados pela **Grécia**.

Mestre, mestres *Baal* é um termo hebraico comum para designar um mestre, senhor ou proprietário, mas também é utilizado para descrever um deus cananeu. É, portanto, similar ao termo para "Senhor", usado para descrever *Yahweh*. Na verdade, "Mestre" pode ser um nome próprio, pois assim é tratado em traduções que transliteram a palavra como *Baal*. Para deixar essa distinção clara, em geral, o Antigo Testamento usa "Mestre" para um deus cananeu e "Senhor" para o verdadeiro Deus, *Yahweh*. A exemplo de outros povos antigos, os cananeus cultuavam inúmeros deuses, e, nesse sentido, o Mestre era apenas um deles, embora fosse um dos mais proeminentes. O Antigo Testamento também usa o plural, "Mestres" (*Baals*), como referência aos deuses cananeus em geral.

Remanescente Os profetas advertem que o castigo de *Yahweh* significará que a população de **Israel** (e de outros povos) será, drasticamente, reduzida, de maneira que apenas alguns poucos remanescentes sobreviverão. Mas, pelo menos, alguns israelitas permanecerão vivos — assim, a ideia de "remanescente" pode se tornar um sinal de esperança. Ao mesmo tempo, pode significar um desafio — os poucos que restarem são desafiados a se tornarem um remanescente fiel.

Selêucidas, Seleuco, veja Grécia

Sião Um nome alternativo para a cidade de Jerusalém. "Jerusalém" é um termo mais político ou geográfico; outros povos se referiam à cidade por este segundo nome. "Sião" possui conotações mais religiosas, uma designação da cidade que foca ser o lugar no qual *Yahweh* habita e é adorado.

Sheol O nome hebraico mais frequente para o lugar ao qual vamos quando morremos (o outro é "Poço"). No Novo Testamento, é chamado de "Hades". Não se trata de um lugar de punição ou de sofrimento, mas, simplesmente, de um local de descanso para todos, uma espécie de análogo não físico para a sepultura, como lugar de repouso para o nosso corpo.

Torá A palavra hebraica é, tradicionalmente, traduzida por "lei", mas esse termo propicia uma impressão equivocada, pois ele cobre a instrução em um sentido mais amplo. A estrutura da "Torá" (os livros de Gênesis até Deuteronômio) é a história da relação de *Yahweh* com o mundo e com **Israel**, embora a Torá seja dominada por instruções. "Ensino" é a palavra mais próxima em nosso idioma. O termo hebraico, portanto, pode aplicar-se ao ensino de pessoas, como os profetas, assim como às instruções presentes de Gênesis até Deuteronômio. Assim, às vezes, não fica claro se o termo se refere à Torá ou ao ensino, em um sentido mais amplo.

Yahweh Na maioria das traduções bíblicas, a palavra "Senhor" aparece em letras maiúsculas ou em versalete, como ocorre, às vezes, com a palavra "Deus". Na realidade, ambas representam o nome de Deus, *Yahweh*. Nos tempos do Antigo Testamento, os **israelitas** deixaram de usar o nome *Yahweh* e começaram a usar "o Senhor". Há dois motivos possíveis. Os israelitas queriam que outros povos reconhecessem que

Yahweh era o único e verdadeiro Deus, mas esse nome de pronúncia estranha poderia dar a impressão de que *Yahweh* fosse apenas o deus tribal de Israel. Um termo como "o Senhor" era mais facilmente reconhecível. Além disso, eles não queriam incorrer na quebra da advertência presente nos Dez Mandamentos sobre usar o nome de *Yahweh* em vão. Traduções em outros idiomas, então, seguiram o exemplo e substituíram o nome de *Yahweh* por "o Senhor". O lado negativo é que isso obscurece o fato de Deus querer ser conhecido por esse nome. Por esse motivo, o texto utiliza *Yahweh*, com frequência, não algum outro nome (assim chamado) deus ou senhor. Essa prática dá a impressão de Deus ser muito mais "senhoril" e patriarcal do que ele o é na realidade. (A forma "Jeová" não é uma palavra real, mas uma mescla das consoantes de *Yahweh* com as vogais da palavra para "Senhor", com o intuito de lembrar às pessoas que na leitura das Escrituras elas deveriam dizer "o Senhor", não o nome real.)

Yahweh dos Exércitos Esse título para Deus, em geral, no texto bíblico é traduzido por "Senhor dos Exércitos", todavia é uma expressão mais intrigante do que ela implica. O termo para Senhor é, na realidade, o nome de Deus, **Yahweh**, e a palavra para "Exércitos" é a palavra hebraica regular para as forças militares; é a palavra que aparece na traseira de qualquer caminhão militar israelense. Assim, mais literalmente, a expressão significa "*Yahweh* [dos] Exércitos", que é tão estranho em hebraico quanto "Goldingay dos Exércitos" seria. Todavia, em termos gerais, a implicação da expressão é, decerto, clara: ela sugere que *Yahweh* é a personificação do ou o controlador de todo o poderio de guerra, quer no céu quer na terra. Algumas vezes, o Antigo Testamento apresenta a expressão mais longa, "Yahweh, Deus dos Exércitos."

Livros da série de comentários

O ANTIGO TESTAMENTO PARA TODOS

JÁ DISPONÍVEIS pela **Thomas Nelson Brasil**

Pentateuco para todos: Gênesis 1—16 • Parte 1
Pentateuco para todos: Gênesis 17—50 • Parte 2
Pentateuco para todos: Êxodo e Levítico
Pentateuco para todos: Números e Deuteronômio
Históricos para todos: Josué, Juízes e Rute
Históricos para todos: 1 e 2Samuel
Históricos para todos: 1 e 2Reis
Históricos para todos: 1 e 2Crônicas
Históricos para todos: Esdras, Neemias e Ester
Poético para todos: Jó
Poéticos para todos: Salmos • Parte 1
Poéticos para todos: Salmos • Parte 2
Poéticos para todos: Provérbios, Eclesiastes e Cântico dos Cânticos
Proféticos para todos: Isaías
Proféticos para todos: Jeremias e Lamentações
Proféticos para todos: Ezequiel

Livros da série de comentários

O NOVO TESTAMENTO PARA TODOS

JÁ DISPONÍVEIS pela **Thomas Nelson Brasil**

Mateus para todos: Mateus 1—15 • Parte 1
Mateus para todos: Mateus 16—28 • Parte 2
Marcos para todos
Lucas para todos
João para todos: João 1—10 • Parte 1
João para todos: João 11—21 • Parte 2
Atos para todos: Atos 1—12 • Parte 1
Atos para todos: Atos 13—28 • Parte 2
Paulo para todos: Romanos 1—8 • Parte 1
Paulo para todos: Romanos 9—16 • Parte 2
Paulo para todos: 1Coríntios
Paulo para todos: 2Coríntios
Paulo para todos: Gálatas e Tessalonicenses
Paulo para todos: Cartas da prisão
Paulo para todos: Cartas pastorais
Hebreus para todos
Cartas para todos: Cartas cristãs primitivas
Apocalipse para todos